Na de regen

Karen Kingsbury

Na de regen

Roman

Vertaald door Lia van Aken

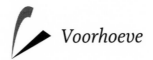 *Voorhoeve*

Na de regen is het vervolg op *Elke nieuwe morgen*.

© Uitgeverij Voorhoeve – Kampen, 2009
Postbus 5018, 8260 GA Kampen
www.kok.nl

Oorspronkelijk verschenen onder de titel *Just Beyond the Clouds* bij Center Street, a division of Hachette Book Group USA, 237 Park Avenue, New York, NY 10017, USA
© Karen Kingsbury, 2007

Vertaling Lia van Aken
Omslagillustratie istockphoto
Omslagontwerp Bas Mazur
ISBN 978 90 297 1940 7
NUR 302

Opgedragen aan…

Donald, mijn prins op het witte paard: je bent de man van mijn dromen en ik zal altijd van je blijven houden.

Kelsey, mijn lieve dochter: ik zie je groeien en bloeien als een prachtige lentebloem. Ik geloof in je, lieverd.

Tyler, mijn schitterende lied: als jij op het toneel staat zal ik je vanaf de eerste rij toejuichen.

Sean, mijn wonderkind: je lieve karakter is steeds een vrolijk licht in ons huis.

Josh, mijn zachtaardige stoere knul: je blijft maar uitblinken in alles wat je doet, maar het mooiste is dat ik 's avonds vaak zie dat je alweer met je neus in de Bijbel begraven zit.

EJ, mijn uitverkorene: ik ben zo blij dat je God dankt dat Hij je in het juiste gezin heeft laten adopteren. Ik weet dat Jezus je voorgaat op je weg.

Austin, mijn wonderbaarlijke jongen: ik ben dankbaar voor je gezondheid, mijn lieve zoon, dankbaar dat God je aan ons teruggegeven heeft.

En aan God de Almachtige, de Auteur van het leven, die mij, tot op heden, met deze mensen heeft gezegend.

hoofdstuk een

De achttien volwassen programmadeelnemers voor in het klaslokaal vormden een vrolijk zootje ongeregeld. De meesten waren klein en gedrongen, en hadden een stevige nek en loensende ogen. Op twee na droegen ze allemaal een bril met dikke glazen. Hun stemmen mengden zich door elkaar in een luide kakofonie van rauw gelach, oprechte verwarring en rumoerig gepraat.

'Juf!' Hij heette Gus en deed een stap naar voren, fronste zijn wenkbrauwen en wees naar de deelnemer naast hem. '*Hij* wil met de bus naar de *Canadian* Rockies.' Gus rolde met zijn ogen. Hij gebaarde dramatisch naar het raam. 'De bussen dáár gaan naar de *Colorado* Rockies.' Hij stak beide handen in de lucht. 'Kunt u dat tegen hem zeggen, juf?'

'Gus heeft gelijk.' De zesentwintigjarige Elle Dalton – juf, mentor, steun en vriendin – keek uit het raam. 'Dat zijn de *Colorado* Rockies. Maar onze reis van morgen gaat niet naar de bergen.' Ze glimlachte naar de jonge mannen. 'We gaan naar het Rocky Mountain Plaza. Het is gewoon een groot winkelcomplex dat Rocky Mountain heet.'

'Precies.' Daisy stond op en zette haar handen in haar zij. Ze kende het Mountain Metropolitan Vervoerssysteem beter dan wie dan ook in het centrum. Daisy sliepte Gus uit. 'Heb ik toch gezegd. Winkelen morgen. Niks bergbeklimmen.'

'Ja.' Elle stond haar leerlingen van een afstandje te bekijken. Ze had het vandaag al meer dan twintig keer verteld. Maar dat was normaal op donderdag. 'Pak allemaal jullie spiekbriefje.'

Traag zochten de deelnemers in de zak van hun spijkerbroek

of in sommige gevallen in hun sokken of broekband naar een opgevouwen stuk papier. Even later had de hele groep het voor zich liggen en ze begonnen de informatie op te lepelen; allemaal op een ander moment en met verschillend spraakvermogen.

'Wacht.' Ze stak haar hand op. 'Luisteren.' Elle kende het verhaal uit haar hoofd. Ze wachtte tot ze ieders aandacht had. 'Kom allemaal achter mij aan.' Ze liep langzaam langs de rij leerlingen heen. 'Buslijn nummer tien brengt ons van het centrum op de Cheyenne Boulevard en de Nevada Avenue in zuidelijke richting langs de Meadows Road, en linksaf op de Academy Boulevard naar de winkels.'

'De Academy Boulevard?' Carl Joseph stapte uit de rij, hij had zorgelijke rimpels in zijn voorhoofd. Carl Joseph was nieuw in het centrum. Hij deed nu drie maanden mee aan het programma. Het was twijfelachtig of hij zelfstandig zou kunnen worden. 'Is dat in Colorado Springs of ergens anders?'

'Het is hier, Carl Joseph.' Daisy klopte op zijn schouder. 'Gewoon hier in de Springs.'

'Precies.' Elle grinnikte. Daisy vertelde het de klas wel. 'De hele busreis duurt ongeveer een kwartier.'

Hij knikte, nog steeds onzeker. 'Oké. Oké, juf. Als u het zegt, oké.' Hij stapte terug in de rij.

En zo ging het nog een half uur door. Elle noemde de gegevens op. De kleur van de bus, oranje, en hoeveel tijd ze hadden om in te stappen en hoelang het duurde om naar de Academy Boulevard te rijden, en hoeveel haltes ze in de bus zouden blijven zitten voordat ze uitstapten.

Voor veel van hen was de les een herhaling. Ze namen elke week een andere route, leerden die uit hun hoofd, tekenden hem uit, speelden hem na, en verwerkten hem uiteindelijk op vrijdag in een excursie. Als ze de dertig meest gangbare busroutes hadden gehad, begonnen ze weer bij het begin. Maar

Elles leerlingen hadden het syndroom van Down, en hadden dus allemaal in verschillende mate problemen met het korte-termijngeheugen. Het doornemen van de busroutes kon niet vaak genoeg gebeuren.

Na een half uur begon de concentratie van de groep snel af te nemen. Elle stak haar handen uit. 'Tijd voor de pauze.' Ze keek weer uit het raam. Het was een ochtend laat in april en het zonlicht stroomde vanuit een felblauwe hemel naar binnen. 'Een kwartier... en we gaan vandaag naar buiten.'

'Jippie!' Tammy, een deelneemster met lange, bruine vlechten, maakte een rondedansje. 'Buitenpauze!'

'Bah! Ik haat buitenpauze!' Sid keek boos en stompte in de lucht. Hij was met zijn dertig jaar de oudste leerling in het centrum. 'Haat, haat, haat.'

'Niet haten.' Gus schudde vermanend met zijn vinger. 'Buiten kun je lekker pingpongen.'

'Tikkie, jij bent 'm.' Brian tikte Gus op zijn schouder en rende lachend de deur uit. Brian met zijn rode haar kwam al naar het centrum sinds Elle het twee jaar geleden overgenomen had. Hij was veruit de vrolijkste deelnemer. Onder het rennen schreeuwde hij: 'We kunnen tikkertje doen en iedereen mag meedoen!'

'Ja!'

'Ik haat tikkertje.' Sid sloeg zijn armen over elkaar en stak zijn onderlip uit. 'Haat, haat, haat.'

De leerlingen liepen allemaal tegelijk pratend naar de deur. Helemaal achteraan treuzelden in hun eigen wereldje verzonken Carl Joseph en Daisy. Hij wees naar buiten. 'Het regent vandaag niet, Daisy. Alleen maar een lekker zonnetje. Dat heeft God gedaan, hè?'

'Precies.' Ze keek met liefdevolle ogen naar hem op. 'Dat is aan God te danken.'

'Dacht ik al.' Hij lachte diep uit zijn keel en klapte vlug vijf keer in zijn handen. 'Ik dacht al dat God de dank kreeg.'

Elle glimlachte en ging naar de achterkamer. Ze schonk zich een kop zwarte koffie in en keerde terug naar haar bureau. Haar werk in het centrum had alles te maken met Delores Daisy Dalton. Haar favoriete deelneemster en haar kleine zusje. Haar project. Wat was het leven hier in de Springs anders geworden voor Daisy. Tot twee jaar geleden had Daisy haar hele leven een uur ten oosten van Denver bij hun moeder gewoond, in Lindon, Colorado, met een bevolking van 120 mensen.

De oudste van de zusjes Dalton was pas negen toen hun stoere vader op een ochtend vertrok naar zijn kantoorbaan in Denver en nooit meer terugkwam. Een stuk ijs op een landweggetje had hem het leven gekost en hij was dood voordat de eerste politieagent was gearriveerd. Ze hadden geld gekregen van de levensverzekering en het smartengeld van de dronken bestuurder die hem aangereden had; genoeg om hun moeder thuis te laten blijven en hun in hun kleine woonkamer onderwijs te blijven geven. Genoeg om het leven niet te hoeven veranderen boven op het verdriet.

Want hun vader had van zijn meisjes gehouden met alles wat hij in zich had.

De tijd vloog voorbij en één voor één gingen de meisjes Dalton het huis uit en verhuisden naar Denver om naar de Universiteit van Colorado te gaan. Elle was geen uitzondering. Ze haalde een onderwijsgraad en toen haar doctoraal. Maar Daisy was de jongste, en toen zij negentien werd, stond één ding vast.

Als ze in Lindon bleef, waren er voor Daisy geen mogelijkheden. En dat was niet goed, want hun moeder had voor Daisy niets minder op het oog dan voor haar andere dochters. Wat de artsen en de leerboeken van die tijd ook zeiden over het syndroom van Down, al vroeg had hun moeder geloofd dat Daisy tot grote dingen in staat was. Ze geloofde in meedoen en ervaren, en dat betekende dat als de rekenles over geld tellen ging, Daisy leerde tellen. Als het tijd was om de keuken schoon te maken, kreeg Daisy les in hoe de vaatwasmachine werkte.

Als het busje voor gehandicapte kinderen langsreed, stopte het niet voor het huis van de Daltons.

'Jullie meisjes zullen Daisy laten zien wat ze moet doen, hoe ze zich moet gedragen en hoe ze moet denken,' zei hun moeder. 'Hoe moet ze het anders leren?'

Het bleek dat de denkwijze van hun moeder innovatief en vooruitstrevend was. Toen Elle in het speciale onderwijs haar doctoraal deed, was meedoen helemaal in de mode. Moeilijk lerende kinderen konden meer dan iedereen ooit had verwacht, als ze maar omringd werden door rolmodellen.

Toen ze een baan aangeboden kreeg als directeur van het Centrum voor Zelfstandig Wonen, of het CZW zoals iedereen het noemde, werkte Elle een idee uit en legde het haar moeder voor. Ze konden het huis in Lindon verkopen en met z'n drieen een huis kopen in de Springs. Elle zou het centrum leiden, Daisy kon aan het programma deelnemen, en hun moeder kon buitenshuis gaan werken.

Gehechtheid aan de oude boerderij deed hun moeder aarzelen, maar dat duurde niet lang. Het leven was meer dan een huis, en de familie was niet beperkt tot een bepaalde plaats. De verhuizing vond snel plaats en vanaf haar eerste dag in het centrum was Daisy opgebloeid. Haar vriendschap met Carl Joseph was daar een bewijs van.

Elle dronk van haar koffie, stond op en liep naar het raam. Ze ging op de vensterbank zitten en sloeg haar leerlingen gade. Een centrum als dit was vijftien jaar geleden nog niet mogelijk geweest. Toen de meeste van haar deelnemers geboren werden, hadden hun ouders weinig opties. De helft van de kinderen ging naar een instelling en had weinig tot geen verwachting om iets te bereiken. De anderen werden naar speciale scholen gestuurd, zonder de stimulansen die nodig waren om vooruit-gang te boeken.

Elle nam nog een slok koffie. Het CZW was niet alleen goed voor haar leerlingen, van wie de meesten vijf dagen per week, zes uur per dag kwamen. Het gaf haar een doel en het was een plaats waar niemand vroeg naar de ring die ze niet meer droeg. Ze keek op haar horloge, stond op en liep naar de deur. Er waren dagen dat haar werk in het centrum haar enige levensdoel was.

Ze maakte de deur open. 'De pauze is voorbij. Over twee minuten op jullie plaatsen zitten.'

'Juf, nog één punt!' Gus wuifde met zijn pingpongbatje in de lucht. Met zijn andere hand hield hij de tafel vast. 'Nog één puntje. Alstublieft!'

'Goed.' Elle smoorde een lach. Gus was schattig, de deelne-mer die zijn gevoelens het best onder woorden kon brengen. 'Maak het spelletje maar af en kom dan gauw naar binnen.'

Het duurde vijf minuten, maar toen zat iedereen ook op zijn plaats met zijn gezicht naar haar toe. Het centrum nam een grote ruimte in beslag, met terreinen voor verschillende activi-teiten. De busroutes werden geoefend in een nis waar tapijt lag, met een groot schoolbord aan de ene muur en een paar banken langs de kant. In een andere hoek stonden een keukenblok en drie keukentafels met stoelen. Daar werden sociale vaardighe-den, koken en fatsoenlijke tafelmanieren aangeleerd.

Verder werden spraak en communicatie onderwezen. De lesruimte had ook vloerbedekking en de deelnemers zaten op banken en gestoffeerde stoelen, om een woonkamer na te bootsen. Het was de bedoeling dat de deelnemers zich op hun gemak leerden voelen in dagelijkse leefsituaties, en sociale sig-nalen leerden herkennen en correct met anderen omgingen.

Elle keek haar leerlingen aan. 'Wie wil het eerst wat vertel-len?'

Daisy had haar vinger al opgestoken voordat Elle haar vraag had uitgesproken. 'Ik, juf!' Daisy vond het lekker om Elle 'juf' te noemen. Daisy gooide haar hoofd in haar nek en lachte, toen keek ze Carl Joseph aan om goedkeuring. 'Toch? We zijn toch klaar?'

'Eh…' Carl Joseph duwde zijn bril omhoog op zijn neus. Hij keek verward, maar zijn ogen lichtten op toen hij Daisy aankeek. Zijn woorden kwamen traag en sloom en veel te luid uit zijn mond. 'Ja, Daisy. Dat is waar.'

'Ssst.' Daisy legde haar vinger tegen haar lippen. Ze trok haar wenkbrauwen hoog op. 'We horen je wel, CJ.' Er klonk geen afkeuring in haar toon. Alleen een herinnering, zoals twee vrienden elkaar kunnen aanmoedigen.

Carl Joseph kromde zijn schouders en trok een schuldig gezicht. Hij sloeg zijn hand voor zijn mond en giechelde. 'Oké.' Hij dempte zijn stem tot een dramatisch gefluister. 'Ik ben al stil, Daisy.'

De anderen verloren hun belangstelling. Elle wees naar de plek naast haar op het kleed. 'Daisy en Carl Joseph, komen jullie het ons eens laten zien.'

'Ja.' Sid keek boos en stompte weer in de lucht. Hij was de meest chagrijnige deelnemer en vandaag was hij optimaal in vorm. 'Al goed. Schiet maar op.'

Totaal niet uit het veld geslagen stond Daisy op en nam Carl Joseph bij de hand. Zijn wangen waren rood, maar toen hij zich op Daisy concentreerde, scheen hij de kracht te vinden om de plaats naast haar voor in de klas in te nemen. Daisy liet hem daar staan en liep naar de cd-speler om een paar knoppen in te drukken. Glenn Millers 'In the Mood' klonk op.

Daisy stak haar hand uit en Carl Joseph pakte hem vast. Na een lichte aarzeling zetten de twee een dansje in. Carl Joseph telde de hele tijd, niet altijd in de maat, en Daisy draaide en bewoog op het ritme, met een brede glimlach op haar gezicht.

Elles ogen werden vochtig toen ze hen gadesloeg. Vriend-schap noch liefde was voor haar ooit zo makkelijk geweest. Maar dit... zo hoorde liefde eruit te zien, de eenvoudige on-schuld van de warmte die straalde tussen deze twee. Zoals Carl Joseph teder Daisy's handen vasthield, en hoe hij haar voor-zichtig door de bewegingen heen leidde.

Welke datum het vandaag was, was haar niet ontgaan. Ze zou vier jaar getrouwd zijn geweest. Ze wreef de lege plek om haar ringvinger en beet op haar lip. Hoeveel jaren zouden er voorbijgaan voordat de datum zijn betekenis verloor?

Toen liet Carl Joseph Daisy midden in een pirouette per ongeluk struikelen. Ze viel voorover, maar voordat ze tegen de grond sloeg ving Carl Joseph haar in zijn armen op en hielp haar haar evenwicht terug te vinden.

'Gaat het, Daisy? Gaat het?' Hij veegde haar schouder en haar haar af en al had ze niet op de grond gelegen, hij veegde ook haar wang af.

'Ja, het gaat.' Daisy had jaren danservaring. Haar moeder had er op die manier voor gezorgd dat Daisy lichaamsbeweging kreeg. De kleine misstap had haar vast geen pijn gedaan. Maar niettemin leunde ze tegen Carl Josephs arm en liet zich door hem troosten. Na een poosje begonnen zij en Carl Joseph weer te dansen, opgetogen lachend cirkelden ze voor de klas.

De muziek had een aanstekelijk effect. Gus stond op en zwaaide met zijn handen boven zijn hoofd, wiegde met zijn heupen heen en weer. Zelfs Sid wees naar een paar andere leerlingen en had een lichte grijns op zijn gezicht.

Toen het lied was afgelopen, waren Daisy en Carl Joseph buiten adem. Hand in hand maakten ze een theatrale buiging. Vier deelnemers snelden naar voren en klapten alsof ze zojuist een voorstelling op Broadway hadden gezien. Daisy wuifde met haar handen naar hen. 'Wacht... nog één ding!'

Elle deed een stap naar achteren. Een situatie als deze was

goed voor Daisy. Ze had haar hele leven doorgebracht tussen mensen die gezond van lijf en leden waren en gezegend met aangenaam sociaal gedrag. Ze had niet geleerd een groep mensen met het syndroom van Down aan te voeren.

'Hé...' Ze wuifde weer met haar armen.

De andere deelnemers dansten vrolijk in het rond, klapten in hun handen en lachten. Zelfs Sid was op de been.

'Ik zei... wacht!' Daisy's vrolijkheid begon te tanen.

Maar voordat ze in kon storten, kwam Carl Joseph in actie. 'Zitten!' bulderde hij door de ruimte.

Meteen klapten de leerlingen hun mond dicht. De meesten lieten zich langzaam in hun stoel vallen. Sid en Gus bleven staan, maar ze zeiden geen woord meer.

'Dank je CJ.' Daisy keek naar hem, haar held. Ze wendde zich tot de anderen. 'We hebben nog iets.'

'Ja.' Carl Joseph gniffelde luidruchtig, tot hij zichzelf betrapte en zijn hand weer voor zijn mond sloeg.

Daisy knikte hem toe. 'Ik ga eerst, oké?'

'Oké.' Hij fluisterde weer hardop.

'Komt-ie.' Daisy keek naar Elle en grinnikte. Toen stak ze beide handen uit naar haar klasgenoten. 'M–I–C...'

Carl Joseph salueerde. 'Neem je vriendje ook maar mee.'

'K–E–Y...'

'Een ei?' Hij zette zijn handen in zijn zij en wees naar Gus. 'Hij leek ons juist zo aardig.'

Toen haakte hij zijn arm door die van Daisy en samen maakten ze de dreun af. 'M–O–U–S–E.'

Sid wierp zijn handen in de lucht. 'Ja, maar zijn jullie nou naar Disneyworld geweest of niet?'

'Nog niet.' Daisy grijnsde naar Carl Joseph. 'Heel, heel gauw.'

Met z'n tweeën gingen ze op hun plaats zitten terwijl Gus opsprong en naar voren draafde.

'Gus… wil jij de volgende zijn?' Elle kwam dichterbij.

'Ja.' Hij zei het meer als een vraag, en meteen keerde hij terug naar zijn plaats. 'Sorry, juf.' Hij stak zijn hand op.

'Gus?'

'Mag ik nu gaan?'

'Ja.'

De les ging bijna een uur door. Elke deelnemer boekte vooruitgang in de richting van een zekere vorm van zelfstandig wonen, ofwel in een groepstehuis of begeleid wonen. Al twaalf waren er geschikt bevonden en hadden zich opgewerkt tot onafhankelijkheid. Ze kwamen twee avonden per week naar school, zodat ze overdag een baan konden hebben.

Elle leunde tegen de muur en keek toe hoe Gus een dramatisch verhaal begon over een spelletje schaak met Brian, de roodharige die met zijn zestien jaar de jongste deelnemer was. Nadat Gus een staande ovatie had gekregen voor zijn verhaal, luisterden ze naar Tammy, het meisje met de lange vlechten, die een gedicht van Elizabeth Barrett Browning ging opzeggen.

Toen het meisje met één zin moeite had, stond Carl Joseph op en kwam naast haar staan. Hij wees naar het papier en sloeg zijn arm om haar schouders. 'Je kunt het,' fluisterde hij tegen haar. 'Toe maar.'

Daisy trok een wenkbrauw op, maar ze zei niets.

Tammy trilde toen ze eindelijk vond waar ze gebleven was en verder las. De volgende zinnen kwamen er pijnlijk langzaam uit, maar ze gaf niet op. Dat stond Carl Joseph niet toe. Toen het gedicht uit was, voerde Carl Joseph haar mee terug naar haar plaats op de bank en zocht zijn eigen plaats weer op.

Ten slotte vertelde Sid over een film waar zijn vader hem mee naartoe genomen had, iets met donkere grotten en vermiste dieren en een koning wiens koninkrijk zich tegen hem had gekeerd. De plot was te ingewikkeld om te volgen, maar aan het eind gaf Sid gelegenheid tot vragen stellen.

Daarna werkten ze aan tafelmanieren en voordat Elle tijd had om op de klok te kijken, was het drie uur en kwamen er ouders om hun leerlingen op te halen.

Elle zag dat Daisy en Carl Joseph bij het raam op zijn moeder stonden te wachten. Ze ging naar hen toe en klopte haar zusje op de rug. 'Leuk gedanst, hoor.'

'Dank je.' Daisy grijnsde. 'Carl Joseph heeft goed nieuws.'

'O ja?' Elle keek de jonge man aan. Zijn ogen stroomden over van vriendelijkheid. 'Wat heb je voor goed nieuws, Carl Joseph?'

'Mijn broer.' Hij lachte breed. Er ontbrak een tand in zijn mond. 'Broer komt morgen thuis.'

'Zo.' Elle legde haar hand op Carl Josephs schouder. Hij had al eerder over zijn broer gepraat. Die was ouder dan Carl Joseph en hij reed rodeo. Of misschien had hij vroeger rodeo gereden. Elle wist het niet precies. Wat hij ook deed, zoals Carl Joseph over hem praatte, had hij wel een cape kunnen dragen met een grote *S* op zijn borst. Ze glimlachte. 'Wat leuk.'

Carl Joseph knikte. 'Ja.' Hij praatte dreunend. Hij duwde zijn bril weer op zijn plaats. 'Het is zo leuk.'

'CJ… ssst.' Daisy klopte op zijn hand. 'We horen je wel.'

'O ja.' Hij sloeg een hand voor zijn mond en stak één vinger op. 'Sorry.'

Elle keek naar de ronde oprit aan de voorkant. Die was leeg. Ze nam plaats op een stoel tegenover Daisy en Carl Joseph. 'Rijdt je broer nog steeds rodeo?'

'Nee… niet meer.'

'Had hij er geen zin meer in?' Elle kon zich voorstellen dat iemand het zat werd om van een stier gegooid te worden.

'Nee.' Ineens kreeg Carl Joseph iets verdrietigs in zijn ogen. 'Hij heeft pijn.'

Daisy knikte. 'Heel erg.'

'O.' Elle werd licht bezorgd om de broer van Carl Joseph. 'Gaat het nu weer goed met hem?'

Carl Joseph kneep zijn ogen halfdicht en piekerde over het antwoord. 'Nadat hij pijn kreeg, heeft hij nog een seizoen rodeo gereden. Maar toen wilde hij niet meer.' Hij trok een schouder op en hield zijn hoofd schuin. 'Broer heeft nog steeds pijn; dat denk ik.'

'Hoe heet hij?' Elle zag de auto van Carl Josephs moeder de oprit op rijden.

'Cody Gunner.' Carl Joseph lachte trots. 'De wereldberoemde rodeorijder Cody Gunner. Mijn broer.'

Elle glimlachte. Ze werd steeds weer getroffen door de fantasie van haar leerlingen. De broer van Carl Joseph was waarschijnlijk accountant of vertegenwoordiger bij een bedrijf in Denver. Misschien had hij een keer in zijn leven rodeo gereden, maar daarmee was hij nog geen rodeorijder. Maar dat deed er natuurlijk niet toe. Het enige wat telde was de manier waarop Carl Joseph hem zag.

'Je moeder is er, CJ.' Daisy wees naar de auto. Ze stond op en pakte Carl Joseph bij de hand. 'Het is je grote dag. Morgen komt je broer thuis.'

Carl Joseph liep rood aan en hij giechelde naar Daisy. 'Dank je wel, Daisy. Dat je me dat vertelt.'

Ze liepen samen weg en bij de deur gaf Daisy hem een knuffel. Verder waren ze nooit gegaan en daar was Elle blij om. Hun relatie moest langzaam ontwikkelen. Wat ze op dit moment hadden, was voorlopig genoeg. Terwijl de laatste deelnemers vertrokken, zette ze samen met Daisy stoelen en tafels recht en daarna sloten ze af.

Op weg naar huis was Daisy stiller dan anders. Ten slotte haalde ze diep adem. 'We moeten bidden voor Carl Josephs broer. Voor de wereldberoemde rodeorijder.'

Elle reed over de tweebaansweg die naar hun nieuwe huis

voerde. 'Omdat hij misschien nog pijn heeft?'

'Ja, dat.' Ze trok rimpels in haar voorhoofd. 'Het is erg als je pijn hebt.'

'Ja, dat is zo.' Elle keek naar haar lege hand, de vinger waar vier jaar geleden haar ring om had gezeten. 'Heel erg.'

Daisy wees naar haar. 'Bidden, Elle. Oké?'

'Goed.' Elle hield haar ogen op de weg. 'God, help alstublieft de broer van Carl Joseph.'

'Cody Gunner.' Daisy deed één oog open en wierp een blik op Elle.

'Precies. Cody Gunner.'

'De wereldberoemde rodeorijder.' Daisy deed haar ogen weer dicht en klopte op Elles hand. 'Zeg het dan.'

'Cody Gunner, de wereldberoemde rodeorijder.' Er speelde een spoor van een glimlach om Elles mond. 'Laat hem alstublieft beter worden zodat hij geen pijn meer heeft.'

'In Jezus' naam.'

'Amen.'

De rest van de rit dacht Elle aan het moment dat nooit had plaatsgevonden, en het beeld van Daisy die danste in Carl Josephs armen. De buitenwereld beschouwde Elle als de begaafde, de gezegende van hen tweeën. Elle, die het allemaal voor elkaar had, de knappe, intelligente dochter die een rijk en makkelijk leven had. Daisy was degene met wie je medelijden moest hebben. Ze was klein en zwaar, ze had een zwak hart en slechte ogen. Een verschoppeling in een wereld van perfectie, waarin hoge prestaties en mensen met talent beloond werden, waarin de prijs ging naar steratleten en schoonheidskoninginnen. Daisy was vanaf haar geboorte gedoemd om een pijnlijk leeg leven te leiden, een naakt bestaan.

Elle was beter af, zou de wereld zeggen.

Maar het ironische was: niets was minder waar.

hoofdstuk twee

Cody Gunner zat naast de bekendste cowboy van het professionele rodeorijden en probeerde het enthousiasme op te brengen voor een nieuwe rit. Ze waren in Nampa, Idaho, de laatste dag voor een onderbreking van zes weken. Voor de tweede helft van het seizoen was Cody niet ingeschreven. Zoals hij er nu over dacht, was hij er niet zeker van dat hij terug zou komen.

'Mensen, wat een lol hebben we met die eerste stier.' Sky Miller, die vier keer nationaal kampioen was geworden, zat rechts van Cody. Hij was de eerste omroeper voor het evenement van vanavond. Cody zou de kleurrijke informatie toevoegen.

'Sinds februari is in Jacksonville geen rodeorijder de volle acht seconden op Jack Daniels blijven zitten.'

Cody keek opzij, naar de plaats waar de tonnenracers losreden in de tijd dat de beste rodeorijders deelnamen op het circuit van de Vereniging voor Professionele Rodeocowboys, toen Ali en hij tijdens een handjevol geweldige seizoenen samen hadden rondgereisd.

Goed dat hij net als de meeste stierenrijders was overgestapt naar de Vereniging voor Professionele Stierenrijders. Hier waren geen blonde paardrijdsters die om de tonnen heen raceten, zodat hij ook maar een onderdeel van een seconde tegen beter weten in kon denken dat ze hier bij hem in de arena was. Zoals ze al die jaren geleden was geweest.

'Wat zou je zeggen van Joe Glass, Cody? Eén van de hardere jongens, hè?' De blik van Sky maakte hem duidelijk dat hij zijn wachtwoord had gemist.

'Een van de hardste.' Cody pakte een vel papier en bekeek

de informatie over de rodeorijder. 'Joe heeft dit jaar drie toernooien gewonnen en is blijven zitten op meer dan de helft van de stieren die hij bereden had. Daarom staat hij mooi op nummer negen van de ranglijst.'

Cody bleef geconcentreerd op de volgende negen rijders. Toen er een lange reclameboodschap werd uitgezonden, rekte hij zich uit. 'Sorry, hoor.' Hij klopte Sky op de schouder. 'Wil je wat drinken?'

'Cola, alsjeblieft.' Sky wierp hem een bedachtzame blik toe. 'Zit je vanavond ergens anders met je gedachten, Gunner?'

'Misschien.' Cody deed een paar stappen naar achteren.

De legendarische rijder hield zijn blik een ogenblik vast. Hij was wel wijzer dan te vragen of het soms iets met Ali te maken had. In de rodeowereld was het algemeen bekend dat Cody er nog niet overheen was. *Daar heb je Cody Gunner*, werd er gezegd. *Arme Cody. Treurt nog steeds om die vrouw van hem.* Ja, hij had het allemaal gehoord, het gefluister en de goedbedoelde opmerkingen over je leven weer oppakken en loslaten. Dat was allemaal prima. Cody daalde zeven treden af naar de met zand bedekte arenavloer. Laat ze maar denken dat hij gek was om het zo lang vol te houden.

Zij hadden niet van Ali gehouden. Anders zouden ze het begrijpen.

Het was acht jaar geleden dat ze samen hun laatste seizoen op het circuit hadden meegemaakt. Toen haar cystische fibrose louter een berg had geleken die ze moesten beklimmen op de weg naar voor eeuwig en altijd. En niet de moordenaar die hij uiteindelijk was gebleken. Hij staalde zich en keek naar de grond terwijl hij terugliep naar de etenstent van de omroep.

Ali en hij hadden dat laatste seizoen samen gehad, en toen waren ze getrouwd. In dat jaar had Cody haar alles gegeven wat hij te geven had: zijn hart en ziel, zijn grote liefde, en een van de longen uit zijn eigen borst. 'Hoe ging het?' vroegen de mensen als ze hoorden over die long. 'Heb je haar een long gegeven en is hij niet aangeslagen?'

Dan vernauwde Cody enkel zijn ogen en dacht aan Ali, haar eerlijkheid, de diepte van haar stem. 'Het heeft gewerkt.' Dat was het enige dat hij zei. *Het heeft gewerkt.* Want zo was het. De artsen hadden hun verteld dat ze met de transplantatie maar drie jaar konden winnen. En dat klopte uiteindelijk precies. Drie jaar. Zo'n duizend dagen.

Hij zou haar zijn andere long ook hebben gegeven, als het had gekund.

'Gunner!' Een bekende stem.

Cody keek op en in de ogen van Bo Wade, een cowboy tegen wie Cody in dat laatste jaar had gereden. Nadat Ali was gestorven, toen Cody het rijden weer had opgepakt om het allemaal nog één keer te doen, om het kampioenschap voor haar te winnen, het kampioenschap dat Ali nooit had kunnen winnen. Bo had toen in de top vijf gezeten, maar hij was er een paar jaar geleden mee opgehouden. Cody stak glimlachend zijn hand uit. 'Bo Wade, hoe gaat-ie?'

'Ik werk voor de omroep.' Hij grinnikte. 'Hoop in de toekomst op jouw plaats te zitten.'

'Ja.' Cody lachte. 'Net als vroeger.'

Ze praatten nog even door over het seizoen en de opkomst van de Vereniging voor Professionele Stierenrijders. 'Er is veel veranderd.'

'Zeker weten.' Cody keek op zijn horloge. Hij had nog tien minuten voordat hij terug moest zijn. 'Er zitten een paar vuile, gemene stieren bij.'

'En gigantisch. Je vraagt je af wat ze in het voer stoppen.'

Cody wilde net een einde maken aan het gesprek toen het gebeurde.

Bo's gezichtsuitdrukking veranderde. Hij staarde naar zijn stoffige laarzen en keek toen weer op. 'Zeg, jongen. Ik vind het rot van Ali. Heb ik je nooit gezegd.'

Cody's adem stokte in zijn keel, zoals altijd als Ali's naam werd genoemd. Hij had veel verschillende antwoorden uitgeprobeerd als mensen over haar begonnen. Soms haalde hij zijn schouders op en zei: 'Tja, zo gaat het,' of hij keek omhoog naar de blauwe hemel en zei: 'In mijn hart is ze nog steeds bij ons. Dat voel ik.' Nu en dan zei hij: 'Ze is nooit echt weggegaan.' Al die dingen waren waar, maar in het afgelopen jaar had hij zijn antwoord eenvoudiger gehouden.

'Dank je, Bo.' Cody kneep zijn ogen tot spleetjes. 'Ik mis haar verschrikkelijk.'

'Dat geloof ik.' Bo's mondhoeken gingen omhoog. Er was geen gêne tussen hen. Ze hadden vijf jaar lang samen het circuit gereden. Dat maakte hen in veel opzichten bijna tot familie van elkaar. 'Ik weet nog van de tijd voordat jullie samen waren.' Hij schudde zijn hoofd. 'Je keek als gebiologeerd naar Ali Daniels op haar paard.' Hij zweeg even. 'We hadden er geen idee van dat ze ziek was.'

'Niemand.' Het gesprek was te pijnlijk, het onderwerp nog te vers. Cody klemde zijn kaken op elkaar. 'Fijn je gezien te hebben.' Hij schudde zijn vriend nogmaals de hand en knikte naar de arena. 'Ik moet terug.'

'Goed.' Bo gaf Cody een klap op zijn schouder. 'Rustig aan, jongen. Misschien zie ik je nog in de tweede helft van het seizoen. De omroep heeft me net een baan aangeboden als technisch adviseur.'

Cody feliciteerde hem, kocht een blikje cola en een flesje water en liep terug naar de luistercabine. Hij keek recht voor zich uit, maar hij zag alleen maar Ali, haar blonde paardenstaart vloog achter haar aan terwijl ze rond de tonnen racete op Ace, haar palomino, of in de tunnel na een rit waar ze naar adem stond te snakken terwijl Cody haar inhaler bracht. Ali in haar compressievest op de ranch van haar familie. Ali naast hem op een grazige heuvel waar ze beloofde hem lief te hebben tot de dood het laatste woord kreeg.

Hij perste zijn lippen op elkaar en blies uit. Hij moest de kleinigheden blijven herinneren. De geur van haar kleren na een rit, de mengeling van paard en parfum en lavendelzeep. De precieze kleur van haar favoriete verschoten spijkerbroek. Het gevoel van haar adem op zijn gezicht als ze elkaar kusten.

Hij moest zijn herinneringen blijven koesteren, want anders zouden ze verflauwen en dan kreeg hij ze niet meer terug. Maar hij moest leven in een wereld zonder Ali. Dat was het balanceernummer van werken in de rodeo. Hier, tussen de geuren van paarden, stieren en arenazand, kon hij aan niets anders denken.

Cody bereikte de trap en stond stil. Hij had nog drie minuten. Hij gleed naar een schaduwplekje onder de tribunes en leunde tegen de koele metalen stangen. Hij moest eruit. Anders zou hij gek worden van de herinneringen. Bovendien had het rodeorijden genoeg van zijn tijd opgeslokt. Een verandering van loopbaan zou hem goed doen. Misschien iets wat dichter bij huis was.

Er schoot een golf adrenaline door hem heen van bezorgdheid. Het telefoontje van zijn moeder van vanmorgen was hem bijgebleven, en het maakte dat hij blij was dat hij morgen naar huis ging. Er waren problemen met Carl Joseph. Grote problemen. Het soort problemen waar ze altijd bang voor waren geweest bij Cody's jongere broer.

Ja, iets wat dichter bij huis was zou beter zijn dan dit, elke dag door een gang van herinneringen wandelen waaraan hij niet kon ontsnappen. Hij kon naar huis gaan en rancher worden, vee of wedstrijdstieren fokken. Of misschien een baan zoeken in de verkoop, de handel of zoiets. Hij zag Carl Joseph voor zich, zoals zijn broer zich de laatste keer dat hij thuis was aan hem had vastgeklampt. Carl Joseph was het gelukkigst als Cody thuis was. Dus misschien kon hij teruggaan en een sportkamp openen voor gehandicapte kinderen.

Hij hoorde de muziek door de arena loeien. Het was nog een minuut voordat ze weer de lucht in gingen. Hij beklom de trap met twee treden tegelijk, liet zich naast Sky Miller neervallen en zette de cola op het tafeltje tussen hen in. 'Sorry, jongen. Ik werd opgehouden.'

Sky opende het blikje cola en nam een grote slok. 'Maak je klaar, oké?'

'Goed.'

In de tweede ronde was hij scherp, maar zijn hart was er niet bij. Toen hij die avond hielp de luistercabine in te pakken, had hij het gevoel dat het voorbij was en dat hij lange tijd niet terug zou komen. Misschien wel nooit meer. Sky moest het ook geweten hebben.

Toen het tijd was om te vertrekken, nam Sky hem apart. 'Je bent goed, Gunner. Je kent je zaakjes.'

'Bedankt.' Cody stond te trappelen om te gaan.

'Dit baantje kun je heel wat jaren volhouden.' Sky zweeg een ogenblik. 'Maar het punt is, Gunner, dat je het uit moet vogelen.'

Cody had geen zin om het te vragen. 'Wat?'

'Ali. Je verleden.' Sky wreef zijn nek en blies hard zijn adem uit. 'Overal waar je gaat, neem je haar met je mee. Je zult je nooit goed voelen door hier rond te wandelen,' hij maakte een handgebaar door de arena, 'de tribunes te zien, de stieren te horen snuiven in de veekralen, het zweet te ruiken...' Hij aarzelde. 'En haar ook te zien.'

'Dat is het probleem.' Cody legde zijn hand op de schouder van zijn vriend. 'Ik doe niet mijn *best* om haar te zien, jongen. In mijn gedachten is ze nog steeds bij me. Hier bij mij.'

Sky keek hem onderzoekend aan en even leek het of hij een toespraak zou gaan afsteken over het leven weer oppakken en het verleden laten rusten. In plaats daarvan pakte hij zijn tas. 'Misschien in de rust, Gunner. Misschien kun je het dan uitvogelen.'

'Misschien.' Cody glimlachte, maar met tranen in zijn ogen. Hij sloeg zijn ogen neer en met die simpele beweging verraadde hij zich.

'Je bent doodop, hè?'

'Ik weet het niet.' Cody liep naar achteren om afstand te nemen. De dam in zijn hart brokkelde af. Hij wilde niet dat er iemand getuige van zou zijn. 'Fijn met je samengewerkt te hebben, Sky. Ik zie je wel weer.'

Daarop draaide hij zich om en slingerde zijn tas over zijn schouder. Het hotel was aan de overkant van de straat, en morgenochtend vloog hij naar huis. Hij stond voor het verkeerslicht te wachten toen een auto vol meisjes met gierende remmen tot stilstand kwam.

'Hé, Cody Gunner! Wil je meerijden?' De brunette achter het stuur had rode lippenstift op en haar ogen straalden een beetje te fel.

'Ja!' Een meisje met een cowboyhoed op en een strak T-shirt aan boog zich vanaf de passagiersstoel naar hem toe. 'Wij kennen alle leuke plekjes in Nampa.'

Het licht sprong op groen. Cody tikte aan zijn hoed. 'Ik heb vannacht mijn slaap nodig, dames.' Hij begon hollend over te steken.

'Kom op, Cody,' riep de brunette hem na. Hij negeerde hen. Nog dertig seconden en hij was binnen de deuren van het hotel op weg naar zijn kamer. Zo lang hij deel had uitgemaakt van het rodeorijden had hij dit soort aanbiedingen van meisjes gekregen. Vóór Ali was hij er nu en dan wel op ingegaan. Maar nu nooit meer. Het idee alleen al maakte hem misselijk, alsof alles waar Ali voor stond naar beneden haalde.

In zijn kamer waste hij zijn gezicht, poetste zijn tanden en kroop in bed. Hij pakte de ingelijste foto van Ali van het nacht-kastje en staarde ernaar. Zoals haar glimlach de diepte van haar ogen bereikte, hoe ze zelfs nu nog naar hem leek te kijken.

'Ali, meisje,' hij streek met zijn duim over het gladde glas, 'ik voel je vanavond overal.' Zijn stem was een hees gefluister. 'Alsof je hier vlak bij me bent.'

Maar ze was niet vlakbij. Hoelang hij ook naar haar foto keek of aan haar dacht, ze was weg. Ze hadden dat laatste jaar op het circuit gehad en toen nog drie jaar, en toen had ze hem verlaten. Haar lichaam althans. Haar geest was nog bij hem, altijd bij hem. Of hij in een rodeoarena was of niet.

Soms, zoals vanavond, kon hij haar stem nog horen als hij maar lang genoeg naar haar foto keek. Ze waren samen op Ace over het pad gereden naar de achterkant van het huis van haar ouders, waar wolken en bomen en bergen allemaal bij elkaar kwamen in een stukje paradijs.

Cody... Ik wil dat je weer van iemand gaat houden.

'Wat?' Hij was uiteraard verontwaardigd geweest, ontsteld door haar vraag. 'Ik zal nooit van iemand anders houden dan van jou, Ali. Nooit.'

Maar ze had volgehouden. *Ik meen het, Cody. Ik wil dat je weer verliefd wordt. Als ik er niet meer ben, mag je niet je leven verspillen door aan mij te blijven denken.* Ze had zich opgericht en hem ge-kust, en heel even was hij weer daar. *Beloof het me, Cody. Beloof me dat je de liefde weer zult vinden als ik er niet meer ben.*

Ze had aangedrongen tot hij het eindelijk, tegen zijn ge-voelens in, en alleen omdat zij het wilde horen, had beloofd. Hij knipperde met zijn ogen en het gesprek van lang geleden vervaagde. Hij veegde de tranen van het glazen lijstje. 'Ali... ik kan het niet.' Hij bracht de ingelijste foto naar zijn gezicht en drukte het glas tegen zijn wang. 'Ik kan het niet.'

Toen zette hij het lijstje op de rand van het nachtkastje, zodat hij haar glimlach kon zien. De kleinigheden kon hij vergeten, maar niet dit: de vonk in haar ogen en zoals ze dwars door hem heen keek zoals niemand anders ooit had gekund.

Toen ze nog leefde, zou hij alles voor haar gedaan hebben. Voor haar had hij zijn vader vergeven, voor haar had hij het stierenrijden opgegeven; om zijn long te beschermen, dat stuk van hemzelf dat aan haar toebehoorde. Het stuk dat hen een paar jaar extra samen had gegeven.

Maar er was één ding dat hij nooit en nooit kon doen. Waar de volgende periode van zijn leven hem ook bracht, die ene belofte kon hij niet houden. De belofte weer van iemand te gaan houden. Omdat het een lachwekkend idee was. Voordat hij Ali ontmoette, had hij nooit kunnen liefhebben. Bij haar had liefde voor het eerst een gezicht gekregen. Een gezicht dat zij had omlijnd.

Hij keek weer naar haar. 'Dat begrijp je toch, hè Ali?'

Waar ze ook was, welke plaats in de hemel ook helderder straalde door haar aanwezigheid, ze zou het moeten begrijpen. Omdat de belofte weer lief te hebben werd overschaduwd door een grotere belofte. De belofte die hij haar had gedaan op de grazige heuvel die uitkeek op de ranch van haar ouders. De belofte haar voor altijd en altijd lief te hebben. Nog één keer raakte hij het lijstje aan. 'Welterusten, Ali.'

De dood mocht dan het laatste woord hebben gehad voor Ali, maar niet voor hem. Dus zou hij van haar blijven houden en haar elke dag met zich meedragen, elke pijnlijke stap. Jaar na jaar na jaar.

Zo lang zijn overgebleven long ademde.

hoofdstuk drie

Carl Joseph stond voor het raam naast de voordeur te wachten.

Hij vond het niet erg om te wachten. Broer kwam thuis en dat was wel twee minuten of twee uur wachten waard. Twee dagen zelfs wel.

'De koekjes zijn klaar!' Mama kwam lachend naar hem toe. 'Wil je een chocoladekoekje, Carl Joseph?'

Ze roken echt lekker. Het hele huis was lekker warm en rook naar chocolade. Carl Joseph overwoog ja te zeggen. Maar hij kon het niet. 'Eerst koekjes met broer.' Hij keek uit het raam. 'Ik wacht op broer.'

Mama zei dat het goed was en ging weer naar de keuken.

Je kon de tijd sneller laten gaan door te tellen. Hij telde de vierkanten op de ramen aan de voorkant van het huis. Toen telde hij de lijnen op de stoep buiten, van het gedeelte dat hij kon zien. En hij telde de takken aan de grote boom aan de voorkant. Hij was bij de zevenendertigste tak toen papa aan kwam rijden.

'Ze zijn er!' Carl Joseph schreeuwde hard, maar dat gaf niet. Daisy was er niet om te zeggen dat hij stil moest zijn. 'Broer is thuis! Broer is er!' Hij sprong op en sloeg met zijn vuist in de lucht. 'Hoera voor broer!'

Toen hij het portier openmaakte, was hij buiten adem. Hij klapte dubbel en hijgde, maar toen richtte hij zich op en daar was hij! Broer! Broer stapte uit de auto en grijnsde. Dezelfde grijns als wanneer hij op tv was en acht seconden op een stier was blijven zitten. Die grijns.

'Vriend!' Hij had zijn tas over zijn schouder geslingerd, want hij was sterk. Broer was heel sterk. Hij rende naar de veranda en liet zijn tas vallen. 'Kom hier!'

Carl Joseph sloeg zijn armen om broer heen en tilde hem op. Maar toen tilde broer hem op, want broer was sterker. Broer draaide een rondje met hem en zette hem neer. 'Ik heb je gemist, vriend.'

'Ik jou nog meer!' Carl Joseph rekte zich uit en haakte zijn arm om broers hals. 'Kom op! Mama heeft chocoladekoekjes. Net als altijd als jij thuiskomt!'

Ze gingen naar binnen en aten koekjes en dronken melk en de hele dag bleef broer aldoor bij hem en praatte met hem.

Het was de mooiste dag die Carl Joseph zich in lange tijd kon herinneren. En aldoor praatte hij maar tegen God over zijn allergrootste wens. Dat broer op een dag thuis zou blijven. Want hoe fijn het ook was als hij weer thuiskwam, hoe gezellig het ook was om samen met broer warme chocoladekoekjes te eten, er was iets wat nog beter was.

Nooit afscheid hoeven nemen.

Broer was nu een hele dag thuis en het leven was fijn.

Carl Joseph plantte zijn voeten op de speelplaats en bestudeerde de lucht. Wolken. Allemaal wolken. En wolken waren niet goed voor Daisy. Ze hadden een korte pauze, dus misschien bleef de regen daarboven wel opgesloten zitten tot ze weer in de klas waren. 'Frisse lucht is goed.' Hij haakte zijn arm door die van Daisy. 'Zullen we een potje sla-de-bal-om-de-paal doen?'

Daisy tuurde naar de lucht. 'Goed.'

'Niet bang zijn, Daisy. Het gaat vandaag niet regenen.'

Ze keek naar hem op en knikte. Heel langzaam. 'Oké, CJ. Oké. Dat zal ik geloven.'

Ze liepen over de speelplaats naar de balpaal. Carl Joseph liet haar arm los en liep een eindje naar achteren. 'Klop klop.'

Er kwam een glimlach op haar gezicht. 'Wie is daar?'

'Ben.' Carl Joseph klapte in zijn handen en lachte. Want als hij lachte zou Daisy misschien de wolken vergeten en ook beginnen te lachen.

'Ben wie?' Daisy's glimlach werd breder.

Carl Joseph stond stil. Hij deed een stap naar Daisy toe. 'Ben niet bang voor de boze wolf!' Weer klapte hij in zijn handen en hij lachte nog harder dan eerst.

'Ben niet bang voor de boze wolf?' Daisy dacht er een poosje over na. Toen vlogen haar handen omhoog in de lucht en haar ogen lichtten op als vonkende diamanten. 'O… ik snap 'm. Ben niet bang voor de boze wolf!' Ze legde haar handen op Carl Josephs schouders. 'Dat is een goeie.'

Een raar gevoel kriebelde in Carl Josephs buik. Zijn wangen werden warm als hij dicht bij Daisy stond. Hij pakte haar hand en huppelde met haar naar de balpaal.

'Ik ga vandaag winnen.' Daisy sprong naast hem. 'Ik versla je, CJ. Pas maar op!'

Carl Joseph lachte weer. Daisy dacht niet meer aan de wolken. Dat merkte hij wel. Hij sloeg zijn handen voor zijn gezicht. 'Wat zie je, Daisy?' Zijn stem klonk gesmoord, maar wel hard. Als hij zijn handen voor zijn gezicht hield, moest hij harder praten. Dan kon Daisy hem verstaan.

'Ik zie dat je je voor me verstopt!' Daisy pakte hem bij de polsen. 'Kom op, CJ, doe je handen naar beneden!'

'Verrassing!' Hij liet zijn handen vallen en spreidde ze uit. 'Zie je me, Daisy? Ik ben de winnaar. Dat is wat je ziet. De grote winnaar.'

Daisy pakte de bal vast en gaf er een harde duw tegen. 'Klaar, af.'

'Ahhh!' schreeuwde Carl Joseph hard. 'Ik was nog niet klaar.'

'Grapje.' Ze pakte de bal bij het touw en wachtte. 'Ben je nu klaar?'

'Wacht.' Hij stak een vinger op. Hij ademde snel, te snel. Hij bracht zijn hoofd naar beneden en blies uit, zoals broer hem had geleerd. Na zeven keer ademhalen keek hij op. 'Oké... klaar.'

Ze sloeg tegen de bal en hij kwam snel op hem af. Toen raakte hij hem zo hard dat hij door de lucht over Daisy heen scheerde. Carl Joseph legde zijn hoofd in zijn nek en lachte, maar toen hield hij op met lachen, want de bal was alweer langs hem heen. 'Oeps!'

Nu was Daisy aan de beurt om te lachen, maar zij miste de bal niet. Ze gaf hem een harde mep en hij draaide rond en rond en rond tot hij de paal raakte.

'Gewonnen!' Ze maakte een rondedansje. 'Gewonnen, CJ. Ik ben de winnaar!'

'Best.' Hij had toch geen zin meer om te spelen. Hij wees naar de bank die tegen de muur stond. 'Laten we daar gaan zitten.'

Ze namen elk de helft van de bank, want het was niet netjes om te dicht bij een meisje te gaan zitten. Toen hij weer op adem was, glimlachte hij tegen haar. 'Broer is thuis.'

'Weet ik. Dat heb je verteld.' Ze zwaaide met haar voeten. 'Is hij al beter?'

'Nee.' Carl Joseph keek naar de grond. 'Hij rijdt vaak op Ace.'

'Ace de hond?'

Carl Joseph lachte zo hard dat zijn bril in zijn schoot viel. Hij zette hem weer op zijn neus. 'Dat is een goeie, Daisy. Je hebt een goeie grap gemaakt.'

Ze legde haar vingers tegen haar lippen en giechelde. 'Op een hond rijden, CJ. Dat is grappig, hè? Vet grappig.'

'Ja.' Carl Joseph wachtte tot hij uitgelachen was. 'Ace is geen hond. Hij is Ali's paard. Als broer verdrietig is, gaat hij op Ace rijden.'

'O.' Daisy klopte op zijn hand. 'Wat zielig voor hem.'

Ze had het woord 'zielig' nog niet uitgesproken, of de eerste regendruppels vielen op Carl Josephs voorhoofd. Hij sperde zijn ogen wijdopen en keek naar Daisy. 'O, o.'

Eerst had ze niet in de gaten wat er gebeurde, maar toen voelde ze druppels op haar arm. 'Regen! Regen!' Ze spreidde haar vingers over haar gezicht, stond op en begon kleine rondjes te draaien. 'Regen!'

'Het geeft niet.' Carl Joseph keek naar de lucht. Hij voelde zich bang en zenuwachtig tegelijk. Hij stak zijn handen uit en probeerde haar vast te pakken, om haar te laten ophouden met rondjes draaien. Maar toen ze stilstond, begon het almaar harder te regenen. Hij trok zijn jack uit en hield het over haar heen. 'Kom maar, Daisy.'

'CJ… ik ben bang!'

Hij hield zijn jack over haar hoofd en rende naast haar naar het gebouw. Buiten was een overkapping, en die bereikten ze tegelijk met de andere leerlingen. Iedereen liep langs hen heen de klas in. Een paar meisjes klopten Daisy in het voorbijgaan op haar rug. 'Het is goed, Daisy. Het is maar regen.'

Toen ze alleen waren, trok Carl Joseph haar in zijn armen. 'Het is goed, Daisy. Ik ben bij je.' Hij veegde het water van haar rug en klopte met zijn hand op haar haar. Daisy was doodsbang voor regen. Dat was al zo toen ze elkaar ontmoet hadden. Juf zei dat het maar goed was dat ze in Colorado woonden, waar het niet zo vaak regende.

Maar *als* het regende…

Daisy huilde. Ze drukte haar gezicht tegen zijn schouder en toen ze uitgehuild was, keek ze hem aan. De angst stond nog in haar ogen. 'Water liet de boze heks uit het westen smelten, CJ. Wist je dat?'

'Ja.' Carl Joseph knikte. 'De heks uit *De Tovenaar van Oz*. Ze ging dood van het water.'

'Precies.' Daisy tuurde naar de donkere hemel. 'Daarom ben ik bang.'

Hij tikte tegen haar wang. 'Maar jij bent geen heks, Daisy. Je bent helemaal geen heks.'

'Weet ik.' Ze sloeg haar armen om hem heen. 'Maar toch is het water.'

Carl Joseph dacht erover na. 'Dat is waar.' Toen hield het op met regenen en hij nam haar mee naar de rand van de droge plek. 'Kijk eens naar buiten, Daisy.'

'Ik ben bang.' Ze klampte zich aan hem vast en wilde niet opkijken.

'Alsjeblieft, Daisy. Kijk alsjeblieft.' Hij sloeg zijn arm om haar heen. 'Ik heb een geheimpje voor je.'

Dat zette haar aan het denken. Ze ontspande haar schouders en snufte. 'Wat dan?'

'Mooi!' Carl Joseph klapte luid in zijn handen. 'Ik wist wel dat je zou kijken.'

'Maar waarom?' Daisy schudde haar hoofd. Ze keek of ze weg wilde rennen.

Carl Joseph wilde niet dat ze wegrende. 'Kijk eens omhoog.' Hij wees naar de lucht.

Ze keek, maar ze bleef dicht bij hem. Ze was nog steeds bang. 'Wat dan?'

'Daarboven schijnt de zon, Daisy.' Hij legde zijn hand boven zijn ogen en tuurde. 'Na regen komt zonneschijn.'

Daar dacht ze lang over na. 'Echt waar?'

'Echt waar.' Hij lachte, maar niet omdat hij een grapje had gemaakt. Maar omdat hij blij was. 'Achter de wolken schijnt de zon.'

Hij stond op het punt om haar mee terug te nemen naar de klas toen de juf naar buiten kwam. 'Daisy... ik was in het magazijn. Ik wist niet dat het regende.' De twee zussen knuffelden elkaar. 'Gaat het?'

'Ja.' Daisy keek naar hem op en haar ogen waren weer schitterende diamanten. De angst was uit haar ogen verdwenen. 'CJ heeft me geholpen.'

'Hij heeft je zijn jack gegeven.' Juf glimlachte naar hem. 'Dat is erg aardig, Carl Joseph.'

'Nee, dat niet.' Daisy kwam weer naast hem staan. Ze haakte haar arm door de zijne, zoals ze soms deed. 'Hij heeft me verteld over de zonneschijn.'

Juf keek onzeker. 'Zonneschijn?'

'Ja.' Daisy voerde Carl Joseph mee terug naar de plek vanwaar ze de lucht konden zien. 'Daarboven. Vlak achter de wolken.'

Juf keek omhoog naar de lucht en kreeg tranen in haar ogen. Ze sloeg haar armen om zich heen en toen fluisterde ze: 'Ja… zo heb ik het nooit bekeken.'

Ze gingen terug naar de klas, maar voordat ze hun plaats innamen in het woonkamergedeelte, keek Carl Joseph naar de juf. En op dat moment herinnerde hij zich iets. Daisy had gebeden voor Cody. Ze had al een paar keer gezegd dat hij dat ook moest doen. Dus misschien was hij nu aan de beurt om te bidden. Hij kon God vragen de juf te helpen. Hij ging op zijn plaats zitten en sloeg zijn handen voor zijn gezicht.

God… help juf alstublieft. U weet wat ze nodig heeft. Dat was 't. Amen.

Hij deed zijn ogen open en keek weer naar juf. Ze keek nog steeds verdrietig. En ze had daarstraks buiten echt tranen op haar wangen gehad. Toen Daisy huilde, kon hij het begrijpen. Ze had een reden om verdrietig te zijn, want ze was bang voor de regen. Maar juf had een hoop gebed nodig. Want ze was net zo verdrietig, maar zonder reden.

Juf was in de verste verte niet bang voor de regen.

hoofdstuk vier

Eindelijk had Cody het gevoel dat hij weer kon ademhalen. Zijn ouders bezaten acht hectare grond in de heuvels bij Colorado Springs, en na twee dagen thuis vroeg Cody zich af waarom hij ooit was weggegaan. Hij had een klein huisje aan de uiterste westkant van de ranch van zijn ouders. Hij had niet zo veel nodig; niet zolang hij veel onderweg was. Het seizoen liep van januari tot november, met slechts een onderbreking van zes weken.

Een huis kwam later wel.

Voorlopig was het huis van zijn ouders genoeg. Ace was er, Ali's paard. Hij kon rijden en herinneringen ophalen en met Carl Joseph optrekken. En nu kon hij zelfs helder denken. Hij nam die ochtend vroeg een douche en wandelde naar het huis van zijn ouders. Het slechte nieuws over Carl Joseph was erger dan Cody had verwacht. Hij had epilepsie. De laatste tijd had hij een paar keer per week een groot toeval gekregen; het soort aanval dat de artsen *Grand Mal* noemden. De toevallen gingen samen met een andere diagnose. Carl Josephs hartkwaal was erger geworden. Niet zijn slagaders, maar het hart zelf.

Het was niet duidelijk of hij een hoge levensverwachting had.

Cody wilde er geen genoegen mee nemen, evenmin als hij genoegen had genomen met Ali's diagnose. Er moest iets zijn wat hij kon doen om Carl Joseph te helpen zijn hart te versterken.

Zijn vriend moest hem hebben zien aankomen, want hij deed de achterdeur open en kwam naar buiten rennen. 'Hoi, broer! Wat een mooie morgen!' Hij wees naar de lucht. 'Zie je dat? Een heldere, vrolijke, mooie ochtend.'

'Ja, vriend.' Cody glimlachte. Wat had dat joch toch? Elke keer als Cody bij hem was voelde hij zich gelukkiger, alsof hij misschien toch nog ergens van kon genieten. 'Het is een prachtige dag.'

'Weet je wat?' Carl Joseph legde zijn handen op zijn knieën. Zijn ogen lichtten op. 'Ik denk dat ik stierenrijder wil worden, net als jij.'

'Dat weet ik, vriend.' Cody woelde het haar van zijn broer in de war. 'Dat zeg je elke keer.'

'Want ik wil net als jij een wereldberoemde rodeorijder worden, broer.'

'Rodeorijders raken gewond.' Hij sloeg zijn arm om Carl Josephs schouders en ze liepen naar de achterdeur.

'Ja.' Carl Josephs glimlach vervaagde. 'Dat is waar.'

Cody duwde de deur open en ze liepen naar de ontbijttafel. Hun moeder was roereieren met kaas en paprika aan het maken. Zijn lievelingsontbijt. Toen ze zaten, plantte Cody zijn ellebogen op tafel. 'Je kunt hier op de ranch werken, vriend. Dat is goed werk voor je.'

'Nee.' Carl Joseph schudde zijn hoofd. Er was veel voor nodig om hem van de wijs te brengen, maar dit keer was zijn gepraat over de rodeo kennelijk meer dan een luchthartige manier om een gesprek op gang te houden. 'Nee, dat is niet goed. Ik wil rodeorijder worden.' Hij ramde met zijn vuist op tafel. 'Vanaf vandaag.'

'Hállo…' Cody keek van Carl Joseph naar zijn moeder. 'Waar gaat dat nou weer over?'

Zijn moeder roerde de eieren. Ze keek over haar schouder naar Carl Joseph. 'Wil je je broer vertellen waar het over gaat?'

'Oké.' Carl Joseph ging rechter zitten op zijn stoel. 'Daisy houdt van stierenrijders. Dat heeft ze me verteld.'

Cody knipperde met zijn ogen. 'Daisy?' Hij keek naar zijn

moeder. Vanbinnen begon hij onrustig te worden. 'Wie is Daisy?'

'Dat is mijn meisje.' Carl Joseph sloeg zich op de borst. 'Mijn meisje, broer. Ze houdt van stierenrijders, want ik heb haar verteld dat jij rodeorijder was en toen lachte ze heel, heel blij. Dus jij gaat het mij leren, broer, oké?'

'Weet je wat?' Hij probeerde niet geërgerd te klinken. 'Laten we beginnen met Ace. Je mag een rondje met me meerijden door de arena. Wat zeg je me daarvan?'

'Want dat is een begin, hè?'

'Precies.' Cody stond op. Hij klopte tussen hen in op de tafel. 'Zo terug, vriend.'

'Oké.' Carl Joseph lachte en klapte hard. Toen keek hij naar omhoog. 'Ik word rodeorijder. Dank U, God.'

Cody richtte zijn aandacht op zijn moeder. Ze roerde weer in de eieren, maar ze moest weten dat hij naar haar toe kwam. Hij kwam naast haar staan en boog om haar heen zodat ze zijn gezicht kon zien. 'Wie is Daisy?'

'Dat heeft hij toch gezegd.' Ze ontweek zijn blik. 'Daisy is zijn vriendinnetje.'

'Ik ben nu drie dagen thuis.' Hij keek met een overdreven gebaar uit het raam. 'Ik heb hier geen meisjes rond zien hangen. Dus wie is Daisy?'

Zijn moeder slaakte een luide zucht. 'Hoor es, Cody, rustig aan.' Ze legde de bakspaan op het aanrecht en keek hem aan. 'Je broer wordt ouder. Hij heeft nu vrienden.'

Cody's hoofd tolde. Had Carl Joseph vrienden? 'Komt het door die school waarover je me hebt verteld?'

'Ja.' Ze zuchtte en keek hem aan. 'Ik breng hem naar een centrum in de stad. Iedereen daar heeft het syndroom van Down.'

'Ook Daisy?' Hij ontspande. Het idee dat een gezond meisje voor Carl Joseph zou vallen leek verkeerd. Hij kon de gedachte niet verdragen dat zijn broertje misschien verliefd was geworden op een meisje dat nooit iets voor hem zou voelen. Maar als ze net als hij het syndroom van Down had…

'Ja.' Zijn moeder pakte de bakspaan weer op en begon te roeren. 'Daisy heeft het syndroom van Down. Ze is eenentwintig, vier jaar jonger dan Carl Joseph.' Ze draaide het gas uit en veegde haar voorhoofd af met de rug van haar hand. 'Ze vinden het leuk om samen te dansen en Mickey Mouse-liedjes te zingen, en ze dromen ervan een keer naar Disneyland te gaan. Daisy helpt Carl zachter te praten, en hij helpt haar niet zo bang te zijn voor de regen. Het is een eenvoudige, lieve vriendschap, Cody.' Ze verhuisde de pan naar het buffet. 'Het is goed voor je broer.'

'Goed.' Cody voelde zich een stuk beter. 'Dus hij gaat vaker uit, hij socialiseert. Die school is… ik weet het niet… een soort speelgroep of zo.' Hij keek over zijn schouder naar zijn broer en toen weer terug. 'Toch?'

Zijn moeder hield haar hoofd schuin en overwoog zijn definitie. 'Zoiets. Het is goed voor hem, dat is het enige wat ik weet. Ik zie verschil.'

Cody aarzelde. 'Mooi. Verschil is goed.'

'Als hij kan blijven gaan.' Haar gezichtsuitdrukking veranderde. 'Met die epilepsie… de dokter weet niet zeker…'

'We hebben het er later wel over.' Hij reikte net naar een stapel borden in de kast toen hij achter zich de stem van zijn vader hoorde.

'Carl Joseph, wat kijk je vrolijk.'

'Dank je, pap. Ik zie Daisy vandaag.'

'Ja, ik krijg net te horen van het bestaan van Daisy.' Cody zette de borden naast de pan met roereieren en glimlachte aarzelend naar zijn vader. 'Ik had nooit gedacht dat Carl Joseph een… je weet wel, een meisje zou krijgen.'

'Zo zit het niet.' Zijn moeder pakte een stapel servetten en legde ze op het buffet. 'Kom je eten, Carl Joseph?'

Kom je eten? Cody wilde iets zeggen, maar hij bedacht zich.

De laatste keer dat hij thuis was, werd Carl Joseph aan tafel bediend, net als altijd. Hij was niet stabiel genoeg om zijn bord vol te scheppen en door de keuken heen te dragen zonder te morsen of compleet te laten vallen. Cody tikte zachtjes op zijn moeders arm. 'Heeft hij dat geleerd?'

'Ja.' Zijn moeder lachte trots. 'En tafelmanieren ook.'

'Echt?'

Zijn vader kwam bij hen in de keuken. 'Echt. Carl Joseph is tot veel meer in staat dan we ooit hadden gedacht, Cody. Het is verbazingwekkend.'

Carl Joseph was nog vanuit de eetkamer op weg naar de keuken, dus hij had niets van hun gesprek gehoord. Cody staarde naar zijn vader en probeerde een antwoord te bedenken. Zijn opmerkingen irriteerden Cody. Misschien omdat Cody wist dat hij er nooit blij mee was geweest dat hij een zoon had met het syndroom van Down. Toen Carl Joseph twee jaar oud was, was hun vader thuis weggegaan en hij was negentien jaar weggebleven omdat hij het niet kon verdragen de vader te zijn van een gehandicapt kind.

Dus wat was dit? Die poging van zijn vader om een normaal kind van Carl Joseph te maken? Cody hield zijn gedachten voor zich. Hij keek op de achtergrond toe hoe Carl Joseph een bord koos, een portie roerei opschepte en een servet en vork van het buffet pakte. Hij droeg het bord naar de eetkamertafel en ging zonder te morsen zitten.

'Zo…' Cody schepte zijn bord vol en nam plaats tegenover zijn broer. 'Vriend, wat doe je dat goed.'

'Bedankt.' Zijn hele leven had Carl Joseph zijn vork vastgehouden als een schep, en als na een paar happen zijn evenwicht minder werd, viel het voedsel terug op het bord en schoof hij het met zijn vingers in zijn mond. Dan smakte hij luidruchtig met zijn mond open, en vielen er stukjes eten op zijn bord terug als hij kauwde. Nu niet. Hij moest zich natuurlijk concentreren, maar hij bracht een vork vol ei naar zijn mond, kauwde met zijn mond dicht en slikte. Daarna gebruikte hij de servet om zijn mondhoeken te betten.

'Cody heeft gelijk.' Hun vader glimlachte naar Carl Joseph. 'Je doet het heel, heel goed. We zijn allemaal trots op je.'

'Daisy is trots.' Carl Joseph legde zijn vork neer en vouwde zijn handen in zijn schoot.

Cody sloeg zijn broer een paar minuten gade. De lessen hadden zijn broer dus erg goed gedaan. Een paar lessen over sociale vaardigheden, een beetje sociale interactie… Carl Joseph had al jaren geleden naar het centrum gemoeten.

Carl Joseph concentreerde zich op zijn ontbijt en Cody richtte zijn aandacht op de reden waarom hij thuis was. Hij legde zijn vork neer en keek zijn ouders aan. 'Ik ben toe aan een verandering.'

De hap die zijn moeder net had willen nemen, bleef halverwege hangen. 'Verandering?'

'Ja.' Hij duwde zijn bord naar achteren en legde zijn armen op tafel. 'Ik ben de rest van het seizoen niet gecontracteerd. Ze willen me wel hebben, maar ik heb nog niet toegestemd.'

Zijn ouders wachtten tot hij verder ging.

'Ik hou van rodeorijden, begrijp me niet verkeerd.' Cody haalde zijn vingers door zijn donkere haar.

'Ik ook.' Carl Joseph keek op. 'Broer gaat me leren stierenrijden, hè broer?'

'Op een keer.' Cody glimlachte naar hem en wendde zich weer tot zijn vader. 'Ik wil iets anders doen, iets wat betekenis heeft. Misschien een sportcentrum openen, of stieren fokken hier op de ranch. Zodat ik vaker in de buurt van mijn familie kan zijn.'

'Je zou zo'n beetje alles kunnen doen.' Zijn vader leunde achterover in zijn stoel en sloeg zijn armen over elkaar. 'Ik wist niet dat je overwoog iets anders te gaan doen.'

Zijn moeder ging wat rechter zitten. Haar ogen stonden bedachtzaam. 'Ik heb hierop gehoopt.'

Cody nam een slok van zijn sinaasappelsap. 'Dat ik het circuit zou verlaten?'

'Ja.' Ze trok haar vork door haar eieren. 'Want als je dat niet doet, raak je nooit over Ali heen. Elke keer als je op reis gaat, draag je haar met je mee.'

Cody hield een hele tijd zijn adem in. Zijn moeder bedoelde niets met haar opmerking, dat wist hij zeker. Maar hoe kon hij hen laten begrijpen dat hij niet het slachtoffer was van de herinnering aan Ali? Hij *bezat* de herinnering. Hij wilde zijn leven niet weer oppakken of haar loslaten. Hij had alleen een plek nodig waar haar beeld niet om elke hoek wachtte.

'Niet boos zijn, Cody.' Ze stak haar hand naar hem uit en legde hem op de zijne. 'Ik hield van Ali. Wij allemaal.'

'Maar Ali maakt je verdrietig, broer.' Carl Joseph wuifde met zijn vork in Cody's richting. Op hetzelfde moment scheen hij te merken wat hij deed. Hij bracht zijn vork weer naar zijn bord. 'Ik denk dat Ali je verdrietig maakt.'

'Wat je moeder bedoelt te zeggen, jongen, is… tja, het is vier jaar geleden.' De stem van zijn vader was liefdevol.

Cody werd boos. Hij concentreerde zich op zijn eieren en at ze sneller op dan hij van plan was geweest. Toen hij klaar was, stond hij op en bracht zijn bord naar de keuken. 'Ik ga naar buiten.'

'Cody…' riep zijn moeder hem na. 'We zeggen alleen maar dat…'

Hij was de deur uit voordat ze haar zin kon afmaken. Hij wist wat ze zeiden en het was hun schuld niet. Vier jaar was een lange tijd. Maar niet voor hem. Hij stormde naar de schuur en plotseling flitste er een herinnering door zijn hoofd. De keer dat Ali het huis van haar ouders uit was gestormd op de dag dat ze te weten kwam dat hij de waarheid wist over haar ziekte.

Ze rende naar de schuur en klom net op Ace toen hij bij haar kwam.

'Ali, kom eraf. We moeten praten.' Hij stond met bonzend hart voor haar.

'Ik wilde niet dat je het wist. Nog niet.' Ze drukte haar vingers tegen haar borst. 'Het was aan mij om het je te vertellen.'

Wat hij ook zei, ze wilde niet van het paard afkomen, dus uiteindelijk klom hij er ook maar op en ging achter haar zitten. Zij voerde de teugels en het paard rende door het open veld naar het pad en naar het achterhek van hun ranch. Toen was Ali zo van streek dat ze amper kon ademhalen. Ze kreeg een astma-aanval. Hij hield haar vast en kreeg haar zover dat ze als door een wonder ruimte vond in haar beschadigde longen om adem te krijgen.

Cody hield zich vast aan de herinnering toen hij de hoek van de schuur omging en Ace opzadelde. Hij dreef het paard in een rengalop en ging op weg naar zijn huis aan de andere kant van de ranch. Boven op Ace kon hij Ali haast voor zich voelen zitten, kon hij haar slanke rug haast tegen zijn borst voelen, haar haren in zijn gezicht.

Toen het huis van zijn ouders uit het zicht was, hield Cody stil. Hij hijgde en moest zich concentreren om op adem te komen. Hij staarde naar de lucht, naar de witte stapelwolken in het blauw. Natuurlijk droeg hij Ali met zich mee elke keer als hij op reis ging. Moest hij daarom de rodeo eraan geven?

Cody boog zich over Ace heen en liet zijn voorhoofd rusten op de manen van het paard. Niemand begreep het. Het was niet alleen de rodeo. Hij droeg Ali met zich mee waar hij ook heen ging. Deze rustpauze zou hem een kans moeten geven dat hij een uur of twee haar gezicht niet zag of haar stem niet hoorde. Dat alles wat hij zag en hoorde en rook hem niet op het idee bracht dat het acht jaar terug was en zij nog bij hem.

Maar nu hij thuis was, was het niet anders.

Ze was er nog steeds als hij in slaap viel en als hij wakker werd. Hij zag haar elke keer als hij Ace zag, en als hij naar de wijde luchten van Colorado keek, en als hij de aarde onder zijn laarzen hoorde knisperen als hij van zijn huis naar zijn ouders wandelde. Ze was overal en tot nu toe had hij dat prima gevonden.

Maar zijn moeder had gelijk. Misschien kon hij daarom zijn boosheid niet loslaten.

Vier jaar was genoeg tijd, genoeg om het niet meer gezond te laten zijn dat hij elk uur haar gezicht voor zich zag en haar adem tegen zijn huid voelde. Om de paar minuten. En daarom was hij hier, omdat hij op de vlucht was voor die waarheid, en om te proberen een manier te vinden om die waarheid te aanvaarden. En dat allebei tegelijk.

'Ali…' Hij hief zijn gezicht omhoog naar de blauwe lucht.

Er kwam geen antwoord. Alleen het fluisteren van de wind in de pijnbomen in de verte.

Hoe moest hij zijn leven weer oppakken? De rodeo was voorbij. Dat voelde hij zodra hij in Nampa, Idaho op het vliegtuig was gestapt. Hij kon geen cowboy meer verdragen die hem zijn medeleven kwam betuigen; geen droevige blik meer uitstaan van de vrienden die wisten hoe hij zich voelde en hoe hij bleef hangen bij een lentedag uit een ver verleden toen Ali nog leefde, en nog zijn bed en zijn leven deelde. Toen de long die hij haar had gegeven nog werkte.

Hij was klaar met de rodeo. Daar was hij nu zeker van.

Dus hoe verder? In een boek over verdriet had hij eens gelezen dat de enige manier om een nieuw leven te vinden was door elke ochtend uit bed te stappen en de ene voet voor de andere te zetten. Adem in, adem uit… en zet de volgende stap. Mettertijd zou de pijn afzwakken. Op een dag zou de ochtend aanbreken waarop de herinneringen niet meer deel uitmaken van iedere ademhaling. Dan zouden ze een stap opzij hebben gedaan en een geliefde vriend op een geliefde plaats zijn geworden. Die het waard was om nu en dan een bezoek te brengen.

Cody ademde diep in en haalde zijn vingers door Ace' blonde manen.

Het paard hinnikte en draaide zijn hoofd een beetje om, alsof hij wilde zeggen: 'Zeg, waar is ze? Is ze nou nog niet lang genoeg weg geweest?'

'Braaf, Ace. Het is goed.'

Met zijn hakken in de flanken van het paard zette hij het weer in beweging. De ene voet voor de andere dus? Als dat waar was, moest hij iets vinden om de tijd te verdrijven. Hij had goed geïnvesteerd. Het geld van zijn prijzen, zijn inkomen van drie jaar bij de omroep op het circuit, en een consultatiehonorarium voor twee cowboyfilms. Dat kwam bij elkaar op een bankrekening van zeven cijfers en landinvesteringen in drie staten. Geld was geen probleem, maar voor welke baan zou hij even enthousiast kunnen raken als voor de rodeo?

Hij zette zijn cowboyhoed af en haalde zijn vingers door zijn haar. Naast Ali was er maar één van wie hij zo veel hield dat het pijn deed. Zijn broer Carl Joseph. Hij dacht aan het gesprek tijdens het ontbijt, het idee dat zijn broer smoorverliefd scheen te zijn op een meisje dat Daisy heette.

Cody spande en ontspande zijn kaakspieren. Natuurlijk was het joch smoorverliefd. Tot nu toe was hij nooit in een andere sociale omgeving geweest. Een groep vrienden was goed voor Carl Joseph. Maar hoe moest een dagopvang hem leren thuis een lang leven en gezondheid te vinden? Zijn broer was twintig of vijfentwintig kilo te zwaar en werd geplaagd door de zwakke spierspanning waaraan de meeste mensen met het syndroom van Down leden. En dan ook nog die epilepsie en zijn hartkwaal.

Een paar jaar geleden had Cody de mogelijkheden onderzocht voor revalidatie en had oefeningen en regels voor Carl Joseph gevonden om de beperkingen van het syndroom van Down te overwinnen. Destijds had hij gedacht dat Carl Joseph krachtiger zou kunnen worden als hij paardreed. En nu en dan had hij zijn broer op een paard geholpen en in een arena rondgeleid. Maar daarmee kreeg hij nog niet de kracht en gezondheid die hij nodig had om een lang leven te leiden.

Misschien was een sportcomplex het antwoord. Hij kon rondkijken in de Springs en een slechtlopend fitnesscentrum overnemen. Daar kon hij dan een plek van maken waar lichamelijk gehandicapten heen konden komen om te trainen. Een soort revalidatiecentrum. Door die training zou Carl Joseph sterker worden, en misschien won hij er tien jaar goede gezondheid mee. Cody kon het centrum leiden en de mensen die het bezochten konden aan een speciale trainer verbonden worden of in speciale klassen worden geplaatst. Zo konden mensen als Carl Joseph hun energie gebruiken voor iets productiefs, waarmee ze hun gevoel van eigenwaarde konden opbouwen. Het moest iets worden wat een aanvulling was op de dagopvang die zijn broer nu al bezocht.

Cody liet Ace omdraaien en reed in galop terug naar de schuur. Intussen viel hem een gedachte in; iets wat de juistheid bewees van de informatie die hij lang geleden in dat boek over verdriet had gelezen. Pak het eerste dat op je pad komt aan, had de auteur van het boek gesteld. En dat was precies wat hij in de afgelopen paar minuten had gedaan. Hij had nagedacht over zijn volgende stap, zijn volgende loopbaan. Zijn volgende hartstocht. Volgens het boek kon je daarmee de herinnering aan een verloren geliefde uiteindelijk opzijzetten. Dat moest wel waar zijn, want er was iets verrassends gebeurd terwijl hij nadacht over een centrum voor kinderen als Carl Joseph. Hij had aan niets anders gedacht.

Zelfs niet aan zijn geliefde Ali.

hoofdstuk vijf

Elle zat met haar moeder aan de keukentafel en probeerde zich te concentreren op hun spelletje scrabble. Maar Daisy bleef hen onafgebroken afleiden. Ze danste wervelend en draaiend door de keuken en zong een verzonnen liedje over excursies en de treden van een bus. Het was donderdag, en dat betekende dat er morgen weer een excursie werd gehouden. Daisy zou tot bedtijd dansen en giechelen en feestvieren.

Dat effect hadden excursies op haar.

'Jouw beurt.' Haar moeder stond op en liep naar de gootsteen. 'Elle, ik geloof dat je vanavond met je gedachten ergens anders zit. Meestal laat je me met scrabble niet zo dicht in de buurt komen.'

'Toch zal ik je verslaan.' Elle bukte en krabde Snoopy's oren. De kleine hond was nu tien jaar en het haar rond zijn ogen en neus was meer grijs dan bruin. 'Ik heb het hele spel nog geen goede letters gehad.'

'Je had ze moeten ruilen!' Daisy wervelde langs Elles stoel. 'Ik heb ze geruild.'

'Ik denk dat je gelijk hebt.'

Hun moeder schonk drie glazen ijsthee in. Ze zette er een op het aanrecht voor Daisy en bracht de andere twee mee naar de tafel. 'Je ging niet op mijn opmerking in.'

'Waarover?' Elle keek zogenaamd onschuldig op. 'Over scrabble?'

Ze trok een wenkbrauw op. 'Over dat je met je gedachten ergens anders zit.'

'Ach. Ik zat gewoon aan de excursie van morgen te denken.'

Elle pakte haar glas ijsthee en nam een slok. 'Dank je wel.'

'Morgen excursie!' Daisy sprong in de lucht, met haar handen recht voor zich uitgestrekt. Ze begon te neuriën. 'Ik kan de hele nacht wel dansen… Ik kan de hele nacht wel dansen.'

Hun moeder keek twijfelachtig. 'Waar gaan jullie heen?' Ze verhief haar stem om boven Daisy's vrolijke gezang uit te komen.

'Naar het park en dan een broodje eten. Iedereen neemt geld mee.' Elle pakte vijf letters van haar plankje en legde het woord 'schuldig' aan over een vierkantje met drie keer woordwaarde. Ze grinnikte naar haar moeder. 'Zo. Nu sta ik weer voor.'

Daisy hield buiten adem op met dansen en liet zich in de stoel naast Elle vallen. 'Hou jij van rodeorijders, Elle?'

Elle keek verbaasd naar haar zusje. Waarom was ze de laatste tijd toch zo geobsedeerd door rodeorijders? Sinds Carl Joseph over zijn broer was begonnen en had verteld dat die op stieren had gereden, had Daisy het er bijna elke dag over. 'Niet in het bijzonder.' Hun moeder steunde op haar ellebogen en keek van Elle naar Daisy. 'Van wie heb je over rodeorijden gehoord?'

'Van CJ.' Daisy straalde. 'Zijn broer is rodeocowboy.'

Elle wierp haar moeder een zijdelingse blik toe en schudde haast onmerkbaar haar hoofd. Met haar ogen bracht ze haar twijfel over. 'Hij zal wel accountant zijn of zo. Net teruggekomen uit de Springs.'

'Hij is rodeorijder.' Daisy keek geschokt en verontwaardigd. 'Ik zei dat hij rodeorijder is en hij is rodeorijder.'

'Goed, hoor.' Elle gaf haar zusje een klopje op haar hand. 'Hij is rodeorijder.'

Daisy nam een grote slok van haar ijsthee. Er vloog een ijsblokje over de tafel en ze pakte het vlug op en liet het weer in haar glas vallen. 'Dat heb je niet gezien, hè Elle? Maar hij is echt rodeorijder.' Met drie grote slokken dronk ze haar glas leeg en stond op.

Toen ze buiten gehoorafstand was, fluisterde Elle tegen haar moeder: 'En ik ben ballerina.'

Haar moeder glimlachte. 'Het is niet zo belangrijk.'

'Alleen gaat Daisy nu op in het idee van stierenrijden. Vandaag had Carl Joseph op school een cowboyhoed op en hij verkondigde dat hij ging beginnen met rodeorijden en op een dag net als zijn broer wereldkampioen zou zijn.' Ze keek geërgerd. 'Het begint een beetje uit de hand te lopen.'

'Ik kan de hele nacht wel dansen...' Daisy draaide langs het aanrecht heen de woonkamer binnen. 'Ik kan de hele nacht wel dansen.'

Haar moeder gniffelde. 'Let op.' Met zes lettertjes legde ze het woord 'suiker' aan, met de s aan het einde van 'mooi', zodat er 'moois' stond en ze voor beide woorden punten kreeg. 'Dat moet genoeg zijn.'

'Goed, goed.' Elle schreef de punten van haar moeder op. 'Ik moet je af en toe een keer laten winnen. Anders wil je niet meer spelen.'

Haar moeder leunde achterover en streek met haar vingers langs het vochtige ijstheeglas. 'En, is die stierenrijdende broer vrijgezel?'

'Mam...' Elle raakte gefrustreerd. 'Je hebt het beloofd.'

Daisy huppelde naar de tafel. 'Zijn vrouw was paardrijdster. Zo heeft hij haar ontmoet.'

'O.' Hun moeder klonk haast schuldig. 'Dus hij is een getrouwde rodeorijder.'

Elle was verbaasd, maar niet omdat het haar iets kon schelen. Ze had tot nu toe niet over de vrouw van die man gehoord. 'Ze zijn allemaal getrouwd.' Elle staarde naar haar letters. 'En dat komt mij goed uit. Ik ben niet op zoek naar een relatie, mam.' Ze keek op. 'Weet je nog?'

'Ik weet het. Het is alleen...' Haar moeder keek naar het scrabblebord. 'Je hebt meer nodig dan alleen ons donderdagse scrabbleavondje. Je hebt je hele leven nog voor je, Elle. Ik blijf geloven dat God de juiste man in je leven zal brengen, maar weken worden maanden, maanden worden jaren. En nog steeds niets.' Ze klonk ontmoedigd. 'Het is niet goed.'

'Weet je wat?' Elle keek haar moeder recht aan. 'Mensen denken dat mijn leerlingen gehandicapt zijn. Ze zien er anders uit, dus ze zijn gehandicapt.' Haar stem haperde en ze keek weer naar het bord. 'Maar we zijn allemaal op een of andere manier gehandicapt.' Ze keek op. 'De mannen die ik heb ont- moet kunnen niet liefhebben. Of ze zijn getrouwd en op zoek naar een goedkoop avontuurtje. Dan ben je gehandicapter dan Daisy of Carl Joseph. Vind je niet?'

Haar moeder zuchtte. 'Je bent gekwetst, Elle. Je hebt één slechte ervaring gehad.'

'Eén?' Ze keek haar moeder verbijsterd aan. 'Ik ben op mijn trouwdag verlaten voor het altaar! Dat is wel iets anders.'

'Ik wil maar zeggen dat je niet alle mannen kunt veroordelen om wat er is gebeurd.' Haar moeder sprak aarzelend, alsof ze wist dat ze wat te ver doordramde over het onderwerp. 'Ik zal erover ophouden, maar alsjeblieft, Elle... praat anders eens met iemand van de kerk. Een gebroken hart kan genezen worden.'

Elle had een standaardantwoord als mensen naar haar liefdes- leven vroegen. Ze wapende zich tegen de pijn en glimlachte naar haar moeder. 'Ik heb het al eerder gezegd. Als ik verliefd moet worden, zal het me moeten overkomen. Het zal me in mijn nek moeten grijpen en me recht in de ogen moeten kij- ken. Want ik ben niet meer op zoek.'

Daisy drukte een knop in op de cd-speler die op het aan- recht stond. De kamer vulde zich met walsmuziek en over- mand door blijdschap legde ze haar hoofd in haar nek. 'Ik wou dat CJ er was.' Ze draafde om de tafel heen en stak haar hand uit. 'Kom, Elle. Dans met me.'

De meisjes Dalton hadden altijd gedanst. Daisy's liefde voor muziek en beweging was waarschijnlijk de reden dat ze niet kampte met haar gewicht, zoals veel mensen met het syndroom van Down. Elle pakte haar zusje bij de hand, stond op en begon om de tafel heen te walsen. Intussen lachte Daisy de hartelijke, open lach waar ze om bekend stond.

Haar blijdschap was aanstekelijk en Elle begon te giechelen. Ze kon zich er niet om bekommeren dat haar moeder de hoop dat zij een man zou vinden maar niet op wilde geven. Dat was een gepasseerd station. Dit leven – het leven dat ze thuis leidde met Daisy en haar moeder en het leven dat ze elke dag leidde met haar leerlingen – was vervullend genoeg.

Snoopy stond op, rekte zich uit en voegde zich bij hen. Toen ze de woonkamer in dansten, volgde hij en dat maakte Daisy nog harder aan het lachen. 'Snoopy is een danser! Hij is een danser, mam!'

'Ja.' Hun moeder stond op en bewoog op de maat van de muziek. Toen ze bij Elle en Daisy kwam, walste ze dicht naar de hond toe. 'Snoopy is vandaag mijn partner.'

Ze gingen de kamer rond en rond en Elle genoot. Toen het lied afgelopen was, waren ze allemaal buiten adem van het dansen en lachen. Daisy plofte neer op de bank en riep Snoopy bij zich. 'Tijd voor de film.'

'Je hebt gelijk.' Elle ging naar de keuken om een zak popcorn te halen en stopte hem in de magnetron. 'Nog tien minuten voordat hij begint.'

Er was die avond een romantische film op de televisie met een bekende actrice. De film was nog maar een paar minuten bezig toen de hoofdpersoon dagdroomde over een lang geleden verloren liefde uit haar kindertijd, en Elle voelde de bekende pijn in haar borst. Ze kon de bezorgdheid van haar moeder van zich af zetten en lachen om het idee dat ze meer zou behoeven dan ze al had. Maar diep vanbinnen viel het overduidelijk niet te ontkennen. Ze had de liefde eens meegemaakt en het was mislukt. Ernstig mislukt.

Al zou ze op zoek zijn, nooit zou ze de innemende, argeloze liefde vinden die elke dag te zien was in de ogen van haar leerlingen, een liefde op basis van eerlijkheid en doorzichtigheid, een liefde die sterk genoeg was om de muren van haar hart neer te halen. Alleen dat soort liefde was het waard om haar onafhankelijkheid los te laten en nog eens opnieuw te vertrouwen. En dat was het probleem. Buiten Daisy's wereld was dat soort liefde niet alleen zeldzaam.

Die bestond gewoon niet.

De excursie naar Antlers Park was in volle gang en Elle was er trots op zoals de deelnemers zich in het openbaar gedroegen. De busrit was vlot verlopen, alle leerlingen hadden de vaardigheid getoond om hun kaartje te laten zien en netjes te blijven zitten tot de halte van bestemming. Zoals altijd nam Daisy het voortouw, en Carl Joseph volgde vlak achter haar.

Soms sloeg Elle hen tweeën gade en vroeg zich af wat de toekomst voor hen in petto had. Daisy zou er in de komende maanden klaar voor zijn om zelfstandig te wonen. Nu al zou het kunnen lukken, maar Elle wilde er zeker van zijn dat Daisy goed begreep wat ze aan haar gezondheid moest doen; ze moest maandelijks onderzocht worden vanwege haar zwakke hart. Ze moest ook een baan hebben. Elle was al bezig haar te helpen een cv in elkaar te zetten.

Het probleem was Carl Joseph. Het zou nog minstens een jaar duren voordat hij klaar was. En nu hij epilepsie had, overwogen zijn ouders hem uit het programma te halen. Als ze met Daisy over de situatie probeerde te praten, glimlachte haar zus alleen maar en zei: 'Ik ga niet weg voordat CJ weg kan.'

Elle sloeg hen nu gade, Daisy en Carl Joseph, met de armen

in elkaar gehaakt. Ze liepen voorop over het pad naar Engine 168, de historische spoorwagon die tientallen jaren geleden in het park geplaatst was. Het was iets interessants, iets wat Elle graag aan de deelnemers wilde laten zien.

Ze dacht weer aan haar zusje. Een dezer dagen zou ze met de ouders van Carl Joseph moeten praten om hen te overtuigen. Epilepsie kwam tamelijk veel voor onder mensen met het syndroom van Down. Met de juiste medicatie en regelmatige controle kon Carl Joseph ook met zijn kwaal een zelfstandig leven leiden. Misschien zouden ze meer openstaan voor een groepshuis waar Carl Joseph en Daisy in hetzelfde complex konden wonen. Niet met een romantische bedoeling, maar als de goede vrienden die ze geworden waren. Voor dit moment althans.

Ze waren twintig meter van de spoorwagon toen Gus rondjes begon te rennen. 'We gaan in de trein... Kijk es allemaal!' Hij lachte hard en lang en knikte meerdere keren met zijn hoofd. 'We gaan in de trein!'

Sid wierp zijn klasgenoot een blik vol afkeer toe. Hij marcheerde naar de voorkant van de spoorwagon en wees naar de grond. 'Zonder rails zeker.' Hij schreeuwde in Elles richting. 'Ziet u, juf. Geen spoor.'

'Geen spoor is heel gevaarlijk.' Carl Joseph stond stil en keek om. 'Wat gebeurt er als er geen spoor is voor de trein, juf?'

Elle stak haar handen op. 'Hier komen allemaal.'

Langzaam, met uiteenlopende reactietijd, vormde de groep een halve cirkel om haar heen. Sid mompelde nog steeds dat de hele dag een ramp was omdat geen trein kon rijden zonder spoor. Elle wachtte tot de meesten stil waren. 'We gaan vandaag niet in een trein.'

Gus wees naar de spoorwagon. 'Daar staat-ie, juf. Dat is de trein.'

'Die hoort bij het park.' Ze sprak zo luid dat ze haar allemaal konden horen. Ze sprak op vriendelijke en zelfverzekerde toon. 'Vandaag is een parkdag. De trein maakt deel uit van het park.'

Ze had met opzet voor Antlers Park gekozen, omdat ze wist dat de aanblik van een levensgrote spoorwagon in het park genoeg was om de meesten van de wijs te brengen. Daarom ondernamen ze excursies, zodat ze op zoek naar een zelfstandig leven alledaagse hindernissen konden nemen. Ze wenkte de groep. 'Volg mij maar.'

Toen ze bij de trein kwamen, stelde Elle zich op naast een bord en wenkte hen zo dichtbij mogelijk te komen. 'Dit is een bord waarop uitgelegd wordt waarom hier midden in het park een trein staat. Wie wil het voorlezen?'

Daisy stak als eerste haar hand op. Ongeveer een derde van de leerlingen kon lezen, maar Daisy was de vaardigste. Het had haar moeder vele uren per week gekost om te zorgen dat haar jongste dochter kon lezen, en dat in een tijd waarin de conventionele mening heerste dat iemand met het syndroom van Down zo'n prestatie niet kon leveren.

Weer een gebied waarop Carl Joseph ver achterliep bij Daisy.

Daisy stapte naar voren en boog zich over het bord. Haar ogen waren slechter dan een jaar geleden. Ze moest ze half-dicht knijpen om de woorden te onderscheiden. Maar met één regel tegelijk las ze de boodschap op het bord hardop voor aan de anderen. Toen ze las dat de spoorwagon een geschenk was aan de inwoners van Colorado Springs, om te gedenken welk aandeel de spoorweg had gehad in de grondlegging van de stad, wuifde Gus met zijn armen.

'Ik snap het!' Hij wees naar de trein. 'Het is een toeristenval. Mijn moeder heeft me verteld over toeristenvallen.'

Elle glimlachte. Ze waren klaar met de trein en liepen naar de voetgangersoversteekplaats. Daar nam Elle de verkeerslichten door. Sid bleef een beetje achter en toen ze overstaken, stapte hij als laatste de weg op. Toen was het licht op rood gesprongen en een auto toeterde voor hem. Vroeger zou Sid zijn vuist hebben geschud naar de bestuurder of misschien als een kind van vijf huilend op de grond zijn gevallen.

Nu niet. Met Elle achter zich stond hij stil, keek de bestuurder aan en wuifde naar hem. Toen richtte hij zijn aandacht op de overkant van de straat en vervolgde met opgeheven hoofd zijn wandeling.

Vooruitgang! Op de stoep liet Elle hem stilstaan en glimlachte hem toe. 'Sid! Dat was prachtig!'

'Hij had niet hoeven toeteren.' Sid keek om naar de bestuurder, die al hard doorgereden was.

'Nee, dat is zo.'

Elle en Sid voegden zich bij de anderen in de broodjeszaak op de hoek. Een restaurant gaf de deelnemers aan het programma de kans om handelingen te verrichten die hen zonder de training die ze bij het centrum kregen misschien zou afschrikken. Ze moesten kiezen wat voor soort brood ze wilden, welk vlees en garnituur, en of ze een menu wilden. En elk moest het juiste bedrag uittellen dat ze voor hun maaltijd moesten betalen.

Toen ze twintig minuten later allemaal hun broodje hadden, namen de leerlingen plaats aan tafels die allemaal aan één kant van het restaurant stonden. Weer een verbetering. Een jaar geleden dwaalden de meesten doelloos rond door de eetzaal om uit te zoeken waar iedereen moest zitten en naast wie.

Toen ze begonnen te eten, kwam er vanzelf een gesprek op gang. Weer een teken van zelfstandigheid. Als een van hen te luidruchtig werd, stak iemand aan die tafel twee vingers op; het teken dat de stemmen gedempt moesten worden. Elle zat aan Daisy's tafel met Carl Joseph en Gus. Het was een van die momenten waarop ze wist dat dit de plaats was waar God haar wilde hebben. Geen zorgen over liefde en relaties, hier, bij deze leerlingen was het belangrijk wat ze deed.

Ze waren halverwege de maaltijd toen er voor het restaurant een pick-up truck parkeerde. Een ruige man met donker haar in een wit T-shirt en spijkerbroek klom eruit en liep naar de voordeur van de broodjeszaak. Elle werd getroffen door zijn uiterlijk. In haar wereld van werken in het centrum, boodschappen doen en weer naar huis gaan, waren er weinig mannen die eruitzagen zoals deze. Zijn strakke kaaklijn en zijn vastberaden passen straalden zijn doelbewustheid uit.

Ze richtte haar aandacht weer op haar broodje toen Carl Joseph zijn broodje liet vallen en opstond.

'Broer!' Hij wuifde naar de man. 'Hierheen. Kom bij ons zitten!'

Het gezicht van de man ontspande. Enkele leerlingen riepen mee. 'Hoi, Carl Josephs broer!' 'Kom hier zitten!'

Daisy trok aan Carl Josephs trui. 'Is dat de rodeorijder?'

Hij zette zijn borst uit. 'Ik ben ook rodeorijder.'

'Kom, jongens.' Elle stond op en keek haar leerlingen aan. 'Laten we aan onze restaurantmanieren denken.'

De man wuifde schaapachtig naar de anderen en een voor een gingen de opgewonden leerlingen weer zitten. Toen kwam hij naast Carl Joseph staan en keek hem strak aan. 'Je wist het toch wel, vriend?' Hij sprak vriendelijk, maar zijn ogen stonden bezorgd. Misschien zelfs boos. 'Dat jij en ik vandaag een afspraak hadden?'

Carl Joseph hapte overdreven naar adem en sloeg zijn hand voor zijn mond. Hij keek van Daisy naar Elle en toen weer naar zijn broer. 'Ik was het vergeten, broer. Sorry dat ik het vergeten was.'

De man lachte kort. Op een manier die duidelijk maakte dat hij geen keus had, trok hij een stoel bij en kwam naast Carl Joseph zitten. 'Eet je even door?' Er speelde een gespannen glimlach om zijn mondhoeken. 'Ik moet je iets laten zien.'

'Maar…' Carl Joseph wees traag naar Daisy en Elle en Gus en toen naar de andere tafels. 'Dit zijn mijn vrienden en… het is vandaag excursiedag!'

'Ja.' Voor het eerst keek hij Elle aan. Er was ineens genoeg kilte in zijn stem om de temperatuur in het restaurant te laten dalen. 'Dat vertelde mam.'

Elle stak haar hand uit. 'Ik geloof niet dat we elkaar ontmoet hebben. Ik ben Elle Dalton, directeur van het Centrum voor Zelfstandig Wonen.'

Kort drukte hij Elle de hand. Lang genoeg voor haar om zijn trouwring te zien. 'Ik ben Cody Gunner, de broer van Carl Joseph.'

'De wereldberoemde rodeorijder.' Daisy's hele gezicht lichtte op. Ze zat te wiebelen op haar stoel. 'Hij zit hier bij ons. De wereldberoemde rodeorijder.'

Carl Joseph fluisterde tegen haar, met gefrustreerde rimpels in zijn voorhoofd. 'Ik ben ook rodeorijder, Daisy. Weet je nog?'

'Eh…' Cody lachte ongemakkelijk. 'Sorry, hoor. Maar ik moet mijn broer meenemen. We hebben plannen.'

'Goed.' Elle keek naar Carl Joseph. 'De excursie is bijna voorbij. Je mag met je broer meegaan.'

'Maar Daisy en ik willen dansen in het park.' Carl Josephs gezicht betrok. Hij keek zijn broer smekend aan. 'Ik heb nog niet gedanst.'

'Wacht even, vriend.' Er kwamen barstjes in Cody's vriendelijke façade. Hij dempte zijn stem tot een fluistering en richtte zich tot Elle. 'Kan ik u even spreken? Onder vier ogen?'

Elle voelde afweer opkomen. Ze stond op en keek haar leerlingen aan. 'Ik moet even buiten met meneer Gunner praten. Ik ben zo terug.'

Ze ging hem voor en toen ze buiten gehoorafstand waren, keek hij haar in de ogen. 'Wat is dit allemaal?'

'Pardon?' Er flitste woede in Elles ogen.

'Dit.' Hij gebaarde naar de deelnemers binnen. 'Hen zo te kijk te zetten waar iedereen hen kan aangapen.' Hij kon zich amper beheersen. 'Ik dacht dat mijn broer lessen in sociale vaardigheid kreeg.' Hij lachte, maar er klonk geen plezier in door. 'En nu moet ik ontdekken dat het de bedoeling is dat hij zelfstandig wordt?'

Elle was te verbaasd om iets te zeggen.

'Hoor es…' Cody had kennelijk moeite om zich in bedwang te houden. 'Het spijt me wel, maar…' Hij deed een paar stappen bij haar uit de buurt voordat hij zich met een ruk omdraaide en haar aanstaarde. 'Mijn broer is ziek. Hij zal nooit op zichzelf wonen. Dat moet iemand u toch verteld hebben.'

Elle was nog steeds aangedaan door zijn uitbarsting. Maar nu begreep ze hem tenminste. 'U bedoelt zijn epilepsie?'

'Epilepsie, hartkwaal… het feit dat hij niet kan lezen.' Cody wierp zijn handen in de lucht. 'Het is verkeerd om hem het idee te geven dat hij onafhankelijk zou kunnen zijn.' Hij keek naar binnen. 'Hoe kan dat goed zijn voor zulke mensen?'

'Meneer Gunner.' Elle deed moeite om op kalme toon te spreken. 'Ik geef om elk van die leerlingen daarbinnen. Ik zou hen nooit in het openbaar laten uitlachen.' Ze kneep haar ogen tot spleetjes. 'Dit hoort bij het lesprogramma. Als u meer wilt weten over wat uw broer allemaal leert, zou ik u willen adviseren een afspraak met mij te maken. Ik ben elke ochtend een uur voordat de lessen beginnen beschikbaar.'

'Wat heeft het voor zin? Mijn broer wordt nooit goed genoeg om het huis uit te gaan.' Hij schudde zijn hoofd. 'Snapt u dat niet?'

'Zelfs met zijn beperkingen kan hij onafhankelijk zijn.' Elle deed haar best om haar boosheid in bedwang te houden. Welk recht had de broer van Carl Joseph om de excursie te verstoren?

'Laat maar zitten.' Hij deed een stap in de richting van de deur en hield hem open. Er klonk nog frustratie door in zijn stem. 'Bedankt voor uw tijd.'

Elle bedacht wel tien dingen die ze tegen deze vent kon zeggen, maar waarom zou ze de moeite nemen? Onwetende mensen zoals hij kwam je nu en dan tegen. Het was verspilde moeite om haar werk in het centrum tegenover hem te verdedigen. Hij hield de deur nog steeds voor haar open en dus ging ze naar binnen.

Cody liep naar Carl Joseph toe en pakte de overgebleven helft van zijn broodje in. 'Kom mee, vriend. We gaan.'

'Wacht!' Carl Josephs stem klonk veel luider dan anders. 'Je hebt nog niet kennisgemaakt met Daisy.'

Cody glimlachte, maar hij keek ongeduldig. 'Best.' Hij keek naar Daisy. Zijn toon werd wat vriendelijker. 'Ik ben Cody. Jij bent zeker Daisy.'

'Hoi, Cody.' Daisy keek hem verlegen aan. Ze knipperde met haar wimpers. 'Je bent leuk.'

'Hé, en ik dan?' Carl Joseph keek Daisy gekwetst aan.

Daisy pakte zijn hand en drukte hem tegen haar hart. 'Jij bent de leukste van allemaal, CJ.' Ze fluisterde. 'Nog leuker dan je broer.'

Op dat moment scheen Cody op te merken dat zijn broer lekker rook. 'Vriend? Heb je aftershave op?'

'Ja.' Carl Joseph stond op en straalde naar Daisy. Hij duwde zijn bril omhoog op zijn neus. 'Heeft mama voor me gekocht. Ik doe het op voor Daisy.'

Daisy boog dicht naar Elle toe. 'Hij ruikt als een rodeorijder.'

'Dank je.' Carl Joseph zette een hoge borst op.

'Dit is idioot,' mompelde Cody. Hij knikte kort naar Daisy

en Elle. 'Prettig jullie te hebben ontmoet.' Op weg naar de deur stond hij stil en keek om naar Elle. 'Ik kom van de week even langs. Zoals u voorstelde.'

Elle glimlachte hem zakelijk toe. 'U zult een afspraak moeten maken, meneer Gunner.'

De twee vertrokken, in een koor van afscheidsgroeten van de andere leerlingen. Zodra ze buiten waren, sloeg Cody zijn arm om Carl Josephs schouders. Hoe lelijk hij ook had gedaan, het was duidelijk dat Cody Gunner dol was op zijn jongere broer. Cody opende het portier aan de passagierskant van de pick-up en liet Carl Joseph met meer hulp dan hij nodig had instappen.

Toen ze samen wegreden, keek Elle in de broodjeszaak naar haar leerlingen. Cody's bezoek had een donkere wolk van onzekerheid over de groep achtergelaten. Het was wel duidelijk dat de broer van Carl Joseph hun excursie niet goedkeurde.

Dat was een van de dingen die iemand met het syndroom van Down zo bijzonder maakte. Een buitengewone sensitiviteit hoorde bij hun karakter. Lesprogramma's voor zelfstandig leven waren zo ontworpen dat mensen met het syndroom van Down leerden hun gevoelens te herkennen en erover te praten.

Elle stond op en schraapte haar keel. Dit was een uitstekend moment voor zo'n les. 'Zou iemand graag willen vertellen hoe hij of zij zich op dit moment voelt?'

Eerst reageerde niemand. Ten slotte stak Daisy haar hand op. 'Daisy?'

'Ik vind CJ's broer eigenlijk niet leuk.' Ze schudde haar hoofd. 'Nu niet meer.'

Sid spreidde zijn handen in de lucht. 'Hij vond ons niet aardig.' Hij keek om zich heen. 'Zagen jullie dat soms niet? De broer van Carl Joseph vond ons niet aardig.'

Tranen prikten in Elles ogen. Hoe hard het ook was om Sid zijn gevoelens te horen verwoorden, ook dit was vooruitgang.

Ze liep tussen de tafels door naar Sid toe. 'Waarom dacht je dat?'

'Omdat…' Sid schoof zijn broodje van zich af. Zijn stem klonk eerder gekrenkt dan boos. 'Hij keek niet naar ons.'

'En nog iets.' Gus stak zijn hand op.

Elle wees naar hem.

'Hij…' Gus keek naar Daisy alsof hij op het punt stond haar gevoelens te kwetsen. 'Sorry, Daisy. Het spijt me dat ik iets onaardigs ga zeggen over CJ's broer.'

'Dat geeft niet, Gus.' Ze legde haar hand op zijn schouder. 'Je mag zeggen wat je wilt.'

'Goed…' Gus slikte. 'Hij zei: "Dit is idioot." Dus misschien denkt hij… dat wij idioot zijn.'

Het deed Elle pijn. Op dat moment had ze haar leerlingen wel met een sneltreinvaart mee terug willen nemen naar het centrum, waar ze veilig waren en geaccepteerd werden, waar een zelfstandig leven leiden een leuke bezigheid leek. Deze werkelijkheid was iets totaal anders. Ze liep naar Gus toe, leunde voorover tot ze hem recht in de ogen kon kijken. 'Gus, niemand denkt dat jullie idioot zijn.'

Gus beet op zijn lip en liet zijn hoofd hangen. 'Ik denk… dat Carl Josephs broer dat wel vindt.'

'Nee.' Ze stond op en keek de leerlingen stuk voor stuk aan. 'De broer van Carl Joseph is gewoon kribbig. Carl Joseph zei dat hij pijn had, dus misschien heeft hij daar last van. Misschien in zijn rug of in zijn knieën.' Ze wenste dat hij kon zien hoe zijn verschijning haar leerlingen had gekwetst. 'We kunnen voor hem bidden.'

'Ja.' Tammy, het meisje met de lange vlechten, klapte in haar handen. 'Dat is een positief idee. Hè, juf? Een positief idee.'

'Ja, hoor.' Elle vocht tegen haar tranen. Als Cody Gunner hier nog was, zou ze hem bij de kraag vatten en door elkaar schudden. Dan zou ze hem precies vertellen hoeveel pijn hij haar leerlingen had gedaan met zijn onnadenkende woorden. Maar daar kon ze nu niet over nadenken. Niet nu ze van haar verwachtten dat ze alles weer in orde maakte. 'Tammy heeft gelijk. Het is een positief idee om te bidden voor iemand die boos is.'

Gus keek rond en liet zich uit zijn stoel op zijn knieën vallen. Hij vouwde zijn handen samen en boog zijn hoofd. Elle wilde hem net vertellen dat hij best vanaf zijn stoel kon bidden, toen de anderen zijn voorbeeld volgden. Voordat Elle de woorden kon vinden, lagen al haar leerlingen met gebogen hoofd geknield in de broodjeszaak.

'God,' begon Gus, 'wees met de boze broer van Carl Joseph. Boosheid is niet goed voor je. Het is niet gezond.' Hij deed zijn ogen open en glimlachte naar Elle. Toen deed hij ze weer dicht. 'Dus help alstublieft de broer van Carl Joseph, want misschien zijn rodeorijders boze mensen. Maak hem blij, Jezus. Amen.'

In de groep klonken vele amens op. Pas toen merkte Elle een tafeltje met tieners achterin op. Het gebed had hun aandacht getrokken. Maar in plaats van de geknield liggende gehandicapten uit te lachen, deden de tieners iets heel anders.

Ze glimlachten.

En toen het gebed uit was, stonden een paar tieners zelfs op en kwamen naar de leerlingen toe om hun een schouderklopje te geven. Ten slotte knikten ze naar Elle en zij vormde met haar mond 'bedankt'. Toen ging ze weer naast Daisy zitten.

Twee stappen terug, drie stappen vooruit. Zo ging het met haar leerlingen. De wereld moest nog steeds wennen aan het idee dat mensen met het syndroom van Down in de supermarkt hun boodschappen inpakten of de vloer dweilden. Tegenover elke onwetende als Cody Gunner stond een groep mensen die begrip had, tieners die waarschijnlijk gehandicapte klasgenoten hadden gehad.

Elle was te ontroerd om nog een hap van haar broodje te

nemen. Ze dronk haar water op en keek toe hoe de wolk verdween en de leerlingen weer gezellig begonnen te praten. Ze vertelde hun later wel eens dat het beter was om in een openbaar restaurant niet te knielen, dat je op je stoel even goed kon bidden als op je knieën.

Of misschien ook niet. Misschien was de hele wereld wel beter af als mensen nu en dan de kans kregen om een broodjeszaak vol mensen op hun knieën te zien gaan.

hoofdstuk zes

Cody zei geen woord tot ze een kilometer van het restaurant af waren. Het was verkeerd van hem geweest om naar binnen te stormen en te eisen dat Carl Joseph meeging terwijl hij midden in een excursie zat. Maar waarom had niemand hem de situatie eerder uitgelegd? Hij had gedacht dat Carl Joseph deelnam aan een of ander dagopvangprogramma, een manier om hem sociale interactie te geven...

Maar een centrum voor zelfstandig wonen?

Cody's knokkels waren wit van het knijpen in het stuur. De hele auto geurde naar Carl Josephs aftershave, een scherpe herinnering aan alles wat Cody tot vandaag niet had begrepen. Het was die ochtend allemaal op zijn plaats gevallen. Hij was laat opgestaan en toen hij het huis van zijn ouders binnenkwam, vond hij zijn moeder in plaats van Carl Joseph.

'Waar is Carl Joseph?' Hij pakte een appel en wierp een blik in de woonkamer. 'Ik wilde hem vandaag mee uit nemen.'

Zijn moeder zat aan de eetkamertafel een brief te schrijven. 'Hij moest vandaag vroeg in het centrum zijn.'

'Het centrum?' Hij nam een hap van de appel. 'Bedoel je die club, die sociale toestand?'

'Ja, Cody.' Zijn moeder keek op. Als hij niet beter wist, had hij gedacht dat ze gehuild had. Haar ogen stonden vermoeid, met kringen eronder. 'Hij heeft vandaag een excursie.'

'Wat?' Cody werd overvallen door angst. Hij liep dichter naar zijn moeder toe. 'Wie past er op?'

'De onderwijzeres. Ze heet Elle Dalton. Ze heeft achttien leerlingen zoals Carl Joseph. Vrijdag is excursiedag.'

'Eén onderwijzeres?' Er welde paniek in hem op. 'Heb je Carl Joseph mee laten gaan op een excursie met maar één gezond iemand? Dat méén je toch niet?' Hij beende naar de andere kant van de eetkamer en weer terug. 'Waar zijn ze heen?'

'Naar Antlers Park en naar een broodjeszaak.' Ze legde haar pen neer. 'Rustig maar, Cody. Je broer gaat al drie maanden elke vrijdag op excursie.' Zijn moeder legde uit dat Carl Joseph naar winkelcentra was geweest en naar een kunstijsbaan en naar de dierentuin. 'Het komt heus wel goed met hem.'

'Nee.' Cody probeerde voor zich te zien dat Carl Joseph een drukke straat overstak. 'Hij raakt in de war. Hij heeft epilepsie. Dat weet je. Hij zou achter kunnen blijven en verdwalen, en als hij dan een toeval krijgt? Hij weet niet eens zijn eigen telefoonnummer.'

'Tegenwoordig wel.'

Het gesprek had in kringetjes rondgedraaid, maar uiteindelijk had hij zijn besluit genomen. Carl Joseph en hij moesten een dagje samen uit. Ze hadden het erover gehad toen hij net thuis was van het circuit. Cody had zelfs geopperd dat het wel op vrijdag kon. En nu was het vrijdag, excursie of niet.

Cody nam een bocht naar links en minderde vaart. Eerder dat jaar had hij in een hotel in Montana een artikel gelezen in *USA Today*, waarin stond dat onder onderwijskundigen de overtuiging groeide dat volwassenen met het syndroom van Down en andere handicaps geholpen moesten worden zelfstandig te functioneren buiten hun ouderlijk huis.

Cody had gehuiverd bij het idee. Onschuldige, gevoelige Carl Joseph midden in de echte wereld, uitgelachen en bespot en verdwaald in de ratrace? In die omgeving hield hij zich geen drie dagen staande. En het was ondenkbaar met zijn epilepsie. Zijn moeder had er zelfs in toegestemd te overwegen hem helemaal uit het programma te halen. Eén citaat uit het artikel had genoeg gezegd.

'We moeten oppassen,' had een tegenstander van het programma gezegd. 'In onze haast om een handicap te bagatelliseren, brengen we een gehandicapte soms ongewild in gevaar. De simpele waarheid is dat verstandelijk gehandicapten niet in staat zijn om zonder groot risico op zichzelf te wonen.'

Cody was het er hartgrondig mee eens geweest. Hij had zijn moeder gevraagd waarom Carl Joseph nog steeds deelnam aan excursies terwijl hij elk moment een toeval kon krijgen.

'Elle zorgt voor hem,' had ze gezegd. 'Elle weet wat ze moet doen.'

Maar nu had hij Elle gezien. Ze kon niet voortdurend bij Carl Joseph blijven, en zelfs dan was ze niet sterk genoeg om hem op te vangen als hij viel. Eén toeval en hij kon zich een schedelbreuk vallen.

'Broer?' Carl Joseph keek hem aan.

'Wat is er, vriend?' Cody draaide zich naar hem toe.

Carl Joseph, degene die nooit boos op iemand werd, had gezwegen sinds ze de broodjeszaak verlieten. Nu keek hij gepijnigd. 'Je was niet erg aardig tegen mijn vrienden.'

'Het spijt me.'

'Waarom, broer? Waarom was je niet aardig?'

'Ik was bang.' Cody stopte voor een verkeerslicht en keek Carl Joseph aan. 'Ik vind het niet prettig als je buiten op straat bent, vriend. Je kunt tussen het verkeer terechtkomen of verdwalen. Je kunt een toeval krijgen. Begrijp je?'

Carl Joseph keek recht voor zich uit. 'Groen, broer. Groen betekent doorrijden. Rood betekent stoppen. Wit voetgangerslicht betekent doorlopen.'

Cody staarde zijn broer aan en pas nadat iemand achter hem toeterde, trok hij eindelijk op. 'Waar heb je dat geleerd?'

'Van juf.'

Ze spraken niet meer tot ze het parkeerterrein bereikten van de oude YMCA. In de stad ging het gerucht dat de eigenaar het wilde verkopen. De gemeente had afgezien van aankoop, en nu kreeg iedereen die geld genoeg had, de mogelijkheid om het over te nemen. Cody parkeerde zijn pick-up en wendde zich tot Carl Joseph. 'Vertel eens wat meer over het centrum, vriend.'

Carl Joseph haalde diep adem. Hij vlocht zijn vingers in elkaar, zoals hij deed als hij zenuwachtig was. 'Het is voor zelfstandig wonen.'

'Dat heb je al gezegd.' Cody paste goed op om zijn toon vriendelijk te houden. Hij pakte zijn broer bij de hand. Carl Joseph kon er ook allemaal niets aan doen. 'Niet zenuwachtig zijn. Ik ben niet boos.'

'Je deed boos.' Hij likte zijn lippen. 'Tegen Daisy en Gus en juf en Sid en Tammy en…'

'Ik ben niet boos, vriend. Vertel me alsjeblieft iets over het centrum. Waarom… waarom zijn die excursies nodig?'

'Omdat, zie je…' Carl Joseph keek uit het raam en toen weer naar Cody. 'Excursies brengen ons dichter bij ons einddoel.'

'Einddoel?' De moed zonk Cody in de schoenen. Er was geen einddoel voor iemand die zo ziek was als Cody. 'Vertel eens.'

'Het einddoel is dat de leerlingen verhuizen en op zichzelf gaan wonen.' Het zweet brak uit op Carl Josephs voorhoofd. 'Allemaal op zichzelf. Zelfstandig wonen.'

Cody werd beroerd. Dus het was precies zoals hij gevreesd had. Die Elle Dalton volgde een programma dat Carl Joseph had doen geloven in iets onmogelijks voor zijn toekomst. 'Is dat wat je wilt?' Het bloed trok uit Cody's gezicht weg. 'Bij papa en mama weggaan en helemaal alleen in de wereld gaan wonen? Met die toevallen die je steeds hebt?'

'Eh…' Carl Joseph begon heen en weer te wiegen. Hij keek naar zijn voeten en stak zijn hand op om hem onderzoekend te bekijken. 'Ja. Dat wil vriend.'

Even wist Cody niet wat hij moest zeggen. Hij had zijn broer al van streek gemaakt. Hij moest die verwrongen denkwijze ongedaan maken, de belachelijke en gevaarlijke ideeën die Carl Joseph in het centrum had opgedaan. Maar hij moest het zo doen dat hij zijn broer geen pijn deed. Eindelijk gaf hij een kneepje in Carl Josephs hand. 'Goed, vriend. Ik begrijp het.' Hij aarzelde. 'We hebben het er later nog wel over.'

'Later.' Carl Joseph knikte. Hij keek nog steeds onzeker, maar hij keek Cody aan en glimlachte. 'Het einddoel komt later.'

'Precies.' Cody's hoofd tolde. Hij wilde zo vlug mogelijk naar huis om zijn ouders erop aan te spreken hoe ze het na zijn laatste diagnose in vredesnaam goed hadden kunnen vinden dat Carl Joseph op deze manier bleef denken. Hij liet de hand van zijn broer los, stapte uit en liep om naar Carl Josephs kant.

Maar voordat hij er was, klom zijn broer naar buiten en keek hem nieuwsgierig aan. 'Heb je je sleutels?'

'Ja.' Hij stak ze op. Wat was dat nu? Vroeger begreep Carl Joseph niet eens waar sleutels voor waren. Als ze naar de stad gingen, deed Cody het portier voor hem open en dicht en hielp hem naar binnen en naar buiten.

'Mooi.' Carl Joseph drukte het portier aan zijn kant op slot. 'Je moet het eerst controleren. Soms laat je je sleutel in de auto zitten.'

Cody was stomverbaasd. Hoeveel had zijn broer geleerd? Al meer dan Cody voor mogelijk had gehouden. Ze begonnen in de richting van het gebouw te lopen en Cody concentreerde zich op de reden waarom ze hier waren. 'Ik denk erover dit gebouw te kopen.'

'Echt waar?' Carl Joseph beefde nog steeds, hij was nog overstuur. Maar het was duidelijk dat hij net als Cody probeerde zich over het vorige voorval heen te zetten. 'Waarom, broer?'

'Het is een sportzaal.' Cody hield gelijke pas met Carl Joseph. 'Ik dacht dat ik er misschien een fitnesscentrum van kon maken voor mensen zoals jij... en je vrienden.'

'Vind je dat we moeten sporten?' Carl Joseph stond stil. Zijn ogen lichtten op. 'Dat vindt juf ook. We moeten van haar dansen, zitoefeningen doen en rekken.'

Cody voelde zijn woede weer opkomen. Die vrouw bemoeide zich op elk gebied met het leven van zijn broer. En wat voor goeds kwam er voort uit haar sportprogramma? Carl Joseph was niet fitter dan de vorige keer dat Cody thuis was geweest. Zijn hart was niet sterker. 'Zo.' Hij bewaarde een opgewekte toon. 'Ik denk dat je wel wat meer oefening kunt gebruiken dan dat. Een regelmatig sportprogramma.'

'Goed.'

'Ja, en misschien vind je het hier wel leuker dan in het centrum.' Hij trok een raar gezicht naar Carl Joseph. 'Misschien kun je groot en sterk worden.'

'Net als een rodeorijder?'

'Ja, precies.'

'O, leuk.' Ze gingen naar binnen en Cody sprak de eigenaar aan de balie aan. 'Ik heb gebeld over het gebouw. Ik heb belangstelling om het te kopen.'

'Ja.' De man schudde hem de hand. 'Bedankt voor uw komst.' Hij aarzelde. 'Maar ik ben bang dat de andere eigenaar en ik nog niet hebben besloten of we wel of niet gaan verkopen.'

Cody wilde net vragen hoelang het nog zou duren voordat de eigenaars meer wisten, toen hij iemand hoorde lachen. Hij draaide zich om en zag Carl Joseph bij een fitnessapparaat staan, maar in plaats van het op de juiste manier te gebruiken, maakte hij kniebuigingen boven de bank. Een paar broodmagere kerels van in de dertig, met lang haar en oorringen, keken toe. Een van hen wees naar Carl Joseph. 'Wat is dat... hoort dat erbij om ons te vermaken?'

'Ja, sinds wanneer laten ze achterlijken binnen?'

Tegen de tijd dat Cody bij hem was, had Carl Joseph zijn

handen voor zijn gezicht geslagen. Cody gaf de eerste vent die hij bereikte een duw. 'Laat hem met rust.'

De vent had een baard en een gemeen gezicht. Hij gaf Cody een duw terug. 'Wat heb jij ermee te maken?'

'Hij is mijn broer.' Cody greep het bezwete T-shirt van de vent vast. Dit keer gaf hij hem zo'n harde duw dat hij op de grond viel.

Op dat moment bemoeide de eigenaar zich ermee. 'Ik zal u moeten vragen te vertrekken.' Hij pakte Cody bij de arm. 'De club is alleen voor leden.'

'Club?' Cody rukte zijn arm los. 'Een stinktent is het.' Hij grauwde naar de man met de baard, die opkrabbelde van de vloer. 'Een stelletje proleten.' Hij keek de eigenaar woedend aan. 'Geen wonder dat je failliet gaat.'

De twee mannen kwamen op Cody af, maar de eigenaar hield hen tegen. Cody nam Carl Joseph mee naar buiten en naar de auto. Dit keer deed hij geen moeite om het portier voor zijn broer open te maken. Zodra ze zaten, liet Cody zijn hoofd op het stuur vallen. Wat was er aan de hand? Niets ging zoals hij het bedoeld had.

'Broer?' Carl Joseph beroerde zijn arm. 'Ik geloof dat ik het centrum leuker vind.'

Cody tilde zijn hoofd op. 'Dat geloof ik graag.' Hij richtte zich op en keek zijn broer aan. 'Dat was erg vervelend. Die kerels…' Hij slikte zijn boosheid in zodat Carl Joseph niet zou denken dat die tegen hem gericht was. 'Die kerels hebben een probleem, vriend. Het spijt me.'

'Misschien hebben ze geen vaardigheden.' Carl Joseph pakte zijn veiligheidsgordel en deed hem om alsof hij het al honderd keer had gedaan. 'Vaardigheden helpen.'

'Ja.' Cody startte de motor. Wie zou er voor Carl Joseph op-komen de volgende keer dat een onwetende hufter hem uit-lachte? Wie zou zijn handen voor zijn gezicht weghalen en hem helpen zich over de situatie heen te zetten? Hij klopte zijn broer op zijn knie. 'Zullen we naar huis gaan?'

'Goed.'

Onder het rijden stelde Cody meer vragen over het centrum. 'Hoe wordt een leerling voorbereid op het einddoel? Kun je me dat vertellen?'

Carl Joseph leek minder van streek dan daarstraks, maar hij was nog steeds zenuwachtig. Alsof hij voelde dat Cody het niet puur uit belangstelling vroeg, maar omdat hij het afkeurde. 'Je moet de busroutes kennen.'

'Hoe je met de bus moet, bedoel je?'

'Nee.' Carl Joseph begon zijn handen weer te wringen. 'Je moet weten dat route nummer 8 naar de Citadel Mall gaat en dat route 10 naar het centrum gaat.'

Weer was de schok zo groot dat Cody zich amper op de weg kon concentreren. 'Ken je de busroutes?'

'Niet…' Carl Joseph keek omhoog naar het plafond en lange tijd bewoog hij zijn vingers tegen zijn hand om te tellen. 'Niet busroute nummer 23 en 25. Niet nummer 37. En 41 ook niet.'

'Maar de rest ken je?'

'Niet zo goed als Daisy.' Hij glimlachte zwakjes. 'Je kent Daisy toch, broer? Ze was in de broodjeszaak.'

'Ja. Ze is aardig.' Cody klemde zijn hand tot een vuist. Hij had zich vreselijk gedragen daarstraks. 'Ik had moeten blijven om met haar te praten.'

'Ja.' Carl Joseph hield op met handenwringen. 'Ze had een mooie trui aan. Je had moeten zeggen dat ze een mooie trui aanhad.'

'Ja.' Cody staarde voor zich uit naar de weg. 'Was de excursie leuk? Voordat ik kwam?'

'Ja. Gus wilde met de trein.'

'Door het park? Ik geloof niet dat er een trein door Antlers

Park rijdt. Of heb ik die altijd over het hoofd gezien?'

'Er rijdt geen trein.' Carl Joseph lachte. Niet zo hard en zorgeloos als anders, maar het was een begin, het bewijs dat hij zich zou herstellen van de gebeurtenissen van de dag; gebeurtenissen waarvan Cody wist dat hij er volledig verantwoordelijk voor was.

Cody speelde mee. 'Goed, dus waarom wilde Gus met de trein?'

'Vanwege de bezienswaardigheid midden in het park. De oude Engine 168.'

Carl Joseph had gelijk. Er stond een oude spoorwagon midden in het park, een ding dat lang geleden was geschonken aan de stad. Cody keek zijn broer ongelovig aan. In zijn hele leven had hij nog nooit een gesprek als dit met Carl Joseph gehad. 'Heeft iemand dat Gus uitgelegd?'

'Ja.' Carl Joseph wiegde naar voren en lachte een beetje harder dan eerst. 'Sid zei tegen hem: "Kijk dan, geen rails." En juf zei: "Lees het bord."'

Dit keer trapte Cody haast op de rem. 'Kun je lezen?'

'Nog niet,' zei hij beschaamd. 'Ik leer het alfabet. Daisy helpt me.'

'Kan Daisy lezen?'

'Daisy kan super, supergoed lezen, broer. Ze kan borden lezen en flessen en recepten en *De avonturen van Tom Sawyer*.'

Dat was volkomen nieuw voor Cody. Iemand met het syndroom van Down kon leren lezen? Dat was niet wat de onderwijzers hun moeder hadden verteld toen Carl Joseph op de basisschool zat. Maar sindsdien… Cody wist het niet. Leefde hij zo buiten de werkelijkheid?

Alles viel op zijn plaats. Het was niet Carl Josephs eigen keuze geweest om naar het centrum te gaan. Iemand moest hem overtuigd hebben dat zelfstandig wonen goed was.

En die iemand kon alleen zijn vader zijn geweest.

Dat bracht een massa bekende gevoelens met zich mee zoals boosheid en wrok tegen de man. Cody had zijn vader het grootste deel van zijn leven gehaat. Na een lange scheiding had Ali hen bij elkaar gebracht. Ali, die vond dat de familie te belangrijk was om haat tegen te koesteren. Maar dat wilde niet zeggen dat Cody het vergeten was.

Cody was zeven en Carl Joseph twee toen hun vader in een taxi stapte en wegreed, omdat hij niet bereid was een zoon met het syndroom van Down groot te brengen. In de tien jaar daarna leerde Cody leven met het groeiende begrip dat zijn kleine broertje anders was. Het was gemeen en ongevoelig van zijn vader geweest om een jongen als Carl Joseph af te wijzen. Cody's hele loopbaan als rodeorijder was gedreven door de woede binnenin hem, een woede die ontstaan was op de dag dat die taxi wegreed met zijn vader erin. Ja, Ali had herstel tussen hen tweeën teweeggebracht. Zijn vader was terug en zijn ouders waren gelukkig samen. Maar misschien schaamde zijn vader zich nog steeds voor Carl Joseph. Waarom anders zou hij ondanks zijn epilepsie naar een centrum voor zelfstandig wonen moeten?

Cody parkeerde en zag de auto van zijn vader staan. Zijn vader was eigenaar en manager van een restaurant en vandaag was hij vroeg thuis. Cody was er blij om. Hij kon haast niet wachten om met hem te praten. Er waren dingen die hij nooit tegen hem gezegd had toen hij eenmaal terug was, dingen die in het licht van alles met Ali onbelangrijk hadden geleken. In de tijd dat Cody het te druk had met Ali liefhebben en op zoek was naar een manier om een heel leven te halen uit de drie jaar die ze samen hadden.

Cody stapte uit de auto en wachtte tot Carl Joseph naast hem stond. Hij zag zijn vader al voor zich, samen met zijn moeder koffie drinkend aan de keukentafel. Wat bezielde hem om Carl Josephs leven in gevaar te brengen? En wat had hem al die jaren geleden bezield, toen hij in die taxi was gestapt en weggereden? Carl Joseph had het zijn vader nooit verweten. Hij was blij dat hij hem zag toen hij weer terugkwam. Maar de dingen die Cody over Carl Joseph tegen zijn vader had willen zeggen zaten nog steeds verborgen in een hoek van zijn hart.

En daar ging binnen een paar minuten verandering in komen.

hoofdstuk zeven

Mary Gunner was zich ervan bewust dat haar wereld op zijn kop gezet ging worden.

Een paar minuten nadat Cody het huis uit was gestormd, had ze haar man opgebeld. 'Er zijn moeilijkheden, Mike.' Ze legde uit dat Cody wist van het centrum en dat hij boos was en bang omdat Carl Joseph daar alleen was. 'Kom vroeg naar huis.'

Mike probeerde de dreigende problemen af te zwakken. 'Cody went wel aan het idee, Mary. Hij heeft geen stem in Carl Josephs toekomst.'

Mary hield niet van ruzie met Mike. In hun eerste huwelijksjaren hadden ze meer aanvaringen gehad dan de meeste echtparen in een heel leven. Mike had football gespeeld bij de National Football League en toen een blessure een einde aan zijn carrière maakte, werd zijn ego het best gevoed in de armen van andere vrouwen.

Toen Mary de waarheid te weten kwam, sprak ze hem erop aan, klaar om hem te vergeven als hij spijt had en als hij beloofde te veranderen. Maar Mike was niet bereid beloften te doen. Hij vertelde haar integendeel dat hij geen vader kon zijn voor Carl Joseph, en zonder veel plichtplegingen pakte hij twee koffers in en stapte voor het huis in een taxi. Hij vertrok en liet Carl Joseph huilend in haar armen achter. En tot zeven jaar geleden had hij nooit achterom gekeken.

Tegen die tijd hadden Mary en Carl Joseph een eigen leven opgebouwd. Ze hadden een prettige routine en Mary's enige bron van smart was de pijn die Mikes afwezigheid veroorzaakte bij haar oudste zoon. Cody was eigenlijk altijd boos en daar leed Mary dag en nacht om.

Als Ali er niet was geweest, was het misschien nooit bijgelegd. Maar Ali liet de mensen om zich heen liefde zien waar vroeger alleen haat bestond.

Uiteindelijk keerde Mike terug naar huis, vol verontschuldigingen en berouw. En sindsdien was hij een modelechtgenoot geweest, hij hield van haar en zorgde voor haar, en maakte alle verloren jaren goed.

In aanwezigheid van Ali kon Cody niet boos blijven. Zijn pijnlijke gevoelens jegens zijn vader verflauwden, tot er uiteindelijk geen spoor van haat meer over was. Mike gaf bloed voor Ali's longtransplantatie, en toen Ali zieker werd, kwamen Cody en zijn vader steeds nader tot elkaar. Toen ze stierf, huilde Cody in zijn vaders armen. Het verleden leek ver weg, alsof het iemand anders was overkomen.

Tot vanmorgen.

Dus toen Mike de situatie wilde bagatelliseren, en hij tegenwierp dat hij tijdens de dinerdrukte in het restaurant moest blijven, deed ze wat ze bijna nooit deed. Ze drong aan. 'Mike, dit is ernstig. Ernstiger dan je denkt. Alsjeblieft…'

Mike moest iets gehoord hebben in haar stem, want hij aarzelde maar even. 'Goed, ik kom eraan.'

En nu zaten ze hier te wachten toen ze Cody's auto de oprit in hoorden draaien. Zwijgend zaten ze naast elkaar op de bank in de woonkamer toen de garagedeur omhoogging en ze Cody de auto erin hoorden zetten.

'Ik wil hier niet over praten waar Carl Joseph bij is.' Mike beende naar het raam. 'Hij hoeft het niet te horen, dan raakt hij in de war.'

Mary keek haar man onderzoekend aan en stond versteld. Soms was het moeilijk te geloven dat dit dezelfde man was die hen had verlaten. 'Je hebt gelijk.' Ze ging haar zoons tegemoet bij de keukendeur die op de garage uitkwam.

Cody keek van haar naar Mike en terug. Hij deed zijn mond open om iets te zeggen, maar ze stak haar hand op. 'Wacht.' Ze wendde zich tot Carl Joseph en glimlachte. 'Hoe was je excursie?'

'Fijn.' Hij keek zenuwachtig naar Cody. 'Best leuk.'

'Carl Joseph, zou je me een plezier willen doen?'

'Tuurlijk.' Haar jongste zoon richtte zich wat hoger op. Hij vond het heerlijk als ze hem een opdracht toevertrouwde.

'Goed.' Dit was iets nieuws, iets wat een resultaat was van het centrum. Vroeger nam Mary aan dat Carl Joseph alleen de eenvoudigste werkjes kon doen. Nu niet meer. 'Zou je naar buiten willen gaan om het onkruid te wieden uit de bloementuin? En zou je dan de meststof op de stengels willen sproeien? Ik had het daarstraks willen doen...' Ze keek naar Cody. '... maar ik ben er niet aan toe gekomen.'

'Tuurlijk.' Carl Joseph knikte. Hij liep naar de achterdeur. Onderweg zwaaide hij naar Mike. 'Hoi, pap. Hoe gaat het met je?'

'Goed, jongen.' Mike stond nog voor het raam. 'Is Daisy ook mee geweest op excursie?'

'Ja. Maar we hebben niet kunnen dansen in het park.'

'O.' Mike stopte zijn handen in zijn zakken. 'Dat is jammer voor je. De volgende keer misschien.'

Cody verschoof van zijn plaats. Mary kon zijn boosheid voelen.

'De volgende keer. Ja, misschien de volgende keer.' Carl Joseph opende de schuifdeur en stapte de veranda op. 'Ik ga onkruid wieden voor mama en kunstmest geven, goed?'

'Ja, hoor. Doe je best.'

Hij glimlachte, zijn ogen straalden van trots. 'Ik zal heel goed mijn best doen.'

Mary had zin om hem achterna te gaan en hem in haar

armen nemen. De beroering in hun huis was zijn schuld niet. En hoezeer de laatste diagnose van de artsen de zaken ook gecompliceerd had, Carl Joseph wilde zelfstandig zijn. Dat had hij bewezen vanaf de eerste keer dat hij naar het centrum ging. Mary ging weer naast Mike staan en zette zich schrap voor wat komen ging.

Cody wachtte tot Carl Joseph buiten was. Toen stapte hij de woonkamer binnen en wuifde met zijn hand in de richting van de schuifdeur. 'Jullie proberen je van hem te ontdoen. Is dat het?'

'Zachtjes alsjeblieft,' zei Mike streng.

Mary voelde de spanning groeien in haar man. Net als in Cody's jeugdjaren zou het haar rol zijn om de woede van haar zoon in banen te leiden. 'Niemand probeert zich van Carl Joseph te ontdoen. Daar gaat het helemaal niet om.'

'Jawel!' Cody beende naar de schuifdeur en terug. 'Zelfstandig wonen?' Hij lachte verbeten. 'Dat is hetzelfde als een kind van acht met zijn koffertje op weg sturen.' Zijn kaakspieren spanden. 'Carl Joseph is zacht en onschuldig als een klein kind. Hij heeft epilepsie. Ik bedoel, kom op zeg. Jullie denken toch niet echt dat het goed komt als je hem zomaar de wereld in stuurt.'

'Het centrum heeft voor elke deelnemer een plan, een lijst van doelen die gehaald moeten worden voordat de deelnemer kennismaakt met zelfstandig wonen.' Mike was kalmer geworden. Hij liep naar de bank en Mary volgde hem. Toen ze zaten, legde Mike zijn arm over de rug van de bank en leunde tegen de kussens. 'Je bent een tijd weggeweest, Cody. Je weet niet hoeveel dit voor hem betekent.'

'O, ja zeg.' Cody boog naar voren en vuurde zijn woorden als kogels op Mike af. 'Het gaat er niet om hoeveel het voor Carl Joseph betekent. Het gaat erom hoeveel het voor *jou* betekent, hè pap? De grote Mike Gunner, voormalig topfootballer.' Hij wees naar Mike. 'Jij hebt hem in de steek gelaten omdat hij niet was zoals andere kinderen. Weet je nog?' Er klonken tranen in Cody's stem.

'Je hebt gelijk.' Mike boog naar voren en zette zijn ellebogen op zijn knieën. 'Ik was jong en dom, en ik wist niet hoe ik met dingen moest omgaan.'

Mary kon niet rustig blijven zitten terwijl Cody al die dingen zei. Mike was zo volkomen veranderd. 'Het is nu een heel ander verhaal. Je vader houdt heel veel van Carl Joseph.' Ze stak haar hand naar Cody uit. 'Zie je dat niet in? Wij willen allebei wat het beste is voor je broer. Wat dat ook is.'

Cody liet zijn handen langs zijn zijden vallen. 'Ik zal jullie zeggen wat dat is.' Hij keek om naar de glazen schuifdeur, naar Carl Joseph die lachend door de tuin liep en onkruid in een mand gooide. Toen hij weer sprak, was het tussen opeengeklemde tanden. 'Het is het beste om hem thuis te houden waar hij gelukkig en geliefd kan zijn, waar niemand hem zal uitlachen en achterlijk zal noemen, zoals vandaag gebeurde toen we uit waren. Waar hij veilig is als hij een toeval krijgt, en waar hij met spoed medische hulp kan krijgen als het nodig is.' Cody's ogen waren vochtig en in elk woord klonk zijn emotie door. 'Carl Joseph is het liefste kind dat ik ken, want ongeacht zijn leeftijd is hij maar een kind. Hou hem thuis en bescherm hem. Hou van hem, dat verdient hij.' Cody haalde de rug van zijn hand langs zijn wang. 'Dat is wat het beste is voor hem.' Hij liet zijn hoofd hangen en balde zijn handen tot vuisten. Toen keek hij Mike woedend aan. 'Wat heb je daarop te zeggen?'

Mike wachtte. Hij was kalmer dan Mary hem ooit had gezien. 'Ben je klaar?'

'Ja,' beet Cody hem toe.

'Goed.' Mike haalde diep adem. 'Ten eerste, alles wat we de laatste tijd voor Carl Joseph hebben gedaan, hebben we gedaan omdat we van hem houden. We houden heel veel van hem.'

Mike stond op en liep naar het verste raam. Hij ging op het puntje van de vensterbank zitten en keek Cody aan. 'Heb je je broer de laatste tijd gadegeslagen?'

Cody verhief zijn stem. Hij wees naar de plek waar Carl Joseph aan het werk was. 'Ik heb gezien hoe hij zijn handen voor zijn gezicht sloeg en begon te wiegen toen een paar kerels in de sportschool hem achterlijk noemden. Dus inderdaad, ik heb hem gadegeslagen.'

'Uitgelachen worden hoort bij het leven,' zei Mike onaangedaan. 'Ik heb het over zijn dagelijkse bezigheden, de manier waarop hij nu leeft. Zes maanden geleden moest je broer zich uit bed hijsen, zich naar de ontbijttafel slepen, en was hij amper in staat zelf te eten als je moeder een bord met roerei voor hem neerzette. Na het ontbijt nestelde hij zich op de bank om een paar uur naar tekenfilms te kijken. Dan ging hij weer eten en misschien even naar buiten lopen om Ace een bezoekje te brengen. Dan speelde hij videospelletjes tot de lunch.' Mike haalde snel adem. 'Na de lunch viel hij in slaap terwijl hij naar tekenfilms keek tot ik om vijf uur thuiskwam.' Mike zweeg even. 'Het was een leven van niks, Cody. Dat moet je toegeven.'

'Maar hij was veilig en geliefd.' Cody's antwoord kwam onmiddellijk. Hij deed een stap naar zijn vader toe en sprak hartstochtelijk. 'De dokter zei dat hij niet zo lang zou leven. Nog een jaar of tien misschien. Laat hem dan tenminste hier wonen, waar van hem gehouden wordt. Waar hij alles heeft wat hij nodig heeft.'

Mike keek hem strak aan. 'Dat wil hij niet.'

'Nee, natuurlijk niet.' Cody schudde zijn hoofd. 'Niet nu jullie zijn hoofd hebben volgestopt met onmogelijke ideeën.'

'Cody.' Mary boog naar voren en wachtte tot hij haar aankeek. 'Wat je vader zegt, is dat Carl Joseph niet meer dezelfde is als toen.'

'Nee.' Mike keek door de glazen deur naar buiten en er speelde een lachje om zijn mond. 'Zelfs met het gevaar van epilepsie staat je broer nu vroeg op. Hij komt naar de keuken en wil *zelf* zijn eieren maken. Hij eet met tafelmanieren en dan helpt hij met de vaat. Hij praat over zijn vrienden in het centrum, de punten waarmee hij het moeilijk heeft, en als hij om het huis rondloopt is hij zeven centimeter langer dan vroeger.' Mike richtte zijn aandacht weer op Cody. 'Weet je waarom? Omdat hij trots is op zichzelf. Hij heeft een plan en een doel. Hij vindt het leven spannend.' Hij zweeg even. 'En wil jij me vertellen dat jij je broer dat allemaal wilt ontzeggen?' Hij lachte kort. 'Jij zou het meest van allen van hem moeten houden.'

'Doe ik ook!' schreeuwde Cody. Toen knarsetandde hij en dwong zich zijn stem te dempen. 'Ik hou het meest van hem omdat ik van hem hou zoals hij is. Voor mij hoeft hij geen circusnummer op te voeren om me gunstig te stemmen.'

'Dat is niet eerlijk, Cody.' Mary kwam naar hem toe, maar hij weerde haar af. 'Je bent vandaag met Carl Joseph uit geweest. Heb je niet gezien hoe hij veranderd is? Hoe hij zelf in een auto stapt en zijn eigen gordel vastmaakt? Hij heeft meer om over te praten en hij vindt het spannend om te kunnen lezen en zichzelf te kunnen redden. Heb je dat niet gezien?'

'En is dat het waard om zijn leven voor in gevaar te brengen?' Cody keek even naar het plafond en toen weer naar haar. 'Goed, best. Breng hem maar naar het centrum en laat hem leren hoe hij zijn gordel vast moet maken. Maar stop geen ideeën in zijn hoofd over zelfstandigheid. Kun je het je voorstellen, mam? Zie je het einddoel al voor je?' Cody liet de laatste woorden dreigend klinken. Hij wees naar buiten. 'Carl Joseph pakt zijn koffers en loopt die deur uit en dan? Krijgt hij een appartement? Binnen een week laat hij zijn huis afbranden of wordt hij overreden door een auto, mam! Hij krijgt een toeval en stikt in zijn avondmaaltijd. Het is krankzinnig.'

'We begrijpen de risico's. Na ons gesprek met de dokter zelfs nog beter.' Mikes gezicht betrok. 'Zelfstandig wonen is wellicht niet mogelijk voor Carl Joseph.' Hij sloeg zijn ogen op naar Cody. 'Maar we moeten het proberen. Dat is wat Carl Joseph wil.'

Cody's woede bedaarde enigszins. 'Nou, misschien kan ik hem helpen zich zelfstandiger te voelen. We kunnen samen boodschappen doen en hij kan naar school blijven gaan. Zolang hij maar geen plannen maakt om het huis uit te gaan.'

'Daar hebben we over nagedacht. We overwegen zelfs hem van het centrum af te halen.' In Mikes stem klonk door hoe ze ermee geworsteld hadden. 'Maar dat is niet wat Carl Joseph wil.'

'Natuurlijk wil hij naar het centrum.' Cody sloeg een zachtere toon aan. 'Hij denk dat hij jou er gelukkig mee maakt. Als je hem vraagt met de auto op de snelweg te gaan rijden, doet hij het ook. Hij doet alles om jouw goedkeuring te krijgen. Maar het probleem is dat Carl Joseph niet weet hoe gevaarlijk dat is. Hij vertrouwt op jou.' Hij keek van Mike naar Mary. 'En op jou. En op die juf van hem, Elle Dalton. Hij is een kind. Hij weet het verschil niet. Hij gelooft de volwassenen om hem heen, en hij heeft geen idee wat zelfstandig wonen werkelijk betekent.'

Voor het eerst gaf Mike geen antwoord. Hij liet zijn hoofd hangen en toen hij opkeek, richtte hij zijn blik naar Carl Joseph die buiten aan het werk was.

Voordat hij iets kon bedenken om te zeggen, sloeg Cody zijn armen over elkaar. 'Het spijt me dat ik zo driftig ben. Het is een lange dag geweest.' Hij liep naar de voordeur, maar daar stond hij stil. 'Alsjeblieft… denk na over de diagnose van de dokter. Laat Carl Joseph niet dromen over iets wat niet te bereiken is.' Zijn stem begaf het. 'Ik wil hem niet verdrietig zien.'

Toen hij was weggegaan, trok Mike Mary tegen zich aan.

'Wat moeten we doen, lieverd?'

Ze keek hem aan. 'Misschien is het tijd om hem uit het programma te halen.'

Mike zweeg een ogenblik. 'Elle heeft toch onderzoek gedaan naar mensen met het syndroom van Down en epilepsie die op zichzelf wonen?'

'Dat zei ze, ja.'

'Dan mogen we hem niet uit het programma halen als er nog een kans is dat hij zijn doel zou kunnen bereiken.'

Mary was er niet zeker van, maar ze wilde er niet meer over praten. Ze gaf hem een kus op zijn wang. 'Goed, Mike.' Ze trok zich terug. 'Ik ga een eindje lopen.'

Hij keek over zijn schouder. 'Ik ben buiten bij Carl Joseph.'

Mary knikte, maar alleen omdat ze niets kon zeggen. Als ze sprak, zou de tranenstroom die zich in haar had opgebouwd zeker losbreken en dan zou ze geen kracht meer over hebben om de voordeur te halen.

Op weg naar buiten viel haar oog op een foto van Carl Joseph toen hij twaalf was, toen ze zonder enige twijfel wist wat goed was voor haar zoon. Zijn verleden, zijn heden en alles over zijn toekomst. Toen zelfstandig wonen voor een kind als Carl Joseph nog absoluut lachwekkend was geweest.

Zoals het misschien ook nu nog was.

hoofdstuk acht

Toen Mary buiten kwam, keek ze uit naar Cody, maar haar oudste zoon was verdwenen. Waarschijnlijk was hij naar zijn huis aan de andere kant van hun land gerend. Ze zuchtte en begon naar de lange, kronkelende oprijlaan te lopen. Hier ging ze heen als ze moest nadenken. Ze liep de laan af en dan naar rechts en de heuvel op aan het eind van de weg. Het was een wijd open terrein met slechts een paar groepjes pijnbomen en mesquitebomen, en genoeg lucht om haar hoofd helder te maken.

Maar vandaag hield ze haar ogen naar de grond gericht en de eerste paar minuten was ze in gedachten bezig met alles wat Cody daarstraks had gezegd. Het was makkelijk om Cody aan te zien voor een opstandig man die niet bereid was om te buigen, die eigenwijs was en altijd dacht dat hij het bij het rechte eind had. Maar dat was niet de echte Cody.

Cody probeerde niet gelijk te krijgen of koppig te zijn. Hij hield van Carl Joseph. Het grootste deel van zijn kindertijd en tienerjaren had hij meer om zijn broertje gegeven dan om iemand anders. Hij was Carl Josephs vriend en mentor, en samen hadden die twee jongens haar hart vervuld met vreugde.

Toen Cody begon met rodeorijden, kwam hij om de paar weken thuis en dan wachtte Carl Joseph hem op bij de deur, met een brede grijns op zijn gezicht. Hij spreidde zijn armen en rende naar Cody toe. 'Broer! Je bent terug, broer!'

Mary kreeg tranen in haar ogen en snufte. Ze hoorde het nog, de blijdschap in zijn stem, vol verwachting elke keer dat Cody thuiskwam. Bijna altijd bracht Cody video's mee van de toernooien, en Carl Joseph en hij zaten voor de tv en keken steeds opnieuw naar Cody's ritten. 'Je bent een goede stieren-rijder, broer. Heel, heel goed!'

Zelfs nu nog wilde Carl Joseph niets liever dan stierenrijder worden zoals Cody. Ook omdat Daisy daarvan onder de indruk was. Maar ook omdat hij dan een beetje meer zou lijken op de broer die hij zo bewonderde. Toen Ali vier jaar geleden stierf, had Carl Joseph Cody meer troost gegeven dan al zijn vrienden en familie bij elkaar. Carl Joseph was degene die Cody op Ali's begrafenis apart nam en naar de hemel had gewezen. 'Weet je wat ik denk, broer?' had hij gezegd terwijl hij zijn arm om Cody's schouders sloeg. 'Ik denk dat Ali daarboven in de hemel het snelste, mooiste paard van allemaal heeft.'

Mary had dichtbij gestaan en het gesprek gehoord. 'Ja, vriend. Misschien heb je gelijk.' Cody keek op, met pijn in zijn ogen.

'Ik heb gelijk, broer. God zal Ali in de hemel echt een paard geven.'

Het was de eerste keer die vreselijke dag dat Mary Cody zag glimlachen. Omdat Carl Joseph precies had geweten wat Cody nodig had om te horen in de nasleep van zo'n verwoestend verlies.

Natuurlijk wilde Cody niet dat Carl Joseph iets overkwam, dat wilden ze geen van allen. Maar was dat reden genoeg om hem tegen te houden, om hem thuis voor de televisie te laten zitten als er een kans was dat hij zelfstandig met zijn epilepsie en hartkwaal kon leren omgaan? Mike had gelijk dat Carl Jo-seph veranderd was.

Mary sloeg haar armen om haar lijf en vertraagde haar pas. Ze had nooit kunnen voorspellen dat het zo zou gaan met Carl Joseph, vanaf de eerste dag dat ze hem in haar armen had gehouden.

Mary kwam bij het einde van de oprijlaan en sloeg rechtsaf. Toen ze de glooiende heuvel voor zich zag liggen, vielen de jaren van haar af en was ze weer in het ziekenhuis op een van de gelukkigste dagen van haar leven: de geboorte van haar tweede zoon.

De dag dat ze Carl Joseph in haar armen hadden gelegd, had Mary geweten dat er iets anders was aan hem. Hij huilde anders dan Cody en zijn nek leek korter en dikker. De gedachte aan het syndroom van Down ging door haar hoofd, omdat ze zich herinnerde dat ze tijdens haar zwangerschap een pasgeboren kindje had bewonderd in de supermarkt. Ze had wel een half uur met de moeder staan praten en uiteindelijk had de vrouw het voorhoofd van de baby gestreeld. 'Ze heeft het syndroom van Down. De artsen denken dat ze naar een inrichting zal moeten.' Er glommen tranen in haar ogen. 'Maar dat laat ik niet gebeuren met mijn kleine meisje.'

Mary had er wel een week last van gehad. Maar toen had ze de mogelijkheid losgelaten. Zij kreeg geen kind met het syndroom van Down. Het zat niet in haar familie en bovendien zorgde ze heel goed voor zichzelf. Haar kind zou nog gezonder en sterker zijn dan Cody, want ze wist beter hoe het moest nu het de tweede keer was.

Maar toen ze die dag in haar ziekenhuisbed naar Carl Joseph keek, keerde haar angst terug. Wat als er iets mis was met hem, iets waar hij zijn hele leven last van zou hebben? Ze huiverde bij de gedachte. Haar baby was volmaakt. Mooi en compleet en gezond, wat voor gedachten haar ook kwelden.

Pas aan het eind van zijn eerste week deden de artsen een bloedproef en haar angst werd bevestigd. Carl Joseph had het syndroom van Down, daar was geen twijfel aan. Eén op de duizend baby's werd geboren met de chromosoomstoornis, en in dit geval was hij dat. Hij had een extra chromosoom 21.

Vervolgens zei de arts dat de geboorteafwijking eerder ontdekt had kunnen worden als Mary een vruchtwaterpunctie had laten doen. De dokter had zijn lippen op elkaar geperst.

'Dan had u wellicht opties gehad.'

'Opties?' Mary's bloed kookte. 'Bedoelt u abortus? Ik had mijn baby kunnen laten aborteren als ik het geweten had? Bedoelt u dat te zeggen?'

'Een ogenblik.' De arts had zijn hand opgestoken. 'Ik zeg alleen maar dat ik al mijn patiënten adviseer om een vruchtwaterpunctie te laten doen. U hebt geweigerd.' Hij keek naar Carl Joseph. 'Nu zijn uw opties veel beperkter.'

'Hoor es.' Mary had naar de deur gewezen. 'U kunt nu wel gaan. Nooit... ik had Carl Joseph nooit laten aborteren alleen omdat hij niet is zoals andere kinderen. En ik wil u hier nooit meer aan mijn bed zien.'

De dokter vertrok en Mary zat te trillen in haar bed. De baby in haar armen keek naar haar op, een en al onschuld en liefde, en Mary besefte dat dit kind haar veel harder nodig had dan Cody. 'Je bent een wonder, kleine Carl Joseph. Een wonder van God. Alles komt goed.'

Ze kirde tegen Carl Joseph en kuste zijn wangetjes tot een uur later een andere dokter de kamer betrad, een man met vriendelijke ogen en een aardige manier van doen.

'Ik ben dokter West,' zei hij tegen haar. 'Ik begrijp dat u het nieuws over uw zoontje hebt gehoord.'

'Ja.' Pas toen merkte ze dat haar wangen nat waren van tranen.

'Uw zoon zal altijd anders zijn, maar dat wil niet zeggen dat hij niet een grote hoeveelheid liefde in uw leven zal brengen.'

'Adviseert u... een inrichting?' Ze vond het een angstaanjagende gedachte. Ze kon zich niet voorstellen dat ze haar baby mee naar huis zou nemen om hem te voeden en vast te houden en te wiegen, alleen om hem als hij drie of vier was naar een of ander stenen gebouw te brengen en afscheid te nemen.

Ze wachtte het antwoord van dokter West niet af. 'Ik kan hem niet in een inrichting doen, dokter. Ik kan het niet.'

Dokter West legde zijn hand op haar schouder. 'Dat wilde ik niet aanbevelen. Het is een ouderwetse gedachte om kinderen met het syndroom van Down in een inrichting te doen. Tegenwoordig zullen de meeste artsen zeggen dat u uw baby mee naar huis moet nemen en van hem moet houden. Voed hem, lees hem voor en knuffel hem.'

'Totdat…' Ze wist niet of ze hem goed begreep.

'Voor onbepaalde tijd.' Dokter West glimlachte. 'Een kind krijgen met het syndroom van Down is als een kind krijgen dat nooit volwassen wordt. Uw baby, mevrouw Gunner, zal in denken en sociale interactie een niveau bereiken van ongeveer de leeftijd van een tweedeklasser. Hij zal niet kunnen lezen of schrijven of op zichzelf kunnen wonen. Maar tegenwoordig merken we dat kinderen met het syndroom van Down die thuis mogen wonen, langer leven dan die in een inrichting worden geplaatst.' Hij sloeg de map in zijn handen open en bestudeerde de informatie die erin zat. 'Carl Joseph heeft vooralsnog een gezond hart. Hij zou in de veertig kunnen worden, als het allemaal goed gaat.'

De dokter had nog een paar minuten met haar gepraat. Toen had hij glimlachend een klopje op Carl Josephs hoofd gegeven. 'U en uw baby hebben tijd nodig om alleen te zijn.'

'Ja.' Ze hield Carl Joseph dichter tegen zich aan. 'Dank u wel.'

Toen dokter West weg was, had Mary om haar baby'tje gehuild. Hij zou nooit duidelijk kunnen praten of normaal lopen, en hij zou er anders uitzien dan andere kinderen. Hij zou niet voor het eerst naar de kleuterschool gaan en hij zou nooit football spelen op de middelbare school. Hij zou nooit afstuderen en hij zou geen carrière maken. Hij zou nooit verliefd worden.

Maar hij zou voor altijd van haar zijn.

En terwijl haar tranen die dag stroomden, smeedde ze een

band met Carl Joseph zoals ze nooit met iemand of iets in haar leven had gehad. Mike was een groot deel van zijn tijd weg van huis en Cody was onafhankelijk vanaf het moment dat hij kon lopen. Maar Carl Joseph... Carl Joseph mocht dan het syndroom van Down hebben, maar hij zou van haar zijn en blijven. Voor eeuwig en altijd.

Nu ze wegwandelde van het huis, werd Mary's hart gevuld met beelden van die dag. Ze schopte tegen een paar losse steentjes terwijl ze de heuvel opklom. Nadat Mike al die jaren geleden was weggegaan, waren haar gevoelens voor Carl Joseph alleen maar sterker geworden. Ze beschermde hem tegen vreemde blikken en gemene opmerkingen, en zorgde dat het hem nooit ergens aan ontbrak. Als zijn veters gestrikt moesten worden, strikte zij ze. Als hij ontbijt wilde, maakte zij ontbijt klaar. Ze bediende hem en zorgde voor hem en koesterde de ogenblikken dat ze samen voor de televisie bij elkaar kropen. Als hij met het busje naar zijn speciale school vertrok, dacht ze voortdurend aan hem tot hij weer veilig thuis was.

Op school leerde Carl Joseph erg weinig, zo bleek. Hij leerde kleuren en blokken stapelen en samen een puzzel maken op het kleed. Maar na een paar jaar werd het Mary duidelijk dat speciaal onderwijs weinig meer was dan veredeld babysitten. Na de vijfde klas haalde ze Carl Joseph van school.

Toen Mikes kinderalimentatie niet genoeg was om de rekeningen te betalen, nam Mary een avondbaan. En in die jaren troostte ze zichzelf met de gedachte die balsem was voor haar gewonde hart: Carl Joseph zou altijd van haar zijn. Tijdens Carl Josephs kindertijd en tienerjaren had ze nooit één keer overwogen dat hij eens het huis uit zou willen gaan om op zichzelf te wonen.

Ze vertraagde haar pas. Zelfstandig wonen was natuurlijk Mikes idee geweest. Maar niet om de redenen die Cody vermoedde. Mike schaamde zich niet voor Carl Joseph, noch wilde hij dat hun jongste zoon grote dingen bereikte zodat het minder erg was voor hen tweeën om een gehandicapte zoon te hebben.

Toen Mike weer in hun leven kwam, had het maar een paar weken geduurd voordat hij op een dag naar haar toe kwam op de voorveranda. Zijn ogen waren rood, zijn wangen nat van tranen. 'Mary, ik vind het zo erg.'

Ze keek hem lang en diep in de ogen. 'Wat vind je zo erg?'

'Alles wat ik heb gemist.' Hij hoestte, kon amper iets uitbrengen. 'Het spijt me zo. Ik had... ik had nooit weg moeten gaan.'

'Ach, schat.' Ze sloeg haar armen om zijn middel. 'Dat heb je me al een keer of tien gezegd. Het is goed. We zijn nu samen en alles is anders.'

'Maar...' Hij vocht tegen zijn tranen. 'Ik heb je niet gezegd hoezeer het me spijt van Carl Joseph. Ik vluchtte weg voor hem, de affaires, die andere vrouwen. Ik ben altijd weggerend voor Carl Joseph. Terwijl... terwijl ik naar hem *toe* had moeten rennen. Ik had hem moeten aanvaarden.' Hij drukte zijn vuist tegen zijn borst. 'Dat joch heeft zo snel bezit genomen van mijn hart dat het me duizelt. Hij is fantastisch, Mary. Ik hou van alles aan hem.'

Mary knipperde met haar ogen en bedacht hoe het gevoeld had om die woorden te horen, hoe ze wel had willen uitroepen naar de hemel dat Mike eindelijk begreep hoe heerlijk het was om Carl Joseph als zoon te hebben. Mike had zo veel gemist, al die jaren dat Carl Josephs verwondering over de wereld om hem heen genoeg was om Mary het hele leven met nieuwe ogen te laten bezien.

Ze bereikte de top van de heuvel en keek uit over de velden. Sinds die dag was Mike steeds meer gehecht geraakt aan Carl Joseph. Maar Mike had het ook druk, met naam maken in de horeca. Als Cody thuis was, week Carl Joseph niet van zijn zijde. En Mike was meestal in het restaurant. Cody had met gemak over het hoofd kunnen zien hoe hecht Carl Joseph en Mike waren geworden.

Maar dat veranderde niets aan de feiten.

Het idee van zelfstandig wonen was heel onschuldig opgekomen. Op een dag was Mike na het werk naar de dokter gegaan voor een algemeen medisch onderzoek. Toen hij die avond thuiskwam, straalden zijn ogen. Hij overhandigde haar een brochure. 'Moet je dit eens lezen.' Er klonk ontzag door in zijn stem. 'Ik wist niet dat dit bestond.'

Mary bekeek de folder. Bovenaan stond: *Centrum voor Zelfstandig Wonen: geef uw gehandicapte kind alle kans op een stralende toekomst.*

Ze haalde diep adem en sloot haar ogen. In geen miljoen jaar zou ze vergeten hoe ze zich op dat moment had gevoeld. Haar hart sloeg een slag over en ze had de folder bijna teruggegeven aan Mike, bijna gezegd dat hij het maar moest verscheuren en de woorden 'zelfstandig wonen' nooit meer in zijn mond moest nemen.

In de jaren daarvoor had ze er meer dan eens van gehoord. Ze had ervan gehoord en elke keer was ze er beroerd van geworden. Carl Joseph zelfstandig? Zonder haar was de jongen verloren in de wereld, zonder de veiligheid en zekerheid van het thuis dat ze voor hem had gemaakt.

Maar Mike stond haar verwachtingsvol aan te kijken en ze had weinig keus. Ze las over het fulltime programma dat in het centrum aangeboden werd, en de getuigenissen van de familieleden van mensen met het syndroom van Down. Hoe dankbaar ze waren dat het centrum hun zoon of dochter een kans had gegeven op het soort leven dat iedereen verdiende.

Mary kon wel gillen tegen die ouders. In het begin had ze er net zo over gedacht als Cody, dat een kind met het syndroom van Down onmogelijk kon begrijpen wat hij wel of niet verdiende. Het leek wel of het hele idee in het leven was geroepen door gezonde mensen en vanuit het standpunt van mensen die recht van lijf en leden waren. Een programma dat mensen met het syndroom van Down in een vorm trachtte te dwingen die normaal en aanvaardbaar was voor mensen zonder handicap.

Maar het was de foto op de binnenpagina die haar aandacht trok. Daarop stond een breed lachende jongeman met het syndroom van Down. Onder zijn foto stond: *Ik ben nu een man, geen klein kind meer. Dit is mijn leven. Al mijn dromen komen uit. Gus, 22 jaar.*

Mary staarde naar die foto en het hele beeld dat ze had opgebouwd over haar leven met Carl Joseph begon voor haar ogen af te brokkelen. Was dit het leven dat Carl Joseph verdiende, het leven dat zij hem zonder opzet onthield?

Mary staarde lange tijd naar de brochure. Toen gaf ze hem terug aan Mike en met een hese stem van emotie zei ze: 'Laten we met Carl Joseph praten.'

Mike had het woord gevoerd toen ze er later die avond met Carl Joseph over begonnen waren. Mike had uitgelegd dat het misschien wel tijd werd dat Carl Joseph naar een volwassenenschool ging, tijd om te leren hoe je met geld omgaat en de bus neemt. Misschien zelfs tijd om een baan te zoeken.

Carl Joseph nam een paar minuten de tijd om te verwerken wat er werd gezegd. Maar toen het kwartje begon te vallen, ging hij rechtop zitten en keek van Mike naar Mary. 'Bedoel je... dat ik een man kan worden net als papa?'

Op dat moment viel elke twijfel die Mary er nog over had weg. Ze knielde voor Carl Joseph neer. Toen sloeg ze haar armen om hem heen en omhelsde hem. Zelfstandig wonen was het meest angstaanjagende wat ze zich kon voorstellen. Maar als Carl Joseph zich daardoor een man zou voelen, hoe kon ze hem dan ooit de kans ontzeggen?

De volgende morgen schreven ze hem in bij het centrum.

Mary glimlachte bij de herinnering. Gus was nu een vriend van Carl Joseph, iemand die ook heel hard werkte om zijn einddoel te bereiken.

Ze was aan de voet van de heuvel gekomen en sloeg linksaf hun oprijlaan in. Op de voorveranda stond Carl Joseph met zijn hand boven zijn ogen. 'Mam?' schreeuwde hij.

Ze was te ver weg om terug te roepen, maar ze zwaaide naar hem, met grote gebaren zodat hij het zou zien. Hij sprong van de veranda af en rende naar haar toe. Mary bleef staan en keek bewonderend naar hem. Hij rende niet met de gratie van een gezond mens, maar hij rende met geestdrift en vastberadenheid, onderwijl puffend en blazend. Toen hij bij haar was, stond hij naast haar stil. 'Hoi, mam.' Hij schonk haar een brede lach met zijn mond wijdopen.

'Hoi, Carl Joseph.' Mary slikte haar verdriet in. Cody kon wel boos zijn, maar het was goed wat ze deden, zolang ze zich veilig konden voelen over de behandeling van Carl Josephs epilepsie. In de lessen leerde hij positief te staan tegenover zichzelf en het leven. 'Ben je klaar met wieden?'

'Ja.' Hij breidde zijn armen wijd uit. 'Ik heb de hele tuin gedaan. Alles.'

'Mooi.' Ze knikte. 'Je kunt hard werken, Carl Joseph.'

'Ja.' Hij stak zijn borst vooruit. 'Juf zegt dat ik tegen de Kerst een echte baan kan hebben.'

'Echt waar?' Er liep een rilling langs haar armen. 'Tegen de Kerst?'

'Ja.' Hij stak één hand op en telde met overdreven gebaren en met rimpels in zijn voorhoofd van concentratie. 'Zeven maanden, mam. Over zeven maanden gaat het gebeuren.' Hij lachte hardop, de opgewonden lach van een kind. 'Dan ben ik bijna klaar voor mijn einddoel.'

Ze verborg haar angst. 'Wat spannend.'

Hij kwam dichterbij en pakte haar hand vast. 'Mag ik dan je

hand nog vasthouden, mam? Als ik een grote man ben?'

'Ja.' Haar hart smolt. 'Natuurlijk. Dat mag altijd.'

'Fijn.' Ze liepen even zwijgend door. Toen wendde Carl Joseph zich naar haar toe. 'Ik weet niet wat Cody ervan vindt.'

Mary glimlachte. 'Ik ook niet.'

'Want wil je weten waarom?' Carl Josephs lach verflauwde. Hij trok zorgenrimpels in zijn voorhoofd.

'Waarom?'

'Omdat hij vandaag boos was op juf.' Hij trok zijn onderkaak naar één kant en wendde zijn blik af. 'Op mijn vrienden was hij ook boos.'

'Boos op je vrienden?' Hoe moeilijk Cody het ook had met het idee dat Carl Joseph op zichzelf zou kunnen wonen, Mary kon zich niet voorstellen dat hij onaardig zou doen tegen de vrienden van zijn broer.

'Hij kwam de broodjeszaak binnen en zei dat ik mee moest. Hij zei dat het idioot was.'

'Wat was idioot?'

'Iets wat Daisy zei.' Carl Joseph fronste zijn wenkbrauwen nog wat dieper. 'Hij zei dat het idioot was.'

'O.' Mary wist niet of ze het goed begreep, maar daar ging het niet om. Carl Joseph was altijd al ontvankelijk voor de gevoelens van mensen en dat was wat hier aan de hand was. Als Cody van streek was, zou Carl Joseph het oppikken en in de war raken. 'Ach lieverd, ik denk niet dat hij jou of Daisy idioot vond.'

'Misschien de excursie.'

'Misschien.'

'Want weet je wat ik denk?' Ze waren bijna bij het huis. Carl Joseph gluurde naar de veranda alsof hij uitkeek naar Cody.

'Wat dan?'

'Ik denk dat Cody's hart weer heel gemaakt moet worden.' Carl Joseph stond stil en draaide zich naar haar toe. Hij keek heel ernstig. 'Net zoals voordat hij Ali kende, de paardrijdster.'

'Ja, misschien is het dat.' Mary voelde een vertrouwd verdriet. Ali was zo goed voor Cody geweest. Ze had hem geleerd lief te hebben toen het erop leek dat hij dat nooit zou leren. En nu zou het het beste voor hem zijn als hij een ander meisje ontmoette, om die gevoelens weer te vinden. Maar Carl Joseph zou nog makkelijker zelfstandig worden dan Cody opnieuw verliefd. Ze pakte Carl Josephs andere hand. 'Hoe kunnen we helpen Cody's hart weer heel te maken?'

'We kunnen bidden.' Carl Joseph knikte een paar keer. 'We kunnen onze ogen dichtdoen en bidden tot Jezus.'

Hoewel Mary nu en dan bad in de stilte van haar hart, was gebed niet iets wat bij de familie Gunner met enige regelmaat werd besproken. Ze glimlachte haar jongste toe. 'Goed, schat. Bid jij maar.'

'Doe je ogen dicht.' Carl Joseph wachtte tot ze het deed. 'Goed. God, ik ben het. Carl Joseph Gunner. Dit keer bid ik voor mijn broer. Zijn naam is Cody. Help hem alstublieft…' Hij aarzelde, alsof hij probeerde te bedenken wat voor hulp Cody ook alweer nodig had. Toen hij weer sprak, was het haastig en met hese stem zodat hij moeilijk verstaanbaar was. 'O, ja! Maak alstublieft zijn hart weer heel. Zodat hij niet boos is op mij en mijn vrienden, en zodat hij niet zegt dat het idioot is. Amen.'

Hij kneep zachtjes in Mary's handen en ze deed haar ogen open. 'Dat was prachtig, Carl Joseph.' Mary trok hem dicht tegen zich aan en knuffelde hem. 'Waar heb je zo mooi leren bidden?'

Ze begonnen weer naar het huis toe te lopen. Carl Joseph haalde zijn schouders op. 'Het is de belangrijkste vaardigheid. Juf zegt dat we niet zelfstandig kunnen worden als we niet met God kunnen praten.'

'Natuurlijk.' Mary hield haar adem in. Carl Joseph ging het

huis binnen, maar zij bleef op de veranda staan. Bidden, een vaardigheid om zelfstandig te worden? Ze ging een eindje van de deur af zitten en staarde naar de bergen in de verte. Haar angst voor het zelfstandig wonen van Carl Joseph had altijd om hem gedraaid. Ze was bang dat hij het niet zou overleven zonder haar. Maar misschien was haar echte zorg niet hoe Carl Joseph het zonder haar moest redden.

Haar zorg was hoe zij het zonder Carl Joseph moest redden.

En dat was precies hoe Cody zich voelde. Nu was het aan de oudste zoon om dat ook te gaan inzien. Want pas als Cody zijn eigen angst begreep, zou hij zijn verzet opgeven tegen het idee van Carl Josephs zelfstandigheid, en datgene doen wat Carl Joseph wilde dat zijn broer deed.

Hem loslaten.

hoofdstuk negen

Het hele weekend vluchtte Cody weg voor zijn boosheid. Hij wilde niet met zijn ouders praten, hij wilde niet op internet zoeken naar onderzoeken over zelfstandig wonen of getuigenissen horen van andere mensen met het syndroom van Down. Hij wilde dat het bleef zoals het altijd was geweest. Zijn broer veilig en geliefd en vlak onder zijn ogen, zonder de bedreiging van een leven dat hem pijn kon doen.

Dus bracht hij het weekend door met Carl Joseph.

Zaterdagochtend hielp hij zijn broer op Ace en leidde hem rond in de arena.

'Dit is toch een begin, broer? Elke stierenrijder begint toch op een paard?'

'Precies.' Onder het lopen klopte hij Carl Joseph op zijn been. 'Maar niet iedereen die op een paard zit kan ook op een stier zitten. Dat weet je toch, hè?'

Carl Joseph aarzelde niet. 'Maar ik wel.' Hij grinnikte. 'Daisy vindt stierenrijders leuk.'

Cody probeerde een andere aanpak. 'Maar eerst moet je een stier hebben.'

Dat was een koude douche voor Carl Joseph. Hij fronste en trok tegelijkertijd aan de teugels. Ace stond abrupt en geïrriteerd stil.

'Loslaten, vriend. Je moet niet zo hard aan de teugels trekken.'

'O ja.' Carl Joseph ontspande zijn greep. 'Sorry.' Hij keek Cody zorgelijk aan. 'Waar halen we een stier vandaan?'

'Misschien kunnen we niet aan een stier komen.' Cody moest

eerlijk zijn. 'Maar dat geeft niet. Weet je waarom?'

'Waarom?' vroeg Carl Joseph teleurgesteld. 'Daisy vindt stierenrijders leuk.'

'Ja, maar Daisy vindt cowboys toch ook leuk? Dat heb je me toch verteld?'

'Ja.'

'Goed, nou kijk!' Hij zette een stap opzij en wuifde met zijn hand naar het beeld van Carl Joseph op het paard. 'Je bent al een cowboy. Dus ze vindt je al leuk.'

'O.' Daar dacht Carl Joseph even over na. 'Ik heb er nooit aan gedacht dat ze me al leuk vindt.'

'Ja, vriend.'

'Maar, broer.' Hij fronste zijn voorhoofd en zijn mond hing een stukje open. 'Ben je nog boos op me?' Hij had het alleen die zaterdag al wel tien keer gevraagd.

Cody zuchtte en pakte Carl Josephs knie. 'Nee, vriend. Ik ben niet boos, weet je nog? Ik ben nooit boos geweest.'

'Maar je zei dat het idioot was.'

'Ik had het mis. Het spijt me.' Hij verstrakte zijn greep om het halstertouw en probeerde een andere manier te bedenken om tot zijn broer door te dringen. 'Ik had een rotdag. Meer niet.'

'O.' Carl Joseph klonk opgelucht. Hij keek recht voor zich uit. 'Soms heb je een rotdag.'

'Ja, vriend. Soms heb je een rotdag.'

'Net als toen Ali stierf. Ali de paardrijdster.'

'Ja.' Cody slikte moeilijk. Hij klopte Ace op de hals. 'Ja, vriend. Zo'n rotdag.'

Na het paardrijden die dag keken ze naar oude video's uit Cody's rodeotijd en bekeken ze een film. Tegen zondagmiddag vroeg Carl Joseph niet meer of Cody nog boos was. Het was een overwinning en Cody nam zich voor zich nooit meer zo te gedragen dat Carl Joseph aan hem twijfelde.

Maar dat wilde niet zeggen dat hij werkeloos zou toezien hoe zijn broer op rare ideeën werd gebracht wat betreft het zelfstandig wonen. Hij zou zijn ouders blijven waarschuwen voor de gevaren en hun smeken Carl Joseph uit het programma te halen. En hij zou een afspraak maken met die onderwijzeres, Elle Dalton, zodat hij zelf zijn zorgen onder woorden kon brengen. Toen het maandag werd, douchte hij zich en kleedde zich aan en verscheen ontspannen en glimlachend aan de ontbijttafel.

Het hele weekend had hij niet meer dan enkele woorden tegen zijn ouders gezegd, en zijn moeder wierp hem een waakzame blik toe. 'Je ziet er goed uit.'

'Dank je.' Hij schepte zich een kom havermoutpap op en ging naast Carl Joseph zitten. Zijn broer geurde zo sterk naar aftershave dat het bijna te proeven was, maar hij zei er niets van. Hij glimlachte en zei: 'Carl Joseph en ik gaan vandaag samen naar school.'

Carl Joseph keek Cody een tijdje aan en richtte zijn ogen toen op zijn havermout. 'Goed,' mompelde hij. 'Broer en ik gaan samen naar school.'

'Echt waar?' Hun moeder wierp Cody een afkeurende blik toe. Maar toen Carl Joseph naar haar keek, glimlachte ze. 'Dat… dat wist ik niet.'

'Nou, het is zo,' zei Cody opgewekt. 'Hij gaat me laten zien wat ze allemaal doen in het centrum.'

'Dat is niet idioot.' Carl Joseph wierp hun moeder een onschuldige blik toe. 'Hè, mam?'

'Nee, hoor. Helemaal niet.'

Ze wachtte tot ze klaar waren met eten. Toen stond ze op en wendde zich tot Cody. 'Ik wil je graag even spreken.'

'Ik moet mijn tanden poetsen.' Carl Joseph schraapte zijn kom leeg, spoelde hem af in de gootsteen en zette hem in de vaatwasmachine. Hij stootte zijn kom niet en liet niets vallen en liet het water niet te lang lopen. Hij wuifde naar hen en liep de gang in. 'Tanden moeten gepoetst.'

Toen hij weg was, draaide Cody zich om naar zijn moeder. 'Ik weet wat je gaat zeggen. Maar ik heb het recht om te gaan. Zijn juf heeft me gevraagd voordat de lessen beginnen met haar te komen praten. Ik wil horen wat haar gedachten zijn over epilepsie.' Hij deed een paar stappen in de richting van de eetkamer en kwam toen weer terug. 'Ik wil haar laten weten dat we allemaal bezorgd zijn.'

Ze keek verontrust. 'Misschien zal ze je haar plan vertellen. Ze denkt dat het beter is dat Carl Joseph in een groepstehuis gaat wonen en medicijnen neemt voor zijn toevallen.'

'Nee!' zei Cody een beetje te hard. Hij moest zijn drift in toom houden. 'Dat mag je niet laten gebeuren.' Hij kwam op haar af en pakte zacht haar hand vast. 'Pap en jij moeten hem weghalen uit dat centrum. Het zal hem alleen maar kwaad doen als hij zijn einddoel niet bereikt. En het is duidelijk dat hij dat nooit zal bereiken.' Hij zweeg even en zei zachter: 'Dat heeft de dokter toch gezegd?'

Zijn moeder had het nooit met zo veel woorden gezegd. Maar nu sloeg ze haar ogen neer en na een paar seconden knikte ze. 'Ja. De dokter denkt dat het niet mogelijk is.'

Cody voelde het gewicht van Carl Josephs teleurstelling. Hij gebaarde naar de gang waarin Carl Joseph was verdwenen. 'Bedenk eens hoe moeilijk het voor hem zal worden, mam. Als hij te weten komt dat hij niet op zichzelf kan wonen.'

Cody zuchtte. 'Ook al zou Carl Joseph zijn epilepsie zelf aan kunnen, dan nog kan hij niet op zichzelf wonen. Hij kan niet in een groepstehuis wonen zonder mensen die hem elk uur van de dag helpen.' Hij keek weer door de gang naar Carl Josephs kamer. 'Laat me iemand zien met het syndroom van Down die al die dingen aankan, dan zal ik er misschien anders over denken.'

Zijn moeder hield zijn blik lange tijd vast. 'Goed. Ga dan maar. Maar je broer is al zo zenuwachtig. Hij weet dat je niet alleen maar gaat omdat je belangstelling hebt.' Ze slaakte een bedroefde zucht. 'Hij bespeurt alles wat je voelt, Cody. Vergeet dat niet.'

'Nee,' zei Cody op zachtere toon. 'Ik wil geen ruziemaken. Papa is degene die Carl Joseph het huis uit wil hebben, niet jij.'

'Nee.' Ze schudde haar hoofd. 'Dat zie je verkeerd.' Haar stem klonk oprecht. 'Ik zie wat het centrum voor Carl Joseph heeft gedaan, dat hij er gelukkiger van is geworden.' Ze zweeg even. 'Ik wil het ook, Cody. Maak er geen strijd met je vader van. We staan er samen in.'

Cody hoorde Carl Joseph aankomen. Hij wilde zijn broer die ochtend niet ongerust maken. 'Goed.' Hij boog naar haar toe en gaf haar een kus op haar wang. 'Ik zal proberen eraan te denken.'

'Mooi.'

Het volgende half uur waren ze bezig zich klaar te maken voor vertrek. Carl Joseph moest een pak meel en een flesje vanille-essence meenemen naar school, want maandag was kookdag. 'We gaan zandgebak maken, broer,' zei hij terwijl hij door de keuken scharrelde. 'Iedereen vindt zandgebak lekker. Mensen uit Disneyland houden van zandgebak.'

'Disneyland?' Cody stond terzijde en liet zijn broer het werk doen. Als hij zelfstandig wilde zijn, moest hij de ingrediënten in de keuken kunnen vinden.

'Ja.' Carl Joseph zette een pak meel op het aanrecht. Hij keek aandachtig naar het etiket. 'M-e-e-l. Meel.' Hij draaide zich om naar Cody. 'Juf zei dat ze in Disneyland een keer aardbeien-zandgebak had gegeten.'

Carl Joseph stopte de ingrediënten in een papieren zak, pakte zijn rugzak en grinnikte naar Cody. 'Tijd om naar school te gaan.'

Het was een kwartier rijden naar het centrum. Aldoor worstelde Cody met zijn motief om erheen te gaan. Het kon hem niet schelen of Carl Joseph wist hoe je zandgebak moest maken. Wat had hij daaraan als hij verdwaalde of geen eten in huis had? Wat had hij daaraan als hij een toeval kreeg? Wat leerde Elle Dalton haar deelnemers om niet door een auto overreden te worden als ze de supermarkt uit kwamen?

Terwijl ze naar het centrum toe liepen, wrong Carl Joseph zijn handen. Vlak voor de deur hield hij ermee op. 'Broer, ben je niet boos?'

'Nee, vriend.' Cody legde een arm om zijn schouders. 'Ik ben niet boos.'

Carl Joseph leek niet overtuigd. Maar hij knikte toch. 'Fijn.'

'Zullen we naar binnen gaan?' Cody was ineens verlangend om de juf te laten weten dat hij er was.

'Goed. We gaan naar binnen.' Carl Joseph deed de deur open en liep voorop.

Binnen was het een volkomen chaos. Er klonk harde muziek, en nog hardere stemmen en gelach. Er waren meer dan een dozijn jong-volwassenen met het syndroom van Down; dezelfde deelnemers die in de broodjeszaak op excursie waren geweest. Er zaten er een paar op een oude bank geanimeerd met elkaar te praten, en drie anderen zaten gebogen over een grote schildpadknuffel en lachten schaterend.

In een andere hoek van de ruimte was Daisy met drie andere deelnemers aan het wiegen en draaien en klappen op uiteenlopende maten van de luide muziek. Een oudere vrouw stond aan de verste kant van de ruimte met twee deelnemers te praten, maar niemand scheen de leiding te hebben.

Carl Joseph wierp hem een zenuwachtige blik toe. 'Eerst hebben we vrije tijd.'

Cody kon hem amper verstaan. 'Dat zie ik, broer.' Hij wilde net een zitplaats zoeken waar hij niet zou worden opgemerkt, toen Daisy hem in het oog kreeg.

Ze zette grote ogen op en haar mond ging wijdopen. 'Carl Joseph heeft zijn broer mee naar school gebracht!' Ze sprong op Cody af, pakte zijn hand en begon die op en neer te pompen. 'Ik ben Daisy. Ken je me nog?'

'Ja.' Bij Carl Joseph voelde Cody zich volkomen op zijn gemak. Als hij naar zijn broer keek, zag hij nooit een gehandicapte maar alleen het kind dat gek op hem was. Maar Daisy kende hij niet. Hij probeerde zijn onbehagen te verbergen. 'Ik ken je nog, Daisy.'

Ze kwam dichterbij en maakte er een hele vertoning van aan hem te ruiken. Toen knikte ze naar Carl Joseph. 'Je hebt gelijk, CJ. Hij ruikt als een rodeorijder, net als jij.'

De andere leerlingen hielden onderhand op met wat ze aan het doen waren en schaarden zich om Cody en Carl Joseph. Eén deed met een neutraal gezicht een stap naar voren. 'Ik ben Gus.'

'Hoi, Gus.' Cody gaf hem een hand.

'Dus nu vind je ons wel aardig? Maar laatst niet?' Gus keek naar de andere leerlingen om hem heen. 'De broer van Carl Joseph vindt ons niet aardig, dat zeiden we toen in de broodjeszaak.'

'Ik vond jullie toen ook aardig.' Hij lachte, maar het klonk zwakjes. 'Toen had ik haast. Het spijt me.'

'We hebben voor je gebeden.' Een meisje met lange bruine vlechten wuifde met haar hand. 'Misschien had je geen vaardigheden, daarom hebben we gebeden.'

Cody voelde zijn wangen warm worden. De hele klas had voor hem gebeden omdat hij de sociale vaardigheid niet had om beleefd te zijn? Dat moest Elle Dalton op haar geweten hebben. Hij wilde net vragen waar ze was, toen hij haar achter in de ruimte bij een deuropening zag staan. Haar ogen ontmoetten zijn blik, maar ze richtte zich tot de deelnemers. 'Goed,

jongens. Laten we onze bezoeker een beetje de ruimte geven.'
Ze zette de muziek af en liep naar een deel van de ruimte waar
twee rijen stoelen stonden en een bovenmaats schoolbord hing.
'We krijgen vandaag een nieuwe busroute. Zoek allemaal maar
een plekje.'

Ze hield Cody's blik nog even vast en begon toen een praatje te maken met haar leerlingen. Terwijl Cody haar gadesloeg,
roerde zich iets in hem. Ze was de vijand, geen twijfel aan. Ze
wilde Carl Josephs leven op het spel zetten om haar ideeën
uit te voeren. Maar het viel niet te ontkennen dat ze om haar
leerlingen gaf. Ze nam voor elk van hen de tijd en sprak op
een volwassen manier met hen in plaats van op de kinderlijke
manier van mensen die niet gewend waren om te gaan met
iemand met het syndroom van Down. En vanaf zijn plaats bij
de deur merkte Cody onwillekeurig nog iets anders op.

Elle Dalton was mooi. Adembenemend zelfs.

Niet door flitsende kleren, make-up of sieraden. Ze had een
rustige schoonheid over zich, een donkere krullenkop, en iets
wat alleen van binnenuit kon komen. Cody klemde zijn tanden
op elkaar en wendde zijn blik af. Dat was allemaal onbelangrijk.
Hij was niet gekomen om haar te bewonderen.

Cody verlegde zijn aandacht naar zijn broer. Carl Joseph zat
naast Daisy en praatte met drukke gebaren. Zijn wangen waren rood en hij lachte van oor tot oor. Cody besefte wat er
gebeurde. Carl Joseph ging niet naar het centrum om te leren
onafhankelijk te zijn. Hij ging voor Daisy. Dit was zijn eerste verliefdheid en dat was onschuldig genoeg. Hij sloeg zijn
broer nog een poosje gade en zag hoe hij met Daisy's haar en
met haar handen speelde. Het mocht dan onschuldig zijn, maar
waar kon het toe leiden?

Hij verschoof op zijn stoel en zonder het te willen gingen
zijn ogen weer naar Elle, die elegant heen en weer liep tussen
de rijen leerlingen en met elk van hen sprak. Eindelijk nam

ze haar plaats voorin in. 'Iedereen zoekt een partner en neemt busroute 11 door, die we vorige week op excursie hebben gedaan.'

'Broodjeszaak, verse broodjes.' Het meisje met de vlechten stond op en grijnsde breed. Ze klapte in haar handen zoals Carl Joseph ook soms deed. Snel en luid, met haar handen vlak voor haar gezicht. 'Broodjeszaak, excursie. Eet vers.'

'Dank je wel, Tammy.' Elle was onaangedaan door de uitbarsting van de leerling. 'Ga maar weer zitten en zoek je partner.'

Cody zag hoe Carl Joseph zich tot Daisy wendde en haar handen pakte. Op dat moment zag Cody iets in de ogen van zijn broer wat hij er nooit eerder in had gezien. De soort van bewondering en verliefdheid die erop wezen dat hij gelijk had. Zijn broer was volkomen weg van het meisje.

Lekker is dat, dacht hij. Carl Joseph zou het idee van zelfstandig wonen nooit laten varen als het betekende dat hij Daisy los moest laten.

Zodra de leerlingen bezig waren, zei Elle iets tegen de oudere vrouw; kennelijk een hulp of een assistente. Toen kwam Elle naar hem toe. De vriendelijkheid die hij daarstraks nog in haar ogen had gezien, was verdwenen. Ze liet zijn blik geen ogenblik los terwijl ze naar hem toe kwam, en toen ze bij hem was, knikte ze in de richting van de deur. 'Ik zou *u* graag buiten even willen spreken, meneer Gunner.'

Hij volgde haar. Wat was dit nu? Ze had geen reden om boos op hem te zijn. Nog niet, tenminste.

Toen de deur achter hen dichtging, zette Elle haar handen in haar zij. 'Ik stelde het niet op prijs zoals u vorige week onze excursie verstoord hebt.'

'Tja, ach.' Hij dwong zich om zijn concentratie vast te houden. Hij was niet boos, maar gefrustreerd. 'Als de boel al verstoord wordt door een onverwacht bezoekje van mij, dan moet u misschien geen excursies ondernemen.'

Elle keek hem onderzoekend aan. 'Wat is precies uw probleem? De hele klas had een naar gevoel toen u vertrokken was.'

Cody streed met zijn emoties. Schuldgevoel, schaamte, boosheid en verwarring. Hij sloeg zijn ogen neer en wreef zijn nek. Hij spande zijn kaak. 'Dat heb ik gehoord. Het spijt me.' Cody keek haar aan en zijn adem stokte in zijn keel. Zelfs als ze boos keek waren haar hazelnootbruine ogen schitterend. Hij had moeite om bij de les te blijven. Er speelde een lachje om zijn mond. Hij wilde geen ruzie maken met Elle Dalton. Hij wilde alleen dat Carl Joseph was waar hij thuishoorde. 'U hebt de hele klas gevraagd voor me te bidden, hè? U hebt tegen ze gezegd dat ik niet de juiste vaardigheden had.'

Elles boosheid nam een beetje af. 'Op basis van mijn beperkte ervaring zou ik zeggen van niet.'

Cody wist niet wat hij moest zeggen. En dat hij zich aangetrokken voelde tot Carl Josephs juf irriteerde hem. Hij perste zijn lippen op elkaar en ademde scherp in door zijn neus. Hij wees naar de lesruimte. 'Wat u die jonge mensen leert, is niet voor ieder van hen goed.'

'Dat ben ik niet met u eens.' Haar ogen fonkelden verontwaardigd.

'Goed.' Hij stak zijn handen op en deed een stap achteruit. 'Ik wil graag toestemming hebben om vandaag de lessen mee te maken, maar ik moet eerlijk zijn. Het is mijn doel om Carl Joseph zo gauw mogelijk uit het programma te laten halen.'

De woede in Elles ogen veranderde in treurigheid. 'Meent u dat?'

'Ja. Vanmorgen zei Carl Joseph iets over zandgebak maken.'

'Maandag is kookdag.' Elle stond haar mannetje. Haar blik bleef strak.

'En wat, mevrouw Dalton,' hij leunde tegen het pleisterwerk van de muur en stopte zijn handen in de zakken van zijn spijkerbroek, 'heeft Carl Joseph aan zandgebak maken als hij ergens verdwaald in de bus zit? Als hij boodschappen inpakt in de supermarkt en iemand hem uitscheldt of een duw geeft of in de war maakt? Moet hij dan zandgebakdeeg gaan kneden? Of misschien op zijn knieën vallen om te bidden? Is dat uw antwoord?'

Elle keek hem lange tijd aan. De emoties in haar ogen veranderden van verbolgenheid tot pijn, en ten slotte tot stille berusting. 'Ik zie wel dat ik goed mijn best zal moeten doen. Met minder neemt u vast geen genoegen.'

'Hoeft niet, mevrouw Dalton. Ik ga achterin zitten en bemoei me met mezelf. Voor mij hoeft u niets te veranderen aan de gewone gang van zaken.'

'Ik zal niet mijn best doen om indruk op u te maken.' Ze stak trots haar kin in de lucht. 'Ik zal mijn best doen om u te overtuigen. Want u hebt het mis. En voordat u en ik klaar zijn, zult u dat met eigen ogen zien. Dat beloof ik.'

'O ja?' Cody moest lachen om haar lef. Als het anders was geweest, als het leven anders was geweest, had hij zich misschien aangetrokken gevoeld tot Elle Dalton. Maar ook als hij ruimte in zijn hart zou hebben om van een andere vrouw te houden, dan was het niet de arrogante jonge onderwijzeres die voor hem stond.

Ze deed een stap naar de deur. 'Ik weet wat u denkt, meneer Gunner.'

'U weet helemaal niets van mij.' Hij grijnsde traag. Waarom moest hij haar zo aantrekkelijk vinden? Door haar was hun hele familie in rep en roer. Hij nam zich voor zich daarop te concentreren, en niet op de manier waarop haar hazelnootbruine ogen het ochtendzonlicht weerspiegelden en op haar glanzende donkere krullen.

Ze bleef even bij de deur staan. 'Ik ben niet de enige die hier iets wil bewijzen, hè?'

'Precies.' Zijn toon werd ernstiger. 'Zelfstandigheid is meer dan buiten de deur een broodje kunnen eten, mevrouw Dalton.'

Ze wierp hem een laatste blik toe en keerde terug naar haar leerlingen. Met bonzend hart liep hij haar na de ruimte in en nam een zitplaats bij de deur. Hoe langer hij Elle gadesloeg, haar vriendelijke manier van doen zag en haar geduldige stem hoorde, hoe meer hij ervan overtuigd raakte dat hij haar verkeerd had beoordeeld. Ze was de vijand niet. Ze was een misleide wereldverbeteraar. Iemand met goede bedoelingen, maar foute ideeën.

Misschien vroeg hij zijn ouders na slechts een dag meekijken toch maar niet om Carl Joseph uit het programma te halen. Misschien kwam hij deze week wel elke dag kijken en kon hij Elle Dalton bewijzen dat hij geen irrationele, toornige, overdreven beschermende oudere broer was. Hij zou haar vertrouwen verdienen en dan konden ze samen rustig bespreken of het realistisch was wat ze voor elkaar probeerde te krijgen. Vooral met een zieke leerling als Carl Joseph. Ze was een idealistische onderwijzeres. Ze had niet haar hele leven doorgebracht met een broer of zus met het syndroom van Down. Cody leunde achterover in zijn stoel en probeerde niet te zien hoe Elle liep of hoe haar gezicht oplichtte als een leerling haar aan het lachen maakte. Ja, hij ging van de week elke dag. Om de eenvoudige reden dat hij tijd moest investeren in het centrum om het vertrouwen van Elle Dalton te winnen. Om geen enkele andere reden.

Ook al had hij die ochtend al zijn kracht nodig om zich op iets of iemand anders te concentreren dan op haar.

hoofdstuk tien

Elle kon zich die dag amper concentreren op de les. Dat Cody Gunner haar gadesloeg vanaf zijn stoel bij de deur leidde haar sterk af. Niet vanwege zijn knappe, donkere uiterlijk. Hij was per slot van rekening getrouwd. Nee, hij leidde haar af door de dreiging die hij vormde. Als Cody zijn familie overreedde om Carl Joseph uit het programma te halen, zou Daisy er kapot van zijn. En alle andere deelnemers ook.

Carl Josephs vertrek zou talloze vragen, angsten en zorgen voor hen opwerpen. Ongetwijfeld zouden ze ontdekken waarom hij weg was. Het zou duidelijk zijn dat zijn familie niet langer achter zijn plannen stond om zelfstandig te gaan wonen. En dat kon een kettingreactie in gang zetten van gebeurtenissen die alles ondermijnden waar het centrum voor stond. Alles wat haar na aan het hart lag.

Elle bewaarde tot de pauze haar zelfbeheersing. Het was mooi weer, geen wolk aan de hemel. Ze stuurde de deelnemers naar buiten en zonder Cody Gunner een blik te gunnen, trok ze zich terug in de kantine.

En daar viel ze terug op de belangrijkste vaardigheid ooit. Ze schonk koffie in, hield de warme beker dicht tegen haar borst gedrukt en deed haar ogen dicht. *God... wat is dit? Wie is die Cody Gunner en waarom is hij om te beginnen eigenlijk thuis gekomen?* Met haar ogen dicht dacht ze daarover na. De timing was helemaal fout. Als Cody over zes maanden thuis was gekomen, had hij met eigen ogen kunnen zien hoe onafhankelijk Carl Joseph was geworden. Dan hadden ze een plan om met zijn hartkwaal en zijn epilepsie om te gaan.

Nu kon Cody slechts het beginstadium van vooruitgang zien.

God, ik sta met mijn rug tegen de muur. Help me de broer van Carl Joseph te laten zien dat het mogelijk is, dat ook zieke mensen met het syndroom van Down een onafhankelijk leven kunnen leiden. Alstublieft, Vader.

Ze deed haar ogen open en haar adem stokte in haar keel. 'Meneer Gunner!'

'Sorry.' Hij stond in de deuropening geleund naar haar te kijken. 'Ik was daarstraks een beetje kort door de bocht. U bent goed met uw leerlingen.' Hij keek haar peilend aan. 'Ik ben onder de indruk, mevrouw Dalton.'

Ze keek hem trots aan. 'Staat u daarom daar? Om me dat te vertellen?'

Hij keek alsof hij spijt had. 'Ik wil niet dat we vijanden zijn.'

Ze wachtte argwanend af. 'U bent tegen wat ik hier aan het doen ben, meneer Gunner. Dat is duidelijk.'

'Inderdaad. Voor mijn broer.' Hij richtte zich op. 'Maar ik ben bereid u uit te laten praten, bereid om te kijken waar het in het programma om draait.' Hij zuchtte en de strijd in zijn hart was duidelijk zichtbaar. 'Ik wil gewoon graag het beste voor mijn broer. Wat het veiligst is.'

'Dat is duidelijk,' zei ze zachter. Ze begreep toch niet goed waar hij heen wilde. 'Wat bedoelt u precies? Dat u de rest van de dag blijft zonder een oordeel te vellen?'

'Ik blijf de hele week.' Hij deed een stap naar achteren. 'Als dat mag. Maar laten we aan het eind van de week bespreken of dit allemaal echt goed is voor Carl Joseph.'

Ze kneep haar ogen tot spleetjes. Wat had Carl Joseph gezegd? Dat zijn broer pijn had, dat hij gewond was geraakt met rodeorijden? Of dat van het rodeorijden waar was of niet, misschien was de man wel gewond geraakt. Misschien wilde Cody daarom niet dat Carl Joseph iets overkwam. Omdat hij begreep dat één blessure alles kon veranderen. 'U hebt uw broer uw hele leven al beschermd, nietwaar?'

'Ja.' Hij hield haar blik geruime tijd vast.

Elle nam een slok van haar koffie, maar haar ogen lieten hem niet los. Achter zijn voortvarende aanpak en zijn bittere woorden zat zorgzaamheid. 'Er zijn momenten geweest dat Carl Joseph de enige was die me op de been hield, dat alle andere mensen vreemden leken.' Zijn blik werd staalhard en zijn ogen doorboorden haar tot in haar ziel. Niet met boosheid, zoals voor de les was begonnen, maar met een hartstocht die haar overrompelde. Elk woord was afgemeten en geladen. 'Hem mag niets overkomen. Begrijpt u dat, mevrouw Dalton?'

'Ja.' Ze keek hem nadenkend aan. 'Ik hoop dat u aan het eind van de week zult inzien dat ik er net zo over denk. Ik zou uw broer nooit in gevaar willen brengen. Voor geen goud.'

'Goed.' Cody knikte haar beleefd toe. 'Dan ga ik maar naar de lesruimte.' Hij aarzelde. 'Niet boos meer vanwege mijn aanvankelijke houding?'

'Nee, hoor.' Ze glimlachte niet, maar ze voelde zich veel kalmer. De rest van de dag verliep vlot. Cody keek nauwlettend toe terwijl ze de busroute nog eens doornam en daarna de leerlingen naar de keuken dirigeerde.

'We gaan vandaag zandgebak maken.' Ze haalde een schort uit een la en bond hem om haar middel. 'Wie weet nog waarom we zandgebak gaan maken?'

Daisy's hand schoot in de lucht. Ze grijnsde naar Carl Joseph en toen naar Elle. 'Omdat mensen in Disneyland van zandgebak houden.'

'Disneyland is goed voor zandgebak.' Carl Joseph stak vragend zijn handen op naar de andere deelnemers. Er werd instemmend geknikt en gemompeld.

Elle glimlachte. 'Dat is waar. In Disneyland is een klein restaurantje waar ze het lekkerste aardbeienzandgebak maken.' Ze meende Cody achterin te zien grijnzen. 'Maar dat is niet de *reden* dat we zandgebak maken. Weet iemand nog waarom?'

Sid slaakte een overdreven zucht. 'Ik weet het.' Hij stak zijn hand op. 'Ik weet het, juf.'

'Sid, waarom maken we zandgebak?'

'Dan kunnen we gasten ontvangen.'

'Precies. Heel goed.' Elle hield een grote geplastificeerde kaart omhoog met een foto van zandgebak. 'Zandgebak is lekker als toetje en het kan op veel manieren gebruikt worden als je gasten krijgt.'

Nu zag ze dat Cody op zijn plaats verschoof. Ze kon door de hele keuken heen zijn gedachten lezen. Wat had het voor zin om mensen met het syndroom van Down te leren gasten te ontvangen? Dat was wat hij dacht. Ze probeerde haar stemming niet te laten bederven door de negativiteit die hij uitstraalde. Ze had sinds vorige week naar deze kookopdracht uitgekeken toen ze geleerd hadden broccoli klaar te maken.

'Zandgebak is erg aantrekkelijk.' Tammy zwaaide met haar vlechten en glimlachte. 'Erg aantrekkelijk.'

'Ik denk dat ik twaalf gasten zou kunnen ontvangen als ik zandgebak had.' Gus keek om zich heen naar de anderen.

Carl Joseph klopte Gus op zijn knie. 'Ik zou naar je feestje komen als je zandgebak had, Gus.'

'Goed.' Elle nam de leiding weer in handen. Ze liep naar het lange aanrechtblad dat haar scheidde van de leerlingen. 'Laten we eerst onze ingrediënten eens bekijken.'

'Ik heb meel en vanille-essence meegebracht, juf.' Carl Joseph stond op. Hij schoof zijn bril hoger op zijn neus en grinnikte naar Daisy. 'Meel en vanille-essence.'

Voordat er een lawine van opmerkingen volgde, wees Elle naar Carl Joseph. 'Zou jij negen mengkommen uit de voorraadkast willen halen? Zet ze dan op een rij op dit aanrecht.'

Carl Joseph keek alsof hij de loterij had gewonnen. Hij

sprong op en snelde naar een reusachtige kast. Hij was de laatst aangekomen deelnemer en zelfs hij wist waar alles bewaard werd. Elle ging door met haar uitleg van de ingrediënten, maar ze hield Carl Joseph in de gaten. Zijn broer zou met zijn neus op deze opdracht staan om te kijken of Carl Joseph meerdere aanwijzingen kon opvolgen zonder hulp nodig te hebben.

Ja hoor, hij pakte de mengkommen één voor één uit de kast en maakte er twee stapels van. Toen telde hij ze voor de zekerheid nog een keer en verdeelde ze over het aanrecht. De keukenblokken waren zo gebouwd dat een team van twee mensen met het gezicht naar elkaar toe kon staan en samen aan een recept kon werken. Elle had negen kopieën van het recept. 'Goed, zoek een partner en ga bij een van de mengkommen staan.'

Daisy danste naar Carl Joseph toe. Ze ging tegenover hem staan en lachte een paar keer. 'Is deze plaats bezet?'

'Nee, mevrouw.' Hij boog naar haar toe en schonk haar zijn meest verlegen lachje. 'Tenzij Mickey Mouse nog komt.'

Daisy lachte alsof het de leukste grap was die ze ooit had gehoord. 'Mickey Mouse! CJ, je bent een grappenmaker!'

In het uur daarna waren de teams bezig het recept voor zandgebak te volgen en een kom vol deeg te maken, onder toezicht van Elle en haar assistente. Op zeker ogenblik stond Cody op en liep met een boogje het werkterrein rond.

Toen hij in de buurt kwam van Carl Joseph en Daisy verwachtte Elle dat haar zusje weer opgewonden zou raken en zeggen dat Cody naar een stierenrijder rook. Maar dit keer verdween de lach die ze onder het werken had vertoond toen Cody dichterbij kwam. Carl Joseph wierp Daisy een geheimzinnige blik toe en ze knikte op een weinig subtiele manier.

'Goed gedaan, vriend.' Cody gluurde over de schouder van zijn broer naar de kom. 'Ik wed dat jouw zandgebak het beste is van allemaal.'

'Ja... dank je.' Carl Joseph keek niet op. Zijn ogen bleven heen en weer gaan tussen het deeg en Daisy. Toen keek hij Cody aan. 'Ik heb geen hulp nodig, broer. Dank je, maar ik heb geen hulp nodig.'

'Goed.' Cody draaide zijn hoofd om en keek door de ruimte heen naar Elle. 'Ik zal proberen uit de buurt te blijven.'

'Ja, want dan is het een verrassing.' Carl Joseph wuifde naar zijn broer. 'Ga maar in je stoel zitten en toch bedankt.'

Cody trok een wenkbrauw op en lachte, kennelijk onzeker hoe hij de vriendelijke afwijzing van Carl Joseph moest opnemen. Eén voor één gaf Elle de teams opdracht hun deeg in een ingevette vorm te lepelen en hun zandgebak in een van de twee ovens van het centrum te zetten. De moeilijkste taak, die heel belangrijk was als ze op zichzelf woonden, was het zandgebak niet te vergeten als het eenmaal in de oven stond, vanwege de problemen met hun kortetermijngeheugen.

Elle en de assistente hielden toezicht op het project, maar geen van beiden hielp de deelnemers uit de brand. En ja, de eerste twee teams vergaten hun zandgebak. Elle wachtte tot het gebak aangebrand was maar niet in de fik stond voordat ze de teams erop wees. 'Team van Gus en team van Tammy, ruiken jullie dat er iets aanbrandt?'

Alle vier de deelnemers raakten in paniek. Ze botsten tegen elkaar op en stormden naar de keuken, allemaal tegelijk door elkaar pratend. Elle stond met haar armen over elkaar. 'Jullie hebben pannenlappen nodig.'

'Pannenlappen.' Gus rende naar de rechterlade en pakte er voor ieder een.

'En nu?' Elle voelde dat Cody afkeurend toekeek. Als ze hen niet aan het zandgebak had herinnerd, zou het uiteindelijk in brand gevlogen zijn. Maar dat hoorde bij het leren. Als Cody dat nu niet begreep, dan misschien aan het eind van de week. 'Wat nu, mensen?'

'De ovens uitzetten.' Tammy had haar hand in een ovenwant gestoken. Ze staarde naar de oven en maakte een zenuwachtig dansje op haar plaats. 'We moeten de ovens uitzetten.'

'Ja, doe maar.' Elle weerde de frustratie uit haar stem.

Gus en Tammy reikten allebei naar het bedieningspaneel van hun afzonderlijke ovens en zetten ze uit. Elle zuchtte tevreden. Zelfs op een paniekerig moment herinnerden ze zich tenminste hoe ze de ovens uit moesten zetten. Ze kwam dichterbij. 'En nu?'

'Het zandgebak er uithalen!' Gus keek naar zijn kookpartner en slikte moeilijk. 'Ik zal het doen, goed?'

De andere jongeman knikte. 'Ik haal de onderzetter.'

Gus haalde het geblakerde zandgebak uit de oven, terwijl Tammy een meter verder hetzelfde deed met het hare. Ze zetten de verbrande toetjes op de onderzetters, stapten naar achteren en staarden er somber naar. Gus keek Elle aan. 'Geen gasten vanavond.'

'Nee.' Elle glimlachte. 'Maar we hebben wel iets geleerd.'

Alle vier de leerlingen staarden haar met open mond aan, alsof ze niet goed wisten wat ze geleerd hadden door hun zandgebak te laten verbranden. Toen hapte Gus naar adem en zijn hand schoot recht de lucht in. 'We hebben geleerd dat we het niet mogen vergeten.' Hij wees naar de oven achter zich. 'We kunnen een wekker gebruiken.'

Elles hart nam een hoge vlucht. 'Precies.' Ze had dat niet tegen hen gezegd, omdat ze allemaal onderhand moesten weten wat een kookwekker was. De andere deelnemers schaarden zich om hen heen om naar het geblakerde zandgebak te gapen.

'Gus, je mag wel wat van mij,' zei Daisy.

'Ja, van mij ook.' Carl Joseph tikte met zijn vingers op het aanrecht. 'Want ja, een wekker zou beter zijn.' Hij wendde zich tot Daisy. 'In Disneyland gebruiken ze een wekker.'

Het was een overwinning. Zonder dat ze hem erop wees, had Gus zich herinnerd dat met een tijdschakelaar het zandgebak niet zou verbranden. Carl Joseph en Daisy waren een van de teams die nu aan de beurt waren om de oven te gebruiken en Carl Joseph stak zijn hand op. 'We willen graag een wekker, juf. Als het mag.'

Ze lachte. 'Ja. Ga je gang.'

Helemaal volgens het boekje zetten Carl Joseph en Daisy hun toetje in de oven. Carl Joseph zette de oven aan terwijl Daisy de wekker zette. Met een pannenlap in zijn hand plaatste Carl Joseph hun vorm met zandgebakdeeg op het rek en Daisy sloot de ovendeur.

Elle kon hen wel zoenen, maar ze mocht niet overdreven reageren. Dit soort dingen zouden ze als vanzelf moeten doen voordat ze hun einddoel hadden bereikt. Toen dertig minuten later de wekker ging, pakten alle vier de leerlingen prompt en rustig hun ovenwanten en pannenlappen, zetten hun oven uit en haalden hun zandgebak eruit. Beide waren licht goudbruin en volmaakt gebakken.

'Carl Joseph.' Elle liep naar hem toe en fluisterde tegen hem. 'Als het afgekoeld is, wil je broer misschien wel een stukje.'

'Ja.' Carl Josephs ogen straalden. 'Broer moet een stuk hebben.'

Toen Carl Joseph een uur later een stuk zandgebak naar zijn broer bracht, bedankte Cody hem en gaf hem een compliment. En toen hij zijn eerste hap nam, hief hij zijn vork naar Elle. Ze schonk hem een sluw lachje en draaide zich om naar haar leerlingen. Misschien zouden ze het toch nog eens worden.

De dag sleepte zich voort en toen de leerlingen vertrokken, was Elle uitgeput. Het was twee keer zo zwaar om tegelijkertijd les te geven en te proberen het allemaal goed te laten gaan voor Cody Gunner.

'U ziet er moe uit, juf.' Daisy kwam naar haar toe met haar

rugzak over haar schouder geslingerd. Ze draaide haar hoofd ondersteboven en staarde Elle aan. Toen draaide ze haar hoofd recht en lachte om haar eigen gekkigheid. 'Bent u moe?'

'De school is uit, Daisy.' Ze keek haar veelbetekenend aan. 'Nu mag je me Elle noemen, weet je nog?'

'Weet ik.' Ze lachte weer. 'Elle… Elle… Elle.' Ze legde haar rugzak op de grond, ritste hem open en gluurde naar binnen. 'Het zandgebak zit erin.'

'Ja.' Alle leerlingen hadden een groot stuk zandgebak mee naar huis genomen. 'We kunnen vanavond gasten ontvangen. Jij, mam en ik.' Ze sprong in de lucht en kwam neer in een perfecte balletpositie. 'En we kunnen dansen voor de pret.'

'Eerst moeten we naar de supermarkt.' Elle had minder energie dan anders. Het was slopend geweest om de hele dag door Cody te worden gadegeslagen. Hij gaf haar een week om te bewijzen dat de deelnemers vaardigheden leerden die hen eens in staat zouden stellen om op zichzelf te wonen. Eén week. Ze zuchtte en pakte haar tas. 'Ga je mee naar de winkel?'

'Ja.' Ze stak haar tong uit en krulde hem over haar lip, iets wat ze deed als ze zich sterk concentreerde. Ze zocht in haar rugzak en haalde ten slotte een rekenmachine tevoorschijn. Ze grinnikte en hield de rekenmachine recht boven haar hoofd. 'Ik zal het budget bijhouden.'

Daisy zat al langer in het centrum dan de meeste deelnemers. Dat ze bij het noemen van de supermarkt dacht aan een budget waaraan ze zich moest houden, was weer een bewijs dat ze bijna klaar was. Afhankelijk van het verloop van de komende maanden kon ze voor de feestdagen haar einddoel hebben bereikt.

Elle werd overmand door een bitterzoete blijdschap. Het zou nooit makkelijk zijn om een broer of zus met het syndroom van Down los te laten. Er waren altijd risico's, maar aan de andere kant bevatte het leven voor gezonde mensen ook risico's. Daar was zij het levende bewijs van.

'Goed, Daisy.' Ze gaven elkaar een arm en liepen naar het parkeerterrein. Onderweg knipte Elle de lichten uit en sloot af. 'Houd jij het budget maar bij. Laten we zorgen dat we vandaag niet meer dan honderd dollar uitgeven, goed?'

Daisy lachte een paar keer kort. 'Wauw, Elle. Honderd dollar nog wel.'

De rest van de rit naar de supermarkt en zelfs toen ze geparkeerd hadden en op weg waren naar binnen, hield Daisy het gesprek gaande over wat ze allemaal konden kopen voor honderd dollar. Toen ze zo ongeveer alle combinaties van boodschappen had gehad, bedacht Elle een manier om een ander onderwerp aan te snijden. 'Daisy.'

'En pindakaas en mayonaise en mozzarella en...'

'Daisy.' Elle raakte licht geërgerd.

Haar zusje zweeg. Ze pakte een karretje en keek Elle met grote ogen aan. 'Ik was een budget aan het maken.'

'Weet ik, maar ik heb een vraag.'

Daisy duwde het karretje de winkel in en ze liepen naar de groenteafdeling. Ze keek een beetje verstoord, maar vroeg toch: 'Wat voor vraag?'

Elle wilde meer weten over wat er was voorgevallen tussen haar zusje en Carl Joseph terwijl ze het zandgebakdeeg aan het maken waren. Het was voor het eerst dat Daisy niet enthousiast had gedaan over Cody Gunner. 'Over de broer van Carl Joseph.'

Zodra Elle de woorden had gezegd, klapte Daisy dicht. Ze stak trots haar kin in de lucht. 'Ik vind CJ's broer niet aardig. Niet meer.'

'Ik dacht dat hij lekker rook en dat hij een wereldberoemde stierenrijder was.'

Er speelde een vluchtig lachje om Daisy's mond. 'Hij ruikt wel lekker.' Haar glimlach stierf weg. 'Maar ik vind hem toch niet meer aardig.'

'Waarom niet?'

'CJ's broer wil niet dat hij naar het centrum komt.' Ze keek recht voor zich uit en stond stil bij een uitstalling van bananen. 'Hij wil hem niet in het centrum hebben omdat hij ons niet aardig vindt.'

Elle pakte een tros bananen en woog hem. 'Drie pond, Daisy. Daar beginnen we mee.'

Daisy haalde haar rekenmachine uit haar zak en tuurde naar het bord boven de bananen. 'Veertig cent per pond.' Met openhangende mond toetste ze de getallen in, maar even later lachte ze hardop. 'Eén twintig. Eén dollar en twintig cent. Zo veel is het tot nu toe.'

'Uitstekend.' Elle wierp haar zus een trotse blik toe. 'Wat doe je het toch goed, Daisy.'

Er viel een schaduw over haar gezicht. 'Maar Cody Gunner vindt ons niet aardig.'

'Dat komt nog wel.' Elle liet Daisy voorop lopen naar de appels. 'Op een dag vindt hij ons wel aardig.'

En terwijl ze boodschappen deden en ze haar zusje de tijd gaf om de eieren te zoeken en de pindakaas en de mayonaise en de mozzarella, plus een kar vol andere spullen voor onder de honderd dollar, kon ze alleen in stilte bidden dat het waar was wat ze tegen Daisy had gezegd.

Dat Cody Gunner op een dag als door een wonder niet alleen de deelnemers aan het programma aardig zou vinden. Maar ook dat haar werk hem voldoende zou bevallen om te geloven dat Carl Joseph in het centrum op zijn plaats was.

hoofdstuk elf

Carl Joseph zat achter de computer van zijn ouders en probeerde een brief te schrijven. Maar hij maakte zich zorgen. Er was iets mis met broer. Hij had geroep en geschreeuw gehoord toen hij die dag aan het onkruid wieden was. En nu was het woensdag en broer kwam nog steeds elke dag naar het centrum.

Daisy zei dat hij kwam omdat hij hen niet aardig vond. 'Je broer wil niet dat je naar het centrum gaat,' had ze hem eerder die dag verteld.

En misschien had Daisy wel gelijk. Maar misschien ook niet. Omdat broer glimlachte en zijn stem blij klonk als hij in het centrum was. Hij zat in zijn stoel en keek en hij dacht veel na. En soms stond broer op en kwam naar Daisy en hem toe om te kijken wat ze aan het doen waren. Drie keer had hij gezegd: 'Goed gedaan, vriend.'

Ook vond hij juf mooi. Dat wist Carl Joseph omdat broers ogen net zo naar Elle keken als de eerste keer naar Ali. Toen broer en Ali samen bij de rodeo waren. Want soms was Carl Joseph komen kijken met zijn moeder en soms met zijn vader, en dan zag hij broers ogen. Zijn ogen voor Ali. En die waren hetzelfde als zijn ogen voor juf.

Maar zelfs dat alles wilde niet zeggen dat hij gelukkig was.

Carl Joseph keek uit het raam en beet op zijn lippen. En de brief was moeilijk want hij was een beetje bang vanwege de busroutes. En daar moest hij almaar aan denken. Hij kende nummer 8 en nummer 3. Maar nummer 11 was eng, want je moest twee keer overstappen. En twee keer overstappen moest gebeuren. Anders geen einddoel. Ja, busroutes waren eng.

Hij richtte zijn blik op het computerscherm. Er stond tot nu toe niets op. Hij zette zijn bril recht en keek naar het toetsenbord. Hij kon in elk geval haar naam typen. Hij vond de *D* en typte hem. Toen typte hij de rest van haar naam. *A–I–S–Y*.

Hij keek op en lachte blij. Daisy. Zo spelde je dat: Daisy. Hij wilde Daisy een brief schrijven vanwege Disneyland. Juf zei dat je iemand moet uitnodigen als je hem wilt ontvangen. En hij wilde Daisy ontvangen in Disneyland. Dus misschien moest hij haar eerst een brief schrijven om haar uit te nodigen.

Hij hoorde een geluid en zag de pick-up van broer op de oprit. Dat gaf hem een zenuwachtig gevoel, want hij wist het niet meer zo goed met broer. Hij wilde hem niet boos maken. Want misschien was broer boos dat Daisy en hij vrienden waren en misschien wilde hij dat Carl Joseph wegging uit het centrum.

Hij keek toe hoe broer parkeerde en het pad op kwam lopen. 'O, o.' Hij pakte de muis. Maar niet Mickey Mouse, want dat was iets anders. Toen bewoog hij het pijltje snel, nog sneller. Zo snel als hij kon tot hij haar naam gemarkeerd had. Toen klikte hij en de brief was weg. Want hij kon later wel een brief aan Daisy schrijven.

Maar hij wilde niet dat broer boos werd. Nooit.

Want Daisy was zijn op één na beste vriend, maar broer... broer was zijn allerbeste vriend. Dus hij moest een brief aan Daisy verstoppen. Want hij wilde niet dat broer zag wat hij deed en kwaad werd. Hij stond op en ramde de stoel terug tegen het bureau. Zijn hart bonsde als een trom. Hij liep vlug weg van de computer en naar de deur. Dan zag broer niet wat hij deed. Toen rende hij met open armen op hem af. 'Broer!'

'Hé, vriend.' Ze sloegen hun armen om elkaar heen. 'Wat was je aan het doen?'

'Niks,' antwoordde Carl Joseph vlug. 'Ik ben niet een brief

aan Daisy aan het schrijven. Nee hoor, ikke niet.'

Broer stond stil en sloeg zijn armen over elkaar. Hij keek naar de computer en toen weer naar hem. 'Lieg je tegen me, vriend?'

'Ja,' antwoordde hij weer vlug. Want mama zei dat je niet houdt van iemand die tegen je liegt. En je liegt niet tegen iemand van wie je houdt. Hij knikte heel ernstig. 'Ja, broer. Ik lieg.'

'Hoe komt dat zo?' Broer sloeg zijn arm om zijn schouder en keek hem aan. Recht in zijn ogen.

Carl Joseph voelde dat zijn hart een beetje bedaarde. Broer hield nog van hem. Want hij legde zijn hand op Carl Josephs schouder en dat betekende dat hij van hem hield. Carl Joseph zette zijn handen op zijn knieën en ademde uit zoals hij deed als hij met Gus had gerend in de pauze. Toen keek hij op en likte zijn lippen. 'Je vindt Daisy niet aardig.'

'Wat?' Broer keek gekwetst. Dus misschien vond hij Daisy wel aardig. 'Vriend, dat is niet waar. Ik vind haar heel aardig. Ze heeft leuk blond haar.'

'Want ze heeft leuk blond haar en ze houdt van Minnie Mouse.' Carl Joseph keek naar de grond. Zijn hart bonsde weer. 'En broer vindt Minnie Mouse aardig.'

'Dat is waar.' Hij klonk vermoeid. Hij voerde Carl Joseph mee naar de computer en trok de stoel tevoorschijn. 'Ga eens zitten.'

Carl Joseph deed wat hem gezegd werd. Hij ging zitten en staarde naar het lege scherm.

'Je was toch een brief aan Daisy aan het schrijven?'

'Ja.' Hij keek niet om. Hij wilde niet zien of broer boos was of niet. 'Een brief aan Daisy.'

'Goed, vriend. Doe dat maar.' Hij knuffelde Carl Joseph even van achteren. 'Doe maar en schrijf aan Daisy. Ik vind het leuk als je brieven schrijft.'

Carl Joseph draaide zich om en keek broer in de ogen. 'Want ik wilde haar uitnodigen om met me naar Disneyland te gaan.' Hij keek weer naar het scherm. 'Juf zegt als je gasten wilt ontvangen, moet je iemand uitnodigen.'

Broer klonk nog iets vermoeider. 'Prima. Doe maar en schrijf je uitnodiging. Ik ben niet boos op je, vriend.' Hij ging op de rand van het bureau zitten. Toen keek hij Carl Joseph recht aan. 'Ik hou van je, vriend. Weet je nog?'

Carl Joseph dacht even na. 'Ja, dat weet ik nog.'

'Mooi. Ik ben niet boos en ik vind je vrienden aardig.'

'Want na Daisy kan ik een brief schrijven aan jou.' Hij glimlachte naar broer. 'En misschien vind jij juf mooi.'

Broer deed zijn mond open, maar zei niets. Carl Joseph deed zijn ogen dicht, want nu kon broer boos worden. Maar in plaats daarvan begon hij te lachen. Hard te lachen. Carl Joseph deed zijn ogen open. 'Broer?'

'Hoe weet jij dat ik je juf mooi vind?' Hij boog naar hem toe en maakte zijn haar in de war.

'Omdat je ogen naar haar kijken als naar...' Carl Joseph zweeg. Elke keer als hij over Ali de paardrijdster praatte, werd broer verdrietig. Broer lachte nu, dus hij wilde hem niet verdrietig maken. Hij duwde zijn bril omhoog op zijn neus. 'Omdat je ogen zeggen dat ze mooi is.'

'Zo.' Broer stond op en deed een stapje opzij. 'Je hebt gelijk. Ze is mooi. Maar dat wil niet zeggen dat we het over alles eens zijn. Snap je?'

'Ja, broer. Alleen Disneyland. Over Disneyland kunnen we het eens zijn.'

'Jij en ik en Daisy.'

'Ja, vriend.' Broer wuifde naar hem. 'Jij en ik en Daisy.'

Toen broer weg was, wist Carl Joseph weer wat hij allemaal over Daisy had willen zeggen. Want hij was niet bang meer voor broer. Broer vond Daisy aardig en daarom hoefde zijn hart niet meer te bonzen als een trom. Maar voordat hij weer aan de brief begon, deed hij zijn ogen dicht en vouwde zijn handen en praatte hardop tegen God.

'God, laat broer en mij en Daisy en juf alstublieft een keer samen naar Disneyland gaan. Want daar hebben ze zandgebak en Mickey Mouse en Minnie. En dank U dat broer niet boos is. Dus misschien kunnen we met z'n allen gaan. Amen.'

Toen hij zijn ogen opendeed, voelde hij dat hij klaar was voor de brief. Want juf zei dat het een goed gevoel gaf om vaardigheden te gebruiken. En bidden tot God was een van de allerbeste vaardigheden. Je kon altijd en overal tegen God zeggen wat je wilde. Dat zei juf. En praten tegen God betekende dat God bij je was. En soms was het eng om volwassen te zijn. Behalve dat het met God nooit eng was.

Al moest je alle busroutes van de hele wereld kennen.

hoofdstuk twaalf

Elle popelde om Snoopy uit te laten. De hele middag had ze zich erop verheugd haar hond mee te nemen naar het park verderop in de straat. Het was niet zo'n groot park als Antlers. Gewoon een stukje gras in het midden van twintig rijen bescheiden huizen. Een plaats waar moeders met hun peuters heen konden gaan, met een schommel en een glijbaan en een klimrek. Het park was een van Elles favoriete plekjes na een lange dag.

De zonneschijn was verdwenen achter een laag wolken en ze wilde net iets warmers zoeken om aan te trekken toen haar moeder naar haar toe kwam.

'Je ziet er moe uit.'

Elle gaf zichzelf in gedachten een schop omdat ze haar gevoelens niet beter had verborgen. 'Niks aan de hand. Gewoon een lange dag gehad.'

'Dat is bijna een hele week van lange dagen.' Ze fronste. 'Wat is er aan de hand in het centrum?' Haar moeder legde met een nieuwsgierige blik haar hand op haar arm. 'Je bent vermoeider en stiller dan anders.'

Daisy had het gehoord. Ze klakte met haar tong tegen haar gehemelte. 'De broer van CJ. Die is er de hele week.'

Hun moeder rimpelde haar neus. 'De wereldberoemde rodeorijder?'

Elle rolde met haar ogen. 'Alsjeblieft, mam. Geen fantasieën voeden.' Ze liep naar de garderobe en vond een oude trui. 'Ik ga met Snoopy wandelen.'

Haar moeder volgde. 'Dus hij is geen rodeorijder?'

'Ik weet niet wat hij is.' Elle keek langs haar moeder heen. Daisy was hen gevolgd. 'Maandagmorgen kwam die vent on-aangekondigd opdagen en nu hoort hij bij het meubilair in het centrum.'

'O.' Haar moeder ging uit de weg toen ze haar trui aantrok en weer naar de keuken liep. 'Is hij nieuwsgierig?'

'Nee.' Ze stond stil en keek haar moeder aan. Nadat ze de hele dag kalm en vriendelijk was geweest voor haar leerlingen, had ze hier geen geduld meer voor. Maar haar moeder wist niet wat er aan de hand was met Cody Gunner en Elle kon het haar niet kwalijk nemen dat ze nieuwsgierig was. Ze zuchtte en probeerde de situatie beter uit te leggen. 'Hij wil dat Carl Joseph uit het programma wordt gehaald. Daar komt het op neer.' Ze leunde tegen de dichtstbijzijnde muur. De gedachte aan Carl Josephs broer maakte dat ze zich gesloopt voelde.

'Waarom in vredesnaam?' De gezichtsuitdrukking van haar moeder was duidelijk. Ze kon niet bevatten dat iemand gekant kon zijn tegen zelfstandigheid voor mensen met het syndroom van Down. 'Weet je dat zeker?'

'Ja. Hij denkt dat Carl Joseph thuis veiliger en gelukkiger is, en dat wij zijn hoofd volstoppen met onmogelijke ideeën omdat hij epilepsie heeft en een hartkwaal. Dat soort dingen.'

'O.' Ze trok rimpels in haar voorhoofd. 'Dat is natuurlijk aan Carl Josephs ouders.'

'Die zijn ook onzeker geworden na de diagnose. Cody's mening kan genoeg zijn om hen over te halen.'

'Aha.' Haar moeder keek naar de andere kamer, waar Daisy in een verweerde oude leunstoel zat. Ze las *Heidi* voor de derde keer. 'Ongeacht zijn gezondheid kan ik me niet voorstellen dat je iemand met het syndroom van Down in de weg zou willen staan. Terwijl er tegenwoordig zo veel mogelijkheden voor hen zijn.'

'Weet ik. Ik denk er ook zo over.' Elle boog naar haar moeder toe en gaf haar een kus op haar wang. 'We hebben het er later nog wel over. Ik moet naar buiten.'

'Goed.' Haar moeder klopte op haar arm. 'Ik vind het vervelend voor je, Elle. Dat verdien je niet.'

'Ik wou alleen dat ik door hem niet aan mezelf ging twijfelen.' Ze schonk haar moeder een vermoeide glimlach. 'Het geeft me het gevoel dat ik mezelf aldoor moet verdedigen in plaats van mijn tijd te gebruiken om mijn leerlingen dichter bij hun doel te brengen.'

'Het gaat voorbij.'

'Ja.' Ze haalde Snoopy's riem uit een lade in de keuken en liep naar de deur. Hun kleine huis was een van de honderden in dit deel van Colorado Springs. Ze hadden niet beter kunnen krijgen met het geld dat hun oude huis had opgeleverd, en het was knus en ruim genoeg voor hen. Ze glimlachte naar haar moeder. 'Ik ben over een uurtje terug.'

Zodra ze buiten was, begon haar hoofd op te klaren. Ze liep langzamer dan anders en bestudeerde de nieuwe blaadjes aan de takken van de bomen aan weerskanten van de straat. Er waren in Colorado Springs niet veel bomen die jaarlijks hun blad verloren, maar de projectontwikkelaars van deze buurt hadden ervoor gezorgd dat er minstens een paar tussen de gewone groenblijvers waren gezet.

Ze haalde diep adem en richtte zich wat hoger op. Ze was de afgelopen week gek geworden van Cody Gunner met zijn waakzame blikken en zijn subtiele lachjes. Hij was niet bepaald kritisch of gemeen. Maar dat nauwlettende toekijken was slopend. Nu en dan had ze zich er in de afgelopen dagen op betrapt dat ze hem even had gadegeslagen en zijn sterke kaaklijn en felle ogen bewonderde, of zijn brede rug.

Elke keer had ze boos op zichzelf haar blik afgewend. Hij was getrouwd. Het was ontstellend dat ze hem aantrekkelijk vond.

Nee, ze mocht zich absoluut niet aangetrokken voelen tot Carl Josephs broer. Maar nu ze buiten was en de koele avondwind voelde in haar gezicht en de geur van jasmijn haar zintuigen vulde, moest ze eerlijk zijn. Zijn aantrekkingskracht op haar was een deel van het probleem.

Ze wilde dat hij er aan het eind van de week van overtuigd was dat haar werk in het centrum noodzakelijk en belangrijk was, maar ze zou ook blij zijn als hij zijn eigen bezigheden weer oppakte, wat die ook mochten zijn. Dat hij naar huis ging naar zijn vrouw en het onderwijs aan haar overliet. Aan de overkant liep nog iemand met een hond. Ze knikten elkaar toe en Snoopy keek naar haar op en jankte.

'Ik weet het... je wilt spelen.' Ze stond stil en klopte de oude hond op zijn kop. 'Jammer dan, Snoopy. We moeten nog een heel eind.'

Aan het eind van de straat sloeg Elle rechtsaf. Het park was maar drie straten verder aan de linkerkant. Het was onmogelijk om aan Cody Gunner te denken en haar gedachten niet te laten terugdwalen naar het verleden. Als het niet fout was gelopen, zou ze nu in het vierde jaar van haar huwelijk zijn geweest, en misschien praten over kinderen krijgen of de aanschaf van een eerste huis.

Ze kneep haar ogen tot spleetjes en vocht tegen de herinneringen. Maar ze bestormden haar ineens en ze kon niets doen om ze af te weren. Niet dat ze elke dag aan het verleden dacht. Meestal kon ze leven zonder eraan te denken. Maar nu en dan hielp terugdenken. De herinneringen wezen haar erop waarom ze was zoals ze was, waarom ze niet van plan was weer op de liefde te vertrouwen tenzij God Zelf de juiste persoon in haar leven bracht.

Maar goed, Elle zat er niet op te wachten. Het was beter om gewoon door te gaan, om haar passie te volgen en haar leerlingen te helpen, om scrabble te blijven spelen met haar moeder.

Dan kon niemand haar kwetsen zoals ze in dat verschrikkelijke voorjaar gekwetst was.

Ze keek voor zich uit onder het lopen, maar ze zag de langsrijdende auto's niet meer, en de uitlopende bomen, zelfs niet het park. Ze keek in een ver verleden waar het allemaal begonnen was.

Hij heette Trace Canton, en hij was de directeur van de Pinewood basisschool waar Elle haar eerste onderwijsbaan kreeg. Ze was net afgestudeerd aan de Universiteit van Colorado en ze had een appartement niet ver van de campus betrokken. Ze solliciteerde bij vier scholen, allemaal in een ander district, en de Pinewoodschool was de eerste die haar een baan aanbood.

Het ironische was dat ze Trace pas ontmoette toen ze al in dienst was. Tijdens de sollicitatieprocedure was hij op vakantie geweest, dus de onderdirecteur en de districtsinspecteur hadden de beslissing zonder hem genomen.

Die herfst was ze posters in haar lokaal aan het ophangen toen ze ineens voelde dat iemand naar haar keek. Ze draaide zich om en schrok. 'O, sorry.' Er stond een man in de deuropening, en niet zomaar een man. Hij droeg een broek van een duur merk en een zijden overhemd. Hij had de slanke gestalte van een model en leek op iemand die zo uit een modeblad was gestapt. Elle legde de poster neer op haar bureau en schraapte haar keel. 'Ik wist niet dat u daar stond.'

'Let maar niet op mij.' Trace glimlachte tegen haar en die simpele glimlach drong recht door tot in haar hart. 'Ik wilde alleen even een kijkje nemen in uw lokaal.'

Elle nam aan hij de vader was van een van haar leerlingen. 'Heeft iemand van het kantoor u verteld over de ouderavond van aanstaande vrijdag?' Ze keek naar zijn hand. Zijn ringvinger was leeg.

Hij lachte en deed een paar stappen haar klas in. 'Ik zal zorgen dat ik er ben.'

Ze stond versteld over zijn zelfvertrouwen. Hij gedroeg zich alsof de school van hem was en ineens vroeg ze zich af of ze zenuwachtig moest worden. Was hij soms een of andere gek die van de straat haar klas binnen was gedwaald? Ze deed een stap naar achteren. 'Neem me niet kwalijk, ik heb uw naam niet verstaan.'

'Trace.' Hij stond een eindje van haar af stil en grinnikte. 'De meeste mensen hier kennen me als meneer Canton.'

Elle verstijfde. Ze kon wel door de grond zakken. Hoe kon het haar ontgaan zijn dat hij de directeur was? Ze voelde haar wangen warm worden. 'Ik wist niet… Ik had geen idee dat… Ik denk dat ik niet heb…' Ze ging op de rand van haar bureau zitten en maakte een geërgerd geluid. 'Sorry.' Ze haalde haar schouders op en lachte verlegen. 'Ik wist helemaal niet dat u terug was.'

'Zit er maar niet over in.' Hij drukte zijn schouder tegen de muur en nam haar onderzoekend op. 'Op kantoor zeggen ze dat u erg toegewijd bent.' Zijn ogen dwaalden door het lokaal. 'Dat wilde ik wel eens met eigen ogen zien.'

Toen pas was Elle weer op adem gekomen. Ze gebaarde met haar hand naar de muren, naar het werk dat ze al had gedaan. 'En, wat vindt u ervan?'

'Ik denk dat de staf gelijk heeft.' Hij hield zijn hoofd schuin en hield haar ogen vast met zijn blik. 'Welkom op Pinewood, mevrouw Dalton. U zult het hier vast erg naar uw zin hebben.' Hij knikte naar haar en wilde vertrekken. Bij de deur stond hij stil en keek haar nog eens aan. 'O, en ik zal zeker zorgen dat ik even langskom op de ouderavond.' Hij grijnsde en toen was hij weg.

Dat bezoekje was het eerste van vele.

Het was een ongeschreven regel dat er tussen personeelsleden geen hechte relaties mochten bestaan. Twee waren er met elkaar getrouwd, maar dat was de uitzondering, niet de regel. Niettemin voelde Elle elke keer als ze samen waren een band tussen haarzelf en de directeur. Na de eerste maand in het schooljaar, vond ze de moed om zijn naam te noemen tegen een van de oudgedienden, een onderwijzeres die er al was van voordat Trace Canton op Pinewood was gekomen.

'Hoe zit het eigenlijk met hem? Hij draagt geen trouwring.' Ze zaten in de leraarskamer en Elle sprak met gedempte stem.

'Dat weet niemand.' De oudere vrouw wierp Elle een nieuwsgierige blik toe. 'Hij is een knappe verschijning, dat ziet iedereen. Maar in de vijf jaar dat hij hier is, is niemand ook maar iets te weten gekomen over zijn privéleven.'

'Vreemd,' zei ze neutraal. Ze wilde niet te belangstellend lijken.

'Wil je weten wat de roddel is?' De onderwijzeres keek om zich heen. Toen ze zeker wist dat er niemand anders was, fluisterde ze: 'De mensen zeggen dat hij homo is. Dat zou veel verklaren.'

'Homo?' De moed zonk Elle in de schoenen. Dat was toch niet mogelijk? Zoals hij naar haar keek. Toch gaf het haar een reden om afstand te bewaren. Als hij niet in haar geïnteresseerd was, zette ze zichzelf voor gek als ze vaker tegen hem sprak dan beslist nodig was.

In de maanden daarna bleef Elle bij Trace Canton uit de buurt. Ze kon beter eerst meer over hem te weten komen dan het risico te lopen vernederd te worden.

Vlak voor de kerstvakantie trof Trace haar alleen in haar lokaal. 'Is het waar dat u uw kinderen het kerstverhaal voorleest?'

Elle had een tweede klas. Ze zat aan haar bureau te werken, maar ze legde haar pen neer om hem haar volledige aandacht te schenken. 'Ja, meneer.'

Hij glimlachte. 'Noem me alsjeblieft geen meneer. Dan voel ik me zo oud.'

'Goed.' Ze slikte en keek naar haar bureau, naar een stapel kleurplaten die haar leerlingen de volgende dag moesten kleuren. Jozef en Maria stonden erop en de kribbe, met een enorme ster boven hun hoofd. Ze keek Trace weer aan. 'Ja, ik lees ze het kerstverhaal voor. Ik heb het nagevraagd bij het district. Het is toch toegestaan om over godsdienstige feestdagen te praten?'

'Jazeker.' Hij kwam naar haar bureau en ging op de rand van een van de tafeltjes zitten. 'Ik ben er niet boos om. Ik bewonder uw vastbeslotenheid.' Hij sloeg zijn armen over elkaar. Wat voor aftershave hij ook op mocht hebben, ze kreeg er slappe knieën van. 'Ik ben christen. Het zal een treurige dag zijn dat we de betekenis van Kerst kwijtraken op onze openbare scholen.'

'Ja. Inderdaad.'

Voordat hij haar lokaal verliet, nam hij de tijd om de papieren en posters aan de muur te bekijken. Ze ging weer aan het werk en maakte het schoolbord klaar voor de lessen van de volgende dag. Toen ze zich omdraaide, betrapte ze hem erop dat hij naar haar stond te kijken. Zijn ogen namen haar van top tot teen op. Toen hield hij haar blik lange tijd vast. 'Ik ben van u onder de indruk, mevrouw Dalton.' Hij liep naar de deur, maar stond ineens stil en sprak zijn volgende woorden direct tot haar hart. 'Meer dan u denkt.'

Toen hij die middag wegging, was ze van twee dingen overtuigd. Ten eerste, er ontwikkelde zich iets bijzonders tussen haar en de directeur, hoe ingewikkeld dat ook mocht zijn. En ten tweede, hij was geen homo.

De rest van het schooljaar bestond uit een reeks terloopse ontmoetingen en gesprekken tussen hen, die Elle geen van alle had gezocht. Eén keer had hij haar bijna gevraagd mee te gaan koffiedrinken, maar hij bedacht zich net op tijd. Aan het eind van het schooljaar riep hij haar bij zich in zijn kantoor.

'Mevrouw Dalton, er zijn een paar dingen die u moet weten.' Hij zat achter zijn bureau en hij leek gebroken. Het zelfvertrouwen waarmee hij gewoonlijk door de gangen van Pinewood wandelde, was volkomen verdwenen.

Haar hart sloeg een slag over en nam toen een vreemd ritme aan. Zou hij nu zijn diepste geheimen gaan blootgeven? Had de oude onderwijzeres in de leraarskamer die keer gelijk gehad over hem, ondanks alles wat ze gaandeweg was gaan geloven? Ze ging op het puntje van haar stoel zitten en vouwde haar handen. 'Goed.'

'Ten eerste.' Hij trok zijn das recht en keek naar de deur. Hij leek zo zenuwachtig dat ze medelijden met hem kreeg. 'Ten eerste neem ik mijn rol als directeur van deze school heel serieus. Het is altijd mijn bedoeling geweest om hier tien jaar te werken en dan naar het districtkantoor te verhuizen. Dat is mijn droom, en die droom zou ik voor niets ter wereld in gevaar willen brengen. Het onderwijs is mijn leven geweest sinds ik op de lerarenopleiding begon. Daardoor heb ik geen tijd gehad om persoonlijke zaken na te jagen.'

Elle had geen idee waar hij heen wilde. 'Aha,' zei ze, alleen omdat het goed leek om een soort antwoord te geven.

Hij liet zijn onderarmen op het bureau rusten en liet zijn schouders zakken. Zijn ogen ontmoetten de hare en hij keek gekweld. 'Ten tweede heb ik groeiende gevoelens voor u, mevrouw Dalton. Gevoelens die…' hij keek even naar de grond en toen weer naar haar, '… veel verder gaan dan mijn bewondering voor u als onderwijzeres.'

Ze zuchtte van verlichting en haar hart vond zijn normale ritme weer. Trace Canton was geen homo. Ze bleef naar hem kijken. 'Echt waar?'

'Ja.' Hij lachte en dat verlichtte veel van de spanning tussen hen. 'Nou.' Hij schudde zijn hoofd. 'Dat was een van de moeilijkste dingen die ik ooit heb gezegd.'

'Ik...' Ze was verlegen geworden nu zijn bedoelingen duidelijk waren. 'Ik vroeg het me wel af. Ik bedoel, ik denk dat ik hoopte dat u iets voor mij voelde.'

Zijn ogen straalden toen het tot hem doordrong wat ze zei. Maar even snel werd hij weer ernstig. 'De moeilijkheid is dat het heel ongepast zou zijn om u mee uit te vragen en om met elkaar om te gaan, gezien onze huidige werkrelatie.'

'Dat ben ik met u eens.' Haar handpalmen waren vochtig. 'Dat het personeel met elkaar uitgaat is tot daar aan toe. Maar u bent mijn baas.'

'Precies.' Hij schoof een document over zijn bureau. 'Kijk hier eens naar. Het is een verzoek om u te laten overplaatsen naar de Barrett basisschool vijf kilometer hiervandaan. Het is hetzelfde district, maar dan zouden wij...' Hij zweeg even en ze hoorde een trilling in zijn stem. 'Dan zou ik kunnen doen wat ik heb willen doen vanaf de eerste dag dat ik u ontmoette.'

Elle kon haar geluk niet op.

Vaak had ze haar moeder verteld over Trace, wat een vrolijke man hij was, hoe goed hij met kinderen omging, maar dat zijn privéleven een mysterie was. Maar nu was het mysterie opgelost. Trace was zo opgegaan in het onderwijs en was zo druk bezig geweest in zijn functie als basisschooldirecteur, dat hij geen tijd had gehad voor vrouwen. Geen wonder dat hij vrijgezel was.

De volgende dag nam Elle de overplaatsing aan en toen de zomervakantie begon, gingen Trace en zij samen uit eten. Die avond noemde hij haar voor het eerst bij haar voornaam toen hij het autoportier voor haar opende. 'Je ziet er prachtig uit, Elle.' Voordat ze instapte, keken ze elkaar in de ogen. 'Dat heb ik al vanaf september tegen je willen zeggen.'

De band tussen hen ontstond snel en met een hevigheid die haar duizelde. Natuurlijk hadden ze al negen maanden lang gedaan alsof ze niets voor elkaar voelden. Nu ze er uitdrukking aan konden geven, begon hun romance een eigen leven te leiden.

De hele zomer en tot in het volgende schooljaar waren ze onafscheidelijk. Ze trokken langs Pike's Peak en drie andere wandelpaden in de bergen om de Springs heen. Ze gingen een lang weekend skiën in Vale, en golfen bij het Broadmoor.

Ze waren het samen eens over het onderwerp reinheid. God zou hun relatie alleen zegenen als ze zouden wachten met seksueel contact. Op reis logeerden ze in aparte kamers en overwogen geen moment de grenzen te overschrijden.

'Hij is een volmaakte heer,' zei Elle die Kerst tegen haar moeder. 'Ik had nooit kunnen dromen dat ik zo'n man zou ontmoeten.'

Haar moeder luisterde, maar het duurde even voordat ze iets zei. 'Hij klinkt een beetje te mooi om waar te zijn.'

'Nee, hoor.' Elle wilde niet dat iemand iets zei wat een schaduw kon werpen over haar gevoel. 'Hij is een man van God, mam. Wat zou ik meer kunnen wensen?'

Op een middag gaf haar moeder duidelijkheid over haar zorgen. 'Hoe oud is hij?'

'Eenendertig.' Elle grinnikte. 'Acht jaar ouder dan ik, maar dat stoort ons niet. Hij zegt dat ik meestal volwassener ben dan hij.'

Haar moeder knikte nadenkend. 'Eenendertig en nog nooit verliefd geweest. Beetje ongewoon, vind je niet?'

'Nee.' Elle stak haar stekels op. 'Hij is bezig geweest met zijn opleiding en zijn werk. Dat is niet ongewoon, mam. Dat heet toewijding.'

Haar moeder liet het onderwerp varen en trok Elle teder tegen zich aan. 'Ik ben blij dat je gelukkig bent, lieverd. Je verdient het.'

Die oudejaarsavond kon Elle haar geluk niet op toen Trace

haar mee uit eten nam bij het Broadmoor, en zich na het diner, op een patio die uitkeek over het prachtig verlichte golfterrein, op één knie liet zakken en een fluwelen doosje uit zijn broekzak haalde. Zijn ogen waren vochtig toen hij onderzoekend in de hare keek. 'Trouw met me, Elle.'

'Trace... ja.' Ze bracht haar vingers naar haar lippen en nam het doosje aan. Er zat een ring in met één grote diamant omringd door kleinere diamantjes. Ze snakte naar adem en toen lagen ze in elkaars armen, kussend en lachend.

Hun verlovingsperiode ging in dezelfde stijl door, de ene verbazingwekkende dag na de andere. De plannen werden spoedig gemaakt en de trouwdag werd bepaald in mei. Elle en haar moeder gingen naar Denver en vonden een verbluffend mooie jurk, strak langs het lijfje met een wolk van schitterend wit waaruit de rok en de sleep bestond.

Er waren driehonderd mensen uitgenodigd; het personeel van beide basisscholen en de familie van beide kanten. Samen zochten ze de zaal uit waar ze de receptie zouden houden, natuurlijk bij het Broadmoor. Lachend slenterden ze door dure winkels om bruidslijsten samen te stellen voor nieuw servies en kristal en fijn porselein.

Tot een maand voor de bruiloft merkte Elle niet dat er iets mis was. Ze waren van plan om uit eten te gaan en een wandeling te maken, om over de trouwplannen te praten en de details van de receptie te bespreken. Maar een half uur voordat hij haar zou komen ophalen, belde Trace op. 'Eh, Elle... ik haal het niet vanavond. Er is iets tussen gekomen.'

Zijn gedrag bracht haar in verwarring, maar ze dacht dat het iets met de bruiloft te maken had. Misschien moest hij iets regelen voor de huwelijksreis. Of misschien was hij met een of andere verrassing bezig. Ze liet het voorval zonder commentaar voorbijgaan. Maar toen het later die week nog een keer gebeurde, begon ze de eerste rillingen van angst te voelen.

'Trace... is alles in orde? Met ons, bedoel ik.'

'Natuurlijk.' Zijn antwoord kwam snel, maar zijn toon was een beetje gedwongen. 'Maak je geen zorgen, Elle. Het heeft met mezelf te maken.'

Ze probeerde niet te lang over dat antwoord na te denken, maar zijn vreemde gedrag duurde voort tot in de volgende week en de week daarna. Uiteindelijk verscheen ze op een dag na schooltijd op Pinewood en beende naar de ontvangstruimte. Ze knikte naar de vrouw die nog achter de balie zat. Toen liep ze langs haar heen Trace' kantoor binnen.

'Zeg.' Hij zat aan de telefoon, maar toen hij haar zag gooide hij de hoorn erop en stond op. 'Je kunt hier niet zomaar onaangekondigd binnenlopen.'

'Het ging anders best.' Ze kon de emoties in zijn ogen niet duiden, maar die leken totaal niet op wat ze er eerder in had gezien. 'We moeten praten, Trace.' Ze deed de deur achter zich dicht. 'Het spijt me dat ik niet eerst gebeld heb. Maar ik kon niet wachten. Wat is er met je aan de hand?'

Hij liet zich achter zijn bureau neerzakken en bedekte zijn ogen met zijn vingers. Hij blies zijn adem uit alsof hij nog zat bij te komen van de schrik. Toen hij zijn handen liet zakken, stond zijn gezicht weer zoals zij het kende. 'Lieverd, ik heb toch gezegd dat het niets met jou te maken heeft.'

'Goed, waar heeft het dan mee te maken?' Er schoot een vlaag van paniek door haar heen. Ze had zin om tegen hem te schreeuwen. 'We gaan over tien dagen trouwen, Trace. En je kunt geen eetafspraak nakomen. Vind je dat niet vreemd?'

'Ik weet het.' Hij lachte zwakjes. 'Ik kan me voorstellen hoe dat overkomt.' Hij stak zijn hand naar haar uit.

Even reageerde ze niet. Ze was te boos. 'Ik kan zo niet leven. Dat je dingen voor me verzwijgt. Dat je geheimen hebt.' Ze keek de kamer rond alsof het antwoord tastbaar kon zijn. 'Wat het ook is, vertel het me.'

'Het spijt me.' Hij strekte zijn hand wat verder uit. Zijn gezicht stond nog steeds strak en zijn stem klonk nerveus. 'Elle, kom op, lieverd. Ik heb toch gezegd dat het niets met jou te maken heeft.'

Ze wilde het niet, maar ze pakte toch zijn hand. Wat voor schade er ook was aangericht, het gevoel van zijn vingers tegen de hare was nodig als ze de weg terug moesten vinden naar wat ze eerst hadden gehad. Ze vocht tegen haar tranen. 'Ik sta op het punt me voor mijn hele leven aan je te verbinden, Trace. Wat er ook aan de hand is, je moet er met me over praten.'

'Nee, Elle.' Er flitste iets kouds in zijn ogen, wat even vlug weer verdwenen was. 'Nee, Elle. Het was mijn probleem en ik heb ermee afgerekend. Gewoon nog wat overgebleven zaken uit mijn oude leven.' Hij glimlachte tegen haar, de glimlach waarmee hij haar voor zich had ingenomen. 'Het eenzame leven dat ik leidde voordat ik jou kende.'

Ze was niet tevreden met zijn antwoord, maar ze wist niet wat ze moest doen om hem op andere gedachten te brengen.

Eindelijk stond hij op en liep om zijn bureau heen naar haar toe. 'Sorry voor mijn reactie toen je binnenkwam.' Hij trok haar zachtjes overeind en nam haar in zijn armen. 'Ik heb veel aan mijn hoofd, Elle. Een van de nieuwe onderwijzers kan niet goed wennen en daardoor heb ik het erg druk gehad.' Hij kuste haar licht op de mond. 'Er is niets veranderd. Vertrouw me.'

Ondanks Trace' geruststelling bleef Elle argwaan houden, maar er was niets dat uitmaken rechtvaardigde. Ze hield van Trace, en het was toch alleen maar menselijk dat hij spanning voelde voor de ophanden zijnde bruiloft? In de week daarna werd hij gaandeweg weer als vanouds, hij maakte tijd voor haar en bracht de avonden door bij haar in de flat om de details van de bruiloft te bespreken.

De zaterdag van de plechtigheid brak aan met dikke wolken. Achteraf had Elle het als een voorteken moeten zien. Zeker omdat het weerbericht niets dan zon had voorspeld. Daisy en haar moeder waren in de stad, ze logeerden bij haar in de flat, en haar twee andere zussen zaten in een hotel in de buurt. Die ochtend kwamen ze vroeg met z'n vijven bij elkaar en bemoeiden zich met elkaars haar en make-up. Om half elf waren ze eindelijk klaar om weg te gaan. De trouwerij was gepland om elf uur en het was maar tien minuten rijden naar de kerk.

Een vriendin van school kende iemand met een limousineservice en er was geregeld dat ze er een gratis kregen voor Elles en Trace' grote dag. De limo vervoerde hen naar de kerk en ze arriveerden een kwartier te vroeg. Er waren al een heleboel gasten, maar de dominee ontving hen in de consistorie. 'Heb je iets gehoord van de bruidegom?'

Angst viel als een donkere schaduw over Elles volmaakte ochtend. 'Hij komt alleen. Hij heeft hier afgesproken met de bruidsjonkers.'

'Goed.' De dominee keek op zijn horloge. 'Is hij gewoonlijk punctueel?'

Elle ving haar moeders zenuwachtige blik op. Ze schraapte haar keel en trok haar sluier recht. Wat kon ze zeggen? Trace was een van de meest punctuele mensen die ze kende. Ze glimlachte. 'Meestal wel. Maar als we op hem moeten wachten, dan wachten we.'

'Absoluut.' Hij glimlachte. 'Tot over een paar minuten.'

Elles ingewanden raakten in de knoop. Ze kon haar moeder niet aankijken, kon zich de onpeilbare gedachten in haar hoofd niet indenken. In plaats daarvan wendde ze zich tot Daisy. 'Vind je het spannend allemaal?'

'Ik wil graag dansen.' Daisy glimlachte. Ze kwam naar Elle toe en nam haar van top tot teen op. 'Je lijkt wel een engel, Elle. Een mooie engel.'

'Dank je wel, Daisy. Dat is lief van je.' Ze kuste haar zusje op de wang. 'Jij ziet er ook uit als een engel.'

De jurken van de bruidsmeisjes waren rood. Daisy keek omlaag en trok haar rok recht. Toen wierp ze Elle een vragende blik toe. 'Misschien lijk ik op Minnie Mouse.'

Elle lachte, en een ogenblik werd ze niet bevangen door twijfel. 'Ja, Daisy. Je lijkt op Minnie.'

De minuten verstreken pijnlijk langzaam. Toen het bijna vijf voor elf was, posteerde Elle zich voor het raam. Haar zussen waren naar de hal gegaan om zich te mengen onder de gasten. Alleen haar moeder was bij haar gebleven. 'Ga maar, mam. Alsjeblieft? Ga kijken of hij er is.'

Haar moeder zei niets. Haar bleke gezicht zei genoeg. Om precies elf uur kwam ze terug en schudde haar hoofd. 'Heeft hij een mobiele telefoon?'

'Ja.' Ze was geschokt en beefde van top tot teen. Ze hoorde haar sluier ritselen door het beven van haar schouders. Ze groef in haar tasje en bedacht toen pas dat ze haar telefoon op de trilstand had gezet. Toen ze hem openklapte, zag ze dat ze vier gemiste oproepen had.

In paniek bekeek ze ze. Allemaal van Trace. Haar hoofd tolde en ze kon zich amper concentreren. Ze ging op de rand van een bureaustoel zitten en hield haar hoofd naar beneden om het bloed naar haar hoofd te laten stromen en niet flauw te vallen.

'Elle... wat is er?' Haar moeder knielde naast haar neer en legde haar hand op haar schouder. 'Zeg het, lieverd.'

'Trace.' Ze tilde haar hoofd op. 'Hij heeft vier keer gebeld.'

'Goed dan.' Haar moeder knikte naar de telefoon. 'Bel hem terug. Hij is waarschijnlijk gewoon te laat.'

Elle kon het draaien in haar hoofd niet stoppen. Te laat? Ze klampte zich vast aan het idee. Ja, dat moest het zijn. Hij zat vast in het verkeer of hij had autopech of er was een leiding geknapt onder zijn gootsteen. Of misschien was hij gestopt om iemand te helpen die in de problemen zat. Er moest een reden zijn. Hij kon haar niet laten zitten. Dat kon niet!

Ze probeerde te slikken, maar haar keel was te droog. Ze pakte haar mobiel op, maar ze trilde te erg om zijn nummer te kunnen kiezen. 'Hier.' Ze overhandigde hem aan haar moeder. 'Bel hem alsjeblieft voor me.'

Haar moeder keek even angstig als zijzelf. Ze pakte de telefoon aan en zocht in de gemiste oproepen. Toen koos ze zijn nummer. Na een paar seconden gaf ze hem terug. 'Hij gaat over.'

Bij de derde toon nam Trace op. Meteen hoorde ze dat hij huilde. 'Elle… het spijt me, lieverd. Het spijt me zo.' Ieder woord was een nieuwe snik.

Haar hart bonsde zo hard dat ze zeker wist dat het uit haar borst zou knallen om er helemaal mee op te houden. Ze klemde de telefoon in haar hand en liep naar het raam. 'Zeg het, Trace. Wat is er gebeurd? Heb je een ongeluk gehad?'

'Nee.' Ze had hem nog nooit zo radeloos gehoord. 'Ik kan het niet, Elle. Ik kan niet met je trouwen.' Hij kermde. 'God, waarom voel ik me zo? Waarom gebeurt dit?'

Ze zag nu zwarte vlekken voor haar ogen. Bad hij? En waarom nu, waarom twijfelde hij precies op het tijdstip dat ze hun geloften zouden afleggen? 'Trace…' Ze zocht steun bij de vensterbank en deed haar ogen dicht. 'Ik… ik begrijp het niet.'

'Ik heb er mijn hele leven tegen gevochten, Elle.' Hij hield lang genoeg op met huilen om een verklaring te geven. Maar zijn woorden waren doorspekt met zachte snikken. 'Ik hou van iemand anders. Ook een onderwijzer. Ik heb geprobeerd… ik heb geprobeerd hem los te laten, maar ik kon het niet.'

Elle haalde oppervlakkig adem en ze probeerde uit alle macht te begrijpen wat hij net had gezegd. '*Hem?* Ben je… ben je verliefd op een man?'

Aan de andere kant van de kamer liet haar moeder zich in een stoel vallen. 'O, nee… nee.'

Trace praatte door. 'Mijn hele leven heb ik moeten kiezen tussen God en Zijn goedheid, of het verlangen van mijn hart.' Hij uitte een kreet die door haar heen sneed. 'Ik kan je niet voor eeuwig trouw beloven terwijl... terwijl ik uitkijk naar iedere kans om bij hem te zijn. O, Elle... het spijt me zo.'

Dit kon niet waar zijn. De enige manier waarop Elle haar longen nog kon vullen om niet flauw te vallen of een hartaanval te krijgen, was door zichzelf ervan te overtuigen dat het allemaal een leugen was. Het was onmogelijk. Trace Canton, haar enige ware liefde, liet haar niet staan voor het altaar voor een man. Geen sprake van.

Ze liet de schok door haar lijf, haar hart en haar ziel doorwerken. Hij praatte door over hulpverlening en Gods wil, toen ze hem onderbrak. 'Ik moet ophangen, Trace.' Haar stem was koud en gevoelloos. 'De groeten.'

Haar telefoon voelde als een stuk brandend kool. Ze klapte hem dicht en liet hem in dezelfde beweging vallen. Toen wendde ze zich tot haar moeder, maar de woorden wilden niet komen. Niet dat ze woorden nodig had. Alles wat gezegd kon worden, was al gezegd. Ook haar moeder leek op het punt te staan om flauw te vallen. In haar jeugd was Elle de sterke dochter geweest, degene die haar moeder over de rug wreef als de taak vier dochters op te voeden zonder hulp van een echtgenoot haar te veel werd.

Elle was de dochter die de verantwoordelijkheid nam voor Daisy, haar hielp in de keuken en haar voorlas als hun moeder het te druk had met de andere meisjes, en zij was uiteraard degene die het onderwijs in was gegaan. Maar nu er driehonderd bruiloftsgasten zaten te wachten in de kerkzaal aan de andere kant van de gang, kon Elle geen stap meer verzetten.

Haar moeder begreep het. Want ze stond op en haalde diep adem. 'Ik ga met ze praten. Ik zal zeggen dat de plannen veranderd zijn.'

De schok daverde nog steeds door haar heen, maar Elle had nooit méér van haar moeder gehouden dan op dat moment. Een uur later, toen de bruiloftsgasten allang weg waren en ze met haar moeder en zussen had gehuild tot ze geen tranen meer over hadden, gingen ze terug naar Elles flat.

Ze bleef de zomer bij haar moeder en Daisy en wilde niet praten over Trace en de rampzalige trouwdag. In juli kreeg ze een brief van hem. Hij had ontslag genomen als directeur van Pinewood en was naar Los Angeles verhuisd. Hij was nog steeds op zoek naar de wil van God en vroeg haar voor hem te bidden.

Een jaar later, op de dag dat ze één jaar getrouwd zouden zijn geweest, haalde ze de brief tevoorschijn en besefte dat God haar hart had genezen, hoewel het elke dag een strijd was geweest om uit bed te komen. Want op die dag, terwijl de tranen over haar gezicht stroomden, deed ze wat ze tot op dat moment niet had kunnen doen.

Ze bad voor Trace Canton.

En toen vouwde ze de brief op en stopte hem in een doos, bij de uitnodigingen, de servetten en het receptieboek dat nooit was gebruikt.

Mensen die haar goed kenden zeiden dingen die bedoeld waren om haar op te beuren. 'Wees blij dat je er nu achter bent gekomen, Elle. Beter dan wanneer je met hem getrouwd was en hij je over drie jaar had verlaten.' Of: 'Je bent niet de eerste die voor het altaar in de steek is gelaten. Het heeft niets met jou te maken, Elle. Het was zijn probleem, en het is zijn verlies.'

De waarheid over de reden dat hij haar in de steek had gelaten kwam nooit helemaal boven tafel, hoewel het gefluister in de leraarskamer op Barrett maar een fractie moest zijn geweest van wat het was op Pinewood. Mensen praatten, en ze nam aan dat ze het wisten. Maar niemand zei er ooit een woord over tegen haar.

Niemand anders dan haar moeder en haar zussen. Een week na de afgebroken trouwdag zei haar moeder op een avond: 'Het is nu eenmaal zo dat we allemaal worstelen met zonde, en we moeten allemaal keuzes maken in ons leven.' Ze streek over Elles haar. 'Laat dit niets veranderen aan je zelfbeeld, Elle, en ga niet anders denken over liefde. Alsjeblieft, meisje.'

Maar er was niets wat haar moeder kon zeggen of doen om de schade ongedaan te maken. Want vanaf het moment dat Trace haar op die dag door de telefoon uitleg had gegeven, vanaf het moment dat ze onbedaarlijk huilend uit haar trouwjurk was gestapt, was ze overtuigd geraakt van één ding.

De liefde was een leugen.

En ze wilde er de rest van haar leven niets meer mee te maken hebben.

Dat was haar stellige voornemen. Ze kon wel houden van haar moeder en haar zussen. En in de twee jaar daarna stortte ze zich op het halen van haar doctoraal in het speciaal onderwijs, zodat ze Daisy aan een beter leven kon helpen.

Maar nooit meer zou ze haar hart openstellen voor een man.

Snoopy en zij maakten twee hele rondjes om het park en Snoopy begon weer te janken. Hij vond het niet leuk om meer dan twee rondjes te lopen, zo vlak voor etenstijd. Ze stond stil bij een bank en hij ging op de grond naast haar liggen, met zijn warme lijfje tegen haar enkels gedrukt.

Nu en dan, als ze zich bijzonder dicht bij God voelde, stond ze zichzelf toe te denken dat als de liefde op een dag in de verre toekomst door de deur van haar hart naar binnen kwam stormen, ze het niet zou tegenhouden. Ze ging er niet achteraan, maar ze zou het ook niet weerstaan als God een plan voor haar had om de liefde weer te vinden. Ze dacht aan de afgelopen dagen, en de bezoeker die haar in haar klaslokaal en in haar gedachten had achtervolgd. Ja, God kon weer liefde in haar leven brengen. Maar niet in de vorm van een getrouwde man. Het laatste wat ze zichzelf ooit mocht toestaan, was gevoelens krijgen voor Cody Gunner. Want de eerste keer dat haar hart was gebroken, had ze nog het geluk gehad levend te kunnen ontsnappen. Elle twijfelde er niet aan dat de volgende keer haar niet slechts een paar jaar achterop zou brengen.

Ze zou het niet overleven.

hoofdstuk dertien

Cody was van plan geweest vóór de excursie van vrijdag een besluit te nemen over het verblijf van zijn broer op het centrum. Maar hoe dichter vrijdag naderde, hoe meer zin hij kreeg om mee te gaan met Elle en haar klas. Hij vond het prachtig om te zien hoe de leerlingen haar aan het hart gingen en hoe ze met hen omging.

Of misschien vond hij haarzelf gewoon prachtig om te zien.

Wat het ook was, hij wilde haar blijven zien. De dagen met Carl Joseph in het centrum hadden hem de afleiding bezorgd waarnaar hij op zoek was geweest. Al was hij niet op zoek geweest naar een meisje met hazelnootbruine ogen.

Nadat hij haar die week elke dag had gadegeslagen bij haar werk met de jonge volwassenen, kon hij niet ontkennen dat ze hen overduidelijk hielp. Zelfs als iemand met het syndroom van Down zijn hele leven thuis in een veilige, liefdevolle omgeving bleef wonen, kon het geen kwaad dat hij kon koken en netjes eten, kon winkelen met een budget en met het openbaar vervoer kon gaan.

Elle Dalton was verrassend toegewijd aan haar leerlingen. Hij had haar de hele week bestudeerd en geprobeerd langs haar schoonheid heen te kijken. Wat haar ook dreef, het was geen tijdelijke prikkel. Ze wilde per se het leven van gehandicapte mensen veranderen, en dat deed ze alsof dat het enige doel in haar leven was.

Donderdag na school trof hij haar weer in de leraarskamer. De meeste leerlingen waren al weg, maar Daisy en Carl Joseph waren buiten aan het ballen. Ze was kopieën aan het maken, waarschijnlijk van de busroute. 'Meneer Gunner, fijn dat u me deze keer niet aan het schrikken maakt.'

'Graag gedaan.' Hij glimlachte, maar deed zijn best om zakelijk te blijven. 'Hoor es, mevrouw Dalton, over de excursie van morgen. Ik vroeg me af of ik soms mee zou mogen. Als het niet te lastig is.'

Elle zette haar handen in haar zij. Ze keek hem een ogenblik onderzoekend aan voordat ze antwoordde: 'U hebt al een besluit genomen over mij.' Ze gebaarde om zich heen. 'En over het werk dat ik hier doe in het centrum.' Ze was niet boos, ze wees hem alleen op wat volgens haar kennelijk een feit was. 'Waarom wilt u met ons mee?'

Hij wilde zijn blik afwenden, maar het ging niet. Zo veel effect had ze op hem. 'Omdat ik eerlijk gezegd onder de indruk ben van uw werk hier. U geeft de deelnemers vaardigheden die ze anders niet zouden hebben.'

Ze trok een wenkbrauw op. 'Echt? Heb ik u zo makkelijk op andere gedachten gebracht?' Er klonk iets plagerigs in haar stem.

Hij glimlachte. 'U hebt me niet op andere gedachten gebracht over mensen als Carl Joseph die de wereld in zouden moeten om zichzelf maar te redden. Maar uw werk, uw passie voor deze mensen, is iets geweldigs. Iets heel geweldigs.'

'Dank u.' Ze keek naar de grond. Haar wangen werden rood en ze draaide zich om naar de kopieermachine om op een paar knoppen te drukken. Toen ze weer sprak, was ze moeilijk te verstaan. 'U mag met ons mee, meneer Gunner.' Ze keek hem nog eens aan. Nu was haar gezichtsuitdrukking weer zakelijk. 'Maar ik neem die excursies heel serieus, en de leerlingen ook.'

'Dat weet ik.' Hij vond het vreselijk dat ze zo over hem dacht, dat ze hem zo'n zwartkijker vond. Misschien moest hij daarom langer met haar optrekken. Niet om op andere gedachten te komen over het doel van het centrum, maar zodat *zij* op andere gedachten kwam over hem. 'Zoals in die broodjeszaak… dat zal niet meer gebeuren.'

Ze kneep haar ogen half dicht. 'Weet u waar we morgen heen gaan?'

'Naar een dansles in de binnenstad?'

'Een dansles en dan naar een oude kerk. Een van de oudste van Colorado Springs. Er is vrijdagsmiddags een dienst.'

Cody spande zijn kaakspieren. Sinds de dood van Ali had hij het moeilijk met zijn geloof. Ali's geloof kon bergen verzetten, maar het had haar uiteindelijk niet geholpen. Na haar dood waren er momenten geweest dat hij niets te maken wilde hebben met Ali's geloof. En andere keren was hij Ali's God onuitsprekelijk dankbaar voor de tijd die ze samen hadden gekregen.

Maar in de afgelopen jaren was hij ervan afgeweken zelfs maar na te denken over het geloof. Vóór Ali had het geen deel van zijn leven uitgemaakt en het had eerlijk gezegd weinig geholpen om te geloven dat er een hogere macht was. Een Opperwezen dat het doen en laten van Zijn mensen gadesloeg en hielp als Hij werd aangeroepen. Cody sloeg zijn armen over elkaar. 'Carl Joseph is nog nooit naar de kerk geweest. Wij zijn thuis niet gelovig.'

'Dat weet ik,' zei ze onaangedaan. 'Ik heb met alle deelnemers afzonderlijk gesproken. Ze willen allemaal gaan.'

'Omdat bidden een levensvaardigheid is.' Het was geen vraag. Gedurende de week had hij keer op keer gehoord dat Elle hen herinnerde aan het belang van bidden.

Elle haalde diep adem. 'Ja, meneer Gunner. Omdat bidden een levensvaardigheid is.' Ze keek hem onderzoekend aan. 'Hebt u soms iets tegen God? Wilt u Carl Joseph ervan weerhouden naar de kerk te gaan?'

'Nee.' Hij haalde zijn schouders op. 'Ik heb gewoon niet veel bewijs voor het bestaan van God gezien, meer niet. Als u met uw deelnemers naar de kerk wilt, zal ik u niet tegenhouden.'

'En u gaat niet zachtjes zitten fluisteren of boze blikken op de dominee werpen, uw ogen ten hemel slaan, dat soort dingen?' De plagerij klonk weer door in haar stem.

Hij begon Elle Dalton te begrijpen, de uiterlijke Elle tenminste. Ze verstopte zich achter een laag beroepsmatigheid en mild sarcasme. Dat begreep hij. Maar in de tijd die hij met haar had doorgebracht, had hij de echte Elle niets beter leren kennen. Niet in het minst. Hij overwoog haar vraag. 'Ik ga achterin zitten. U zult niet merken dat ik er ben.' Hij hield zijn hoofd schuin. 'Wie weet leer ik zelfs iets.'

'Goed dan.' Ze liep naar een archieflade en haalde er een vel papier uit. 'We komen een uur eerder dan anders hier bij elkaar.' Ze overhandigde hem het papier. 'Hier staan de gegevens op.'

Hij bedankte haar en liep naar de deur, waar hij zich naar haar omdraaide. 'Wat hebt u er voor belang bij, mevrouw Dalton? Daar kan ik niet achter komen.'

'Mijn belang?'

'Ja.' Dit keer was hij niet op strijd uit. Hij was gewoon nieuwsgierig. Als hij haar drijfveren begreep, kon hij de redenen in ogenschouw nemen waarom ze iemand als Carl Joseph op zichzelf wilde laten wonen. Hij keek haar in de ogen. 'Waarom is het niet genoeg dat mensen met het syndroom van Down thuis wonen bij hun ouders, veilig en geliefd en verzorgd?'

Ze antwoordde hartstochtelijk. 'Omdat mensen met het syndroom van Down dromen en hoop hebben, meneer Gunner. Wist u dat? Ze bekijken tijdschriften, ze kijken tv, en ze zien zichzelf als het ware in een pak op weg gaan naar hun werk. Ze zien stelletjes hand in hand lopen en kussen, en ze dromen ervan die liefde te leren kennen.'

Ondanks zijn vastberadenheid om neutraal te blijven, voelde Cody dat hij rimpels in zijn voorhoofd trok. 'Willen ze trouwen?'

'Ja.' Ze leunde tegen het aanrecht. 'Voordat ik deze baan aannam, heb ik een getrouwd stel met het syndroom van Down gesproken. Ze hadden twee keer in de week hulp van familie, maar ze redden het prima op zichzelf. Terwijl ze toch met een reeks gezondheidsproblemen te kampen hadden.' Ze keek hem strak aan en zei gedreven: 'Weet u hoelang die twee mensen hebben gewacht op toestemming om te trouwen?' Ze wachtte zijn antwoord niet af. 'Twintig jaar, meneer Gunner. Omdat mensen zoals u en ik hun het recht bleven ontzeggen om samen te zijn.'

'Het is net zoiets als basisschoolkinderen die gaan trouwen.'

'Nee, dat is niet zo.' Ze sloeg haar armen over elkaar. 'Het syndroom van Down maakt een mens minder bekwaam in zijn denken, maar niet emotioneel. Ze worden toch op dezelfde leeftijd volwassen.'

'Wilt u zeggen dat Carl Joseph de gevoelens en verlangens heeft van elke andere vent van vierentwintig?' Cody lachte kort en dat drukte uit dat hij het een belachelijk idee vond. Hij had er nooit over nagedacht. Carl Joseph was een kind en hij zou altijd een kind blijven.

'Dat klopt precies.' Op dat moment kon Cody maar aan één persoon denken. Zijn geliefde Ali. Was dat ook niet haar filosofie? Mensen moesten elke dag voor het leven kiezen als ze echt wilden leven. Hij duwde het beeld van haar weg en deed nog een stap in de richting van de deur. 'We zullen er morgenochtend zijn, mevrouw Dalton. Dank u.'

Hij verliet de personeelsruimte en liep door het hoofdgedeelte van het centrum. Hij stapte naar buiten en zag dat Gus weg was. Alleen Carl Joseph en Daisy stonden nog op het plein, en geen van beiden hoorden ze hem aankomen. Hij bleef bij de deur staan en keek zwijgend naar hen.

Ze zongen zo hard als ze konden, al duurde het even voordat Cody hen verstond. En toen hij het verstond, werd hij getroffen door de eenvoud van het moment. Daisy danste een soort walsje en Carl Joseph probeerde haar te volgen. Samen zongen ze: 'M–I–C… K–E–Y… M–O–U–S–E!'

Er roerde zich iets in Cody's hart. Op ditzelfde moment was Carl Joseph in gevaar. Hij kon elk ogenblik een toeval krijgen, hoewel het niet meer was gebeurd sinds Cody thuis was gekomen. Hij had nieuwe medicijnen, maar het risico bleef bestaan. Dat had de dokter gisteren tegen zijn ouders gezegd toen ze met Carl Joseph bij hem waren. De dokter was duidelijk geweest.

Carl Josephs toestand was onstabiel. Van zelfstandig wonen was geen sprake, tenzij zijn gezondheid verbeterde.

Kijkend naar zijn broer werd Cody overspoeld door een golf van verdriet. Carl Joseph legde zijn handen om Daisy's middel en ze walsten samen op een wijsje dat Daisy neuriede. Wat de toekomst ook brengen zou, hij hoopte dat Carl Joseph zijn vriendschap met Daisy kon voortzetten.

Omwille van allebei.

'Dansen met jou is leuk, Daisy. Want je bent de beste danser van Disneyland!' Carl Joseph grijnsde breed.

Er was regen voorspeld en Carl Joseph keek almaar omhoog naar de wolken. Cody wilde zijn jongere broer graag beschermen. De laatste tijd had Carl Joseph een obsessie voor wolken, met gefronst voorhoofd staarde hij ernaar alsof er een tornado was voorspeld, terwijl er alleen een laagje stapelwolken langs de hemel dreef.

Dat was nou net iets wat hem tot een gevaar voor zichzelf

zou maken als hij in zijn eentje in de wereld stond. Hij zou over straat kunnen lopen en afgeleid worden door de lucht. Dan kon hij zomaar van de stoep af raken en voor een bus terecht komen.

Carl Joseph en Daisy waren aan een nieuw spel begonnen. Ze deden een ander soort dansje, en afgezien van Carl Josephs lompe onbeholpenheid leek het of ze een regelmatig patroon volgden.

Dat moest door Daisy's toedoen zijn. Ze was kennelijk net zo ingenomen met Carl Joseph als hij met haar. Zij wakkerde natuurlijk zijn nieuwe belangstelling voor het geloof aan, aangezien ze al langer in het centrum zat dan hij.

Er blies een windvlaag over het plein en de eerste regendruppels begonnen te vallen. In de verte rommelde de donder galmend door het dal. Ineens begon Daisy hard te huilen. Ze sloeg haar handen voor haar gezicht en draaide in paniek in een klein kringetje rond. Op hetzelfde moment kwam Carl Joseph in actie. Hij trok zijn jack uit, legde het om haar schouders en fluisterde iets in haar oor. Toen leidde hij haar met snelle, krampachtige stappen naar een klein cementen bankje onder de bomen.

Cody keek gebiologeerd toe. Toen ze op droog gebied waren, begon Daisy met snelle en dwangmatige bewegingen de regendruppels van haar armen en benen en gezicht te vegen. Als Cody niet beter wist, zou hij denken dat de regendruppels brandden op haar huid. Hij kwam dichterbij, maar voordat hij zijn aanwezigheid bekend kon maken, zag hij dat Carl Joseph zijn arm om haar schouders sloeg en haar teder en voorzichtig wiegde.

Cody was zo dichtbij dat hij kon horen wat ze zeiden, al waren ze te zeer afgeleid om hem op te merken. Carl Joseph bleef haar wiegen. 'Het is goed, Daisy. De regen doet je geen kwaad, hoor.'

Ze keek op, verlamd van angst. 'Ik kan smelten.'

'Nee, Daisy. Dat was de boze heks uit het westen. Jij bent geen heks en… en je bent geen boze heks. Jij bent Minnie Mouse.'

Er verscheen een lachje in haar ogen. 'En jij bent Mickey.'

'Precies.' Hij lachte hard, de lach die iedereen die het hoorde duidelijk zou maken dat hij niet was zoals andere mensen. 'Precies, Daisy. Ik ben Mickey. Mickey Mouse.' Hij wees naar haar en keek haar met stralende ogen aan. 'En ik schrijf je een brief. Dan kan ik je ontvangen in Disneyland.'

Even lichtten ook Daisy's ogen op. Maar het begon harder te regenen en daar keek ze naar. Haar gezicht werd vervuld met ontzetting. 'Maar de regen…' Ze begon te huilen. Ze drukte haar voorhoofd tegen Carl Josephs schouder. 'Hou me droog, CJ. Goed? Hou me droog.'

Het tafereel verbijsterde Cody. Met een dikke keel zag hij het afspelen. Dus daarom was Carl Joseph geobsedeerd door wolken. Omdat hij gedreven was om Daisy te beschermen tegen haar kennelijke angst voor de regen. Zijn hart zwol in zijn borst. De vriendschap tussen de twee was pijnlijk oprecht.

Hij hoestte zacht om hen niet aan het schrikken te maken. 'Vriend… het is tijd om naar huis te gaan.'

Carl Joseph keek hem boos aan, zoals hij Cody nog nooit in zijn leven had aangekeken. 'Nog niet.' Hij verstrakte zijn greep om Daisy's schouders. 'Niet als het regent.' Hij wees naar het natte wegdek. 'Niet nu.'

'Goed.' Cody wist niet wat hij vervolgens moest doen. Achter zich hoorde hij een geluid en hij draaide zich om. Elle was aan het afsluiten en toen ze buiten kwam, begreep ze wat er aan de hand was. 'Carl Joseph, heb jij Daisy weer geholpen?' Ze glimlachte naar de twee en liep op hen toe. Onderweg wierp ze een blik op Cody en haar ogen zeiden hem hoezeer Carl Josephs vertoon van vriendschap ook haar geraakt had.

Toen ze bij Daisy kwam, legde ze haar hand op de schouder van de jonge vrouw. 'Gaat het?'

'CJ houdt me droog.' Ze keek op, maar maakte geen aanstalten om in beweging te komen.

'Carl Joseph moet met zijn broer mee naar huis.' Elle hield haar hoofd schuin. 'Ik zal zorgen dat je niet nat wordt, goed?'

Carl Joseph hief zijn ogen op naar Elle en keek toen Cody weer aan. Hij stond op, met zijn hand nog op Daisy's rug. Even leek hij niet in staat zich uit te drukken. Dat overkwam hem vaak, en dan stopte hij soms zijn gezicht in zijn handen en nam zijn toevlucht tot een licht wiegende beweging.

Nu niet.

Nu zijn opties beperkt waren, keek Carl Joseph om zich heen en kreeg hij het afdak bij de hoofdingang in het oog. Hij trok zijn jack weer om Daisy's schouder en over haar hoofd. 'Kom, Daisy. Ren met me mee.'

Haar lege gezichtsuitdrukking maakte duidelijk dat ze niet wist waar Carl Joseph haar mee naartoe nam of waarom ze moesten rennen. Maar ze vertrouwde hem. Want ze boog haar hoofd en met snelle stappen renden ze samen over het regenachtige plein naar het afdak.

Daar haalde Carl Joseph zijn jack van Daisy's schouders. Cody kon amper horen wat hij zei. 'Broer wil gaan.'

Daisy glimlachte naar Carl Joseph, maar wierp Cody een boze blik toe. 'Ik wil dat je blijft.'

'Ik ook.' Hij stond recht voor haar en gaf klopjes op haar schouders. 'Bij juf blijf je droog.'

'Oké.' Daisy likte haar onderlip. 'Je moet morgen komen, hoor CJ.'

'Ja, ik kom.' Hij trok haar tegen zich aan en even klampten ze zich aan elkaar vast alsof ze nooit meer los wilden laten.

Cody keek vol ontzag toe. Hij zag nauwelijks dat Elle naast hem kwam staan. 'Ziet u?' vroeg ze vriendelijk. 'Carl Joseph wil niet dat u beslissingen voor hem neemt. Merkt u dat niet?'

'Ja.' Cody hield zijn ogen op zijn broer gericht. 'Ik merk het.' Maar op dat moment voelde hij Elles nabijheid nog meer. De zachtheid in haar stem en de subtiele geur van haar haren. Hij probeerde zich te concentreren. 'Heeft Daisy vervoer?'

'Ik neem haar mee.'

'O.' Hij had gevoeld dat Elle meer genegenheid voor Daisy voelde dan voor de andere leerlingen. Dat was best, misschien had Daisy geen ander vervoer naar het centrum. Hij tikte aan een onzichtbare hoed. 'Tot morgen.'

In de auto op weg naar huis keek Cody naar zijn broer. 'Is Daisy bang voor de regen?'

'Ja.' Carl Joseph was chagrijnig. Zijn korte antwoord was geladen met humeurigheid.

'Waarom is ze bang?' Cody richtte zijn aandacht weer op de weg. Hij probeerde een opgewekte, nonchalante toon te bewaren.

Carl Joseph zuchtte luidruchtig en wierp Cody een ongeduldige blik toe. 'Ze is de boze heks van het westen niet. Ze is Minnie Mouse. En Minnie Mouse smelt niet in de regen.'

'O.' Cody knipperde met zijn ogen. Hij deed nog één poging. 'Dus ze is bang dat ze smelt, vriend. Is dat het?'

'Ja.' Carl Joseph hief zijn handen op en liet ze in zijn schoot vallen. 'Ik hou haar droog, oké?'

'Oké.' De rest van de rit bleven ze zwijgen.

Pas toen ze de oprit in draaiden, voelde Cody dat Carl Joseph enigszins was afgekoeld. 'Gaat het weer, vriend?'

'Ja, het gaat.' Hij gaf Cody klopjes op zijn knie. 'Sorry, broer. Sorry dat ik boos was. We wilden nog dansen, oké?'

'Daisy en jij?'

'Ja.' Hij glimlachte, nog steeds een beetje bedrukt. 'Minnie Mouse en ik.'

Die avond kon Carl Joseph niet ophouden met praten over

de excursie. Ze zouden dansles krijgen van een echte danslerares. Dus misschien kan ik de Lindy Hop leren,' zei hij na het eten tegen zijn ouders. Hij huppelde lachend om de tafel. 'Hop … hop … hop!'

Cody's ouders hadden geen van beiden meer met hem over het centrum gesproken sinds hij er aan het begin van de week met Carl Joseph heen was gegaan. Maar nu ving zijn moeder zijn blik en de bezorgdheid in haar ogen maakte Cody duidelijk dat ze na hun laatste gesprek over de situatie had gepiekerd. 'Ga je mee met de excursie?'

'Broer wil dansen!' Carl Josephs stemming was aanmerkelijk beter dan onderweg naar huis in de auto. Breed grijnzend danste hij langs Cody heen. 'Hè, broer?'

'Dansen en naar de kerk.' Met een zogenaamd vrolijk gebaar hief hij een vork vol aardappelpuree. 'Interessant, hoor.'

Carl Joseph stond abrupt stil. Zijn lach stierf weg. 'Maar je vindt het toch leuk om mee te gaan, broer? Je bent toch niet boos, zoals bij de vorige excursie?'

Hij dacht aan Elles verzoek. Hij kreeg meteen spijt en sloeg een andere toon aan. 'Ja vriend, ik vind het erg leuk.' Hij stak zijn hand uit, al zijn sarcasme was verdwenen. Carl Joseph pakte zijn vingers. 'Het wordt een heel leuke excursie.'

Hij bleef nog even twijfelen. Toen lachte Carl Joseph weer, met zijn mond zoals gewoonlijk wijdopen. Hij duwde zijn bril omhoog op zijn neus. 'Jippie! Excursie is leuk!'

De rest van die avond en de volgende morgen toen ze stilstonden voor het centrum, werd Cody geplaagd door angst. Stel dat Carl Joseph vandaag een toeval kreeg? Hij zou kunnen vallen en gewond raken en… de akeligste taferelen speelden razendsnel door zijn hoofd. Hij mocht Carl Joseph, zijn vriend, niet kwijtraken, nadat hij Ali al verloren had. Dat zou hij niet overleven.

Hij kon alleen maar hopen dat Carl Josephs medicijnen juist vandaag hun werk goed zouden doen.

hoofdstuk veertien

Cody hield zijn gedachten voor zich terwijl de groep in het centrum stond te wachten. Toen iedereen er was, nam Elle vooraan haar plaats in. 'Kent iedereen de busroute nog?'

Iedereen begon door elkaar te praten. Elle stak haar hand op. Haar geduld scheen geen grenzen te kennen. 'Eén tegelijk.'

Daisy stak haar hand op. 'Ik, juf.'

'Laten we het aan iemand anders vragen. We weten allemaal dat Daisy de busroutes kent.' Ze lachte naar Daisy. 'Gus, vertel jij ons eens hoe de busroute vandaag loopt.'

'Eh…' Gus haalde een vel kreukelig papier uit zijn zak en vouwde het open. Hij draaide het om en om en begon te haperen.

Cody wachtte met opgetrokken wenkbrauwen.

Eindelijk keek Gus naar Elle. 'Lopen naar Adler Street. De bus naar het westen nemen langs vier haltes naar Cheyenne Street. Uitstappen.' Hij keek naar het plafond en tikte met een vinger tegen zijn slaap. Hij keek weer naar zijn papier en ineens zette hij grote ogen op. 'Ik weet het. De oranje bus naar het zuiden nemen naar Pine Street. Uitstappen en de bus nemen naar Main Street.' Zijn mond hing open en hij keek haar strak aan zonder te knipperen. 'Ja, juf?'

'Ja.' Elle straalde. 'Helemaal goed.'

Daarop verzamelde iedereen zijn spullen en de groep verliet het centrum om naar Adler Street te lopen. Cody bleef een beetje achter om toe te kijken. Nu en dan minderde een langsrijdende auto vaart. Cody had zin om de bestuurder toe te roepen dat hij door moest rijden en niet moest staren. Het was voor deze groep al moeilijk genoeg om ergens te komen zonder dat de mensen hen aangaapten.

Net als anders liep Carl Joseph naast Daisy. Ze waren even groot, maar Carl Joseph richtte zich in haar nabijheid hoger op. Als hij dacht dat niemand keek, haakte Carl Joseph zijn pink door de hare. Cody probeerde het niet te zien. Want Carl Joseph hield van dit leven, van deze vrienden. Wat zou er gebeuren als zijn ouders deden wat ze moesten doen? Als ze hem vertelden dat zelfstandig wonen voor hem niet mogelijk was?

Toen ze bij de eerste bus kwamen, begon Carl Joseph langzamer te lopen. Daisy sloeg haar arm om hem heen. 'Het is goed, CJ. Dit is de goede bus.'

Carl Joseph stond onder aan de trap stil. Hij haalde het papier met de aanwijzingen uit zijn zak, keek ernaar en krabde op zijn hoofd. Toen haalde hij zijn buspas uit zijn andere zak en keek ernaar. 'Gaat deze bus naar Cheyenne Street?'

'Ja, CJ.' Daisy trok zachtjes aan zijn arm. 'Deze bus.'

Huiverend bedacht Cody hoe Carl Joseph dit zou aanpakken zonder hulp van Daisy en Elle en zijn klasgenoten. Zijn broer stopte de papieren weer in zijn zak en keek omhoog naar de bus. Hij was verstijfd van zorgen en begon zijn handen te wringen. 'Deze bus?'

'Kom op, CJ.' Daisy liet zijn arm los en zette haar voet op de eerste trede. Er stonden nog vier leerlingen te wachten om in te stappen.

Een van hen keek om het rijtje heen. 'Opschieten, mensen. Juf wil opschieten.'

Elle bleef achter en keek toe hoe het tafereel zich ontvouwde. Ze zei niets en even later volgde Carl Joseph Daisy met trillende benen de bus in.

Cody liep achter Elle. Ze rook heerlijk en één raar ogenblik wenste hij dat ze maar met z'n tweeën op excursie gingen. 'Doet hij altijd zo?'

'Ja.' Elle was niet uit het veld geslagen. 'De meeste deelnemers zijn zenuwachtig voor de bus tot ze eraan gewend zijn. Dat is het doel van de excursies.'

Cody slikte. Zijn hart bonsde sneller dan anders. 'Hoe kun je weten dat ze zich niet zo zullen gedragen als ze voor het eerst alleen gaan?'

Elle bereikte de bovenste trede. Ze keek naar Cody om. 'Het is niet zo dat we hen zomaar in een flatje stoppen en veel geluk wensen, meneer Gunner. Op elk stadium wordt zorgvuldig toezicht gehouden.'

'O.' Hij hield haar blik iets langer vast dan nodig was. Toen slikte hij. 'Dat wist ik niet.'

Ze bereikten de dansstudio op Main Street en stroomden de hal binnen. De lerares was een oudere vrouw, en Elle en zij schenen elkaar te kennen. De leerlingen liepen naar de danszaal en in de twee uur daarna leerden ze een reeks danspassen, waaronder de Lindy Hop. Onwillekeurig moest Cody lachen toen hij de vrolijke gezichten om zich heen zag. Ze vonden het dansen heerlijk.

Toen ze vertrokken, haalde Cody Elle in en kwam naast haar lopen. 'U hebt hen iets geleerd over dansen, hè?'

'Ja.' Haar ogen straalden. Toen viel haar blik op zijn linkerhand en ze kreeg haar gereserveerdheid terug. 'Mensen met het syndroom van Down hebben meer lichamelijke oefening nodig dan andere mensen. Dansen is een oefening die ze heerlijk vinden, dus dat doen ze vanzelf.'

'Ze zouden ook nut kunnen hebben van iets zwaarders: gewichtheffen of fietsen.' Hij stopte zijn handen in zijn zakken en bleef soepel naast haar lopen. Ze had een duizelingwekkend effect op hem, iets wat hij niet van zich af kon zetten. 'Voordat ik naar huis kwam, dacht ik erover zoiets op te zetten.'

'Echt waar?' Haar enthousiasme overrompelde hem. 'De eigenaar van het centrum wil uitbreiden. Hij wil een fitnesscentrum aanbouwen.' Ze keek hem nadenkend aan. 'Hij heeft subsidie gekregen van de staat, dus het geld is er.' Ze hield haar hoofd schuin. 'Ik moet iemand zien te vinden die het kan leiden en een fitnessprogramma voor de deelnemers kan samenstellen. Dan zouden er ook andere invaliden kunnen komen. Mensen die niet de gelegenheid hebben om te leren zelfstandig te zijn.' Ze keek hem nieuwsgierig aan. 'Gaat u door met het werk dat u deed voordat u thuiskwam?'

'Nee.' Hij verwachtte de gewone opmerkingen over de rodeo en hoe zwaar het leven langs de weg moest zijn. Maar die kwamen niet. Hij glimlachte in zichzelf. Ze was misschien een van de eerste vrouwen die hij ooit had gekend die niet bij de rodeowereld hoorden. Hij keek recht voor zich uit. 'Ik sta op een soort tweesprong. Op zoek naar een nieuwe uitdaging.'

'O.' Haar blik kreeg weer het vertrouwde subtiele sarcasme. 'Dus daarom zijn we deze week gezegend met uw toezicht. Omdat u niets beters te doen hebt.'

'Hoor es, Elle…' Hij wilde het luchtig tussen hen houden. Haar nabijheid was bedwelmend, maar zijn gevoelens gingen verder. Hij mocht haar graag, het beviel hem dat ze niet voor hem zwichtte en dat ze zich om haar leerlingen bekommerde. En haar passie beviel hem nog het meest. Maar hij moest opheldering geven. 'Ik ben hier om één reden.' Hij knikte naar Carl Joseph die een eindje verderop in de rij naast Daisy liep. 'Ik ben dol op dat joch.'

Ze aarzelde en schoof een eindje op om wat afstand tussen hen te scheppen. 'Dat begrijp ik, meneer Gunner.' Ze verzamelde de leerlingen in een kring op de stoep. 'Wie behalve Daisy kan me nog meer vertellen wat de volgende busroute is?'

De leerlingen haalden hun papieren met aanwijzingen tevoorschijn. Een van hen gaf het juiste antwoord en ze gingen weer op pad, nu op weg naar de kerkdienst. Toen ze tegenover de oude kerk in het centrum uit de bus stapten, vroeg Elle: 'Wie heeft er zin om te gaan lunchen?'

Verscheidene handen gingen omhoog.

'Ik heb heel erg honger, juf.' Gus keek naar de anderen. 'We zijn uitgehongerd.'

'Ja.' Tammy draaide aan een van haar vlechten. 'Ik kan wel een koe op.'

'Koe is niet altijd goed voor je.' Sid wees naar haar. 'Koe moet gebakken worden.'

Elle onderdrukte een lach. 'Heel goed.' Ze keek naar de gezichten om zich heen. 'Wie van jullie heeft er geld bij zich?'

De hele week had Elle met hen gepraat over excursies en dat ze voorbereid moesten zijn als ze de stad in gingen. Voorbereiding was een praktische vaardigheid, had ze gezegd. Ze moesten hun instructies bij zich hebben, een mobiele telefoon, en tien dollar voor het geval ze onderweg iets moesten eten.

Nu gingen alle handen omhoog, behalve twee. Sommigen staken hun geld in de lucht.

Elle zei dat ze hun geld weer in hun zak moesten stoppen. 'Het hamburgerrestaurant is één straat verderop.' Elle wees in de goede richting. 'We hebben nog een uur voordat de kerkdienst begint. Kom, we gaan eten.'

'Zie je nou wel,' kondigde Tammy luidruchtig aan. 'We krijgen koe.' Ze stak haar tong uit naar Sid toen ze langs hem liep. 'Gebakken koe, Sid. Hamburgers zijn gebakken koe.'

In het restaurant deed zich de eerste moeilijkheid voor.

Het ene moment leek alles soepel te verlopen, en het volgende stond Tammy gillend naar Gus te wijzen. 'Help hem! Help!'

Gus was dieprood aangelopen en hij graaide naar zijn keel. Er hing kwijl uit zijn mondhoeken en hij stond in paniek met zijn voeten te stampen.

'Help hem!' Tammy's gegil stak de rest van de groep aan

en in een mum van tijd stonden alle leerlingen hetzelfde te schreeuwen. 'Help hem! Iemand moet hem helpen!'

Cody zat alleen. Zodra hij begreep wat er gebeurde, baande hij zich een weg door de menigte, kwam bij Gus en stelde zich achter hem op. 'Ga rechtop staan, Gus.'

Gus deed het. Nu stond Elle naast hen. 'God.' Ze bracht haar hand naar haar mond en zei angstig: 'Help ons, God.'

Cody bleef achter Gus staan en liet zijn armen onder de zijne glijden. Met één hand maakte hij een vuist die hij met de andere omvatte, toen drukte hij de vuist tegen Gus' maag, in de holte waar zijn ribben vlak onder zijn borst bij elkaar kwamen. Hij drukte hard en gaf een opwaartse ruk met zijn hand. Toen nog een keer.

Een paar meisjes stonden nu te gillen en kleine kringetjes te draaien. Bij de derde stoot vloog een groot stuk nauwelijks gekauwde hamburger uit Gus' mond op de vloer. Hij snakte naar adem. Met grote ogen viel hij op zijn knieën en graaide met beide handen naar zijn keel.

Cody legde zijn hand op zijn schouder. 'Gus, je bent nog heel. Adem uit.'

Maar zijn paniek bleef hem de baas. Hij schudde als een razende met zijn hoofd.

'Gus.' Nu sloeg Cody een strengere toon aan. 'Adem uit. Alles is goed, nu gewoon uitademen.'

Elle begaf zich tussen de leerlingen en vertelde dat er niets aan de hand was met Gus. Ze vroeg hun weer te gaan zitten. Twee meisjes huilden nog.

'Uitademen, Gus.' Cody boog dichter naar hem toe. 'Je bent in orde.'

Eindelijk deed Gus wat hem gezegd werd. Hij perste zijn lippen op elkaar en blies uit. Hij had zijn handen nog om zijn keel en zijn ogen puilden uit. Maar even later krabbelde hij overeind. Hij staarde naar Cody en Elle. 'Ik lachte.'

Tammy bibberde, maar ze kwam naar Cody toe en legde uit wat er gebeurd was. 'Gus vertelde een grappig verhaal.' Ze keek naar de andere twee leerlingen die bij haar aan tafel hadden gezeten. 'En hij zat te eten en een grappig verhaal te vertellen. En toen...'

Eén van de anderen pakte zijn keel vast en stak zijn tong uit. 'En toen kwamen er ineens geen woorden meer.'

Toen pas besefte Cody dat hij trilde. Gus had langer dan nodig gewacht met opstaan, waarschijnlijk omdat verslikken een onbekend concept voor hem was. Carl Joseph had zich een keer verslikt toen hij een jaar of tien, elf was. Cody wist nog dat zijn moeder de Heimlichgreep op hem toepaste en zijn leven had gered.

Eindelijk liet Gus de greep op zijn keel verslappen. Hij liet zijn handen zakken en schuifelde als een mannetje van negentig naar zijn tafeltje terug. Bij zijn stoel gekomen, draaide hij zich om naar Cody. 'Nu vindt hij ons aardig.'

'Ja, hij vindt ons aardig.' Tammy bukte zich dramatisch en hield haar adem in. Toen ze zich oprichtte, hief ze beide handen naar het plafond. 'Dank U, God. De broer van Carl Joseph vindt ons aardig.'

Cody voelde zijn tranen prikken. Er was iets voor nodig geweest, maar nu vertrouwden de leerlingen hem dan toch.

Elle kwam bij hem en raakte zijn elleboog aan. 'Meneer Gunner...'

'Zeg alsjeblieft Cody.' Hij zocht steun bij de dichtstbijzijnde stoel en probeerde op adem te komen.

'Cody... dank je wel.' Haar ogen stonden nog angstig, maar de angst was vermengd met onmiskenbare bewondering. Misschien zelfs bekoring. Ze klonk door en door opgelucht. 'Dat is nog nooit... Zoiets is nog nooit gebeurd.'

Cody keek naar Carl Joseph. Zijn broer had zijn handen voor zijn gezicht geslagen en hij wiegde heen en weer. Daisy praatte tussen zijn vingers door tegen hem. Cody zuchtte en wendde zich weer tot Elle. 'Mensen met het syndroom van Down kunnen moeilijker slikken.'

'Weet ik. Dat is een van de redenen dat we zorgen dat de deelnemers in paren de straat op gaan.'

Cody keek haar diep in de ogen. 'Dan nog...' Hij wilde haar niet tegenspreken, maar gewoon eerlijk zijn. 'Zoiets kan altijd gebeuren.' Hij liep naar Carl Joseph toe en hurkte naast hem neer. 'Vriend, alles is in orde. Gus is nog heel.'

Carl Joseph opende zijn vingers wijder en gluurde naar hem. 'Gus?'

'Ja, hij is oké.' Cody wist niet of zijn broer zo reageerde doordat hij zich herinnerde wat hem was overkomen toen hij klein was. Hoe dan ook, het voorval had hem van streek gemaakt.

Het duurde een half uur voordat de groep rustig genoeg was om naar de kerk te gaan. Ze liepen samen op en weer bleef Cody een beetje achter. Ali had altijd gewild dat hij met haar meeging naar de kerk, maar ze waren nooit gegaan. Hun tijd samen was zo kort en andere mensen vormden voor haar altijd de dreiging van een infectie.

Het was weer bewolkt, maar Cody keek omhoog en zag een stukje blauw. *Ali, je zou trots op me zijn. Ik ga naar de kerk.* Er speelde een droevig lachje om zijn mond. Het was eindelijk gebeurd. Hij werd niet langer verteerd door de herinnering aan haar. Dat zou het gevoel in zijn hart, de leegte verklaren. Hij keek naar Elle, die tussen Gus en Tammy in liep. Ze lachten alledrie.

En misschien verklaarde het waarom hij almaar aan een zekere jonge lerares moest denken.

Bij de kerk gekomen, bracht Elle haar vinger naar haar lippen om de leerlingen tot stilte te manen. Cody was de laatste in de rij en ze herhaalde het gebaar omwille van hem. Toen voegde ze eraan toe: 'Ik meen het.'

Cody salueerde en sloot aan. Er had vandaag een verandering plaatsgevonden, misschien door het voorval met Gus. Er was nu een band tussen Elle en hem, iets waar hij niet helemaal de vinger op kon leggen. Hij nam een bank achter de leerlingen en keek toe hoe ze een plaatsje zochten. Twee jongens droegen honkbalpetjes. Op hun plaats zetten ze die af en legden ze op de grond. Op hun gezicht stonden eerbied en verwondering te lezen. Gus liet zich op zijn knieën vallen en boog meteen zijn hoofd, en enkele anderen ook. Een paar keken alleen maar gefascineerd rond in de oude kerk.

De organist speelde twee liederen en toen opende de dominee de dienst. Hij heette Elles leerlingen welkom en legde uit dat God voor elk van Zijn kinderen een plan heeft. Cody slikte een golf van emotie weg. Het syndroom van Down, God? Is dat het plan dat U voor Carl Joseph en zijn vrienden hebt?

Er kwam geen hoorbaar antwoord. Maar hij herinnerde zich iets wat zijn moeder meer dan eens had gezegd. 'Hier op aarde denken we dat Carl Joseph gehandicapt is. Zou het niet grappig zijn als we eens in de hemel komen en ontdekken dat het andersom was?'

Cody sloeg Carl Joseph gade, die zijn hoofd gebogen had in gebed. Hun moeder had gelijk.

Hij sloeg zijn armen over elkaar en verloor zijn aandacht voor wat vooraan gezegd werd. In plaats daarvan dacht hij aan Ali, hoe ze vast had geloofd dat ze naar de hemel ging, dat ze haar zus weer zou zien die ze als kind was kwijtgeraakt, en dat ze met z'n tweeën voor eeuwig zouden paardrijden door eindeloze groene velden.

Cody was er niet zo zeker van.

Van de preek kreeg hij heel weinig mee, maar daarna werden er collectezakken doorgegeven. Cody ging rechtop zitten en zijn bloed begon te koken. De kerk zou toch zeker geen geld van gehandicapte mensen durven aannemen. Hij glipte een bank dichter bij de groep in, zodat hij het beter kon zien.

Inderdaad, de zak kwam naar Elles leerlingen toe en één voor één pakten ze een biljet van een dollar of een munt en gooiden die erin. Toen de zak bij Carl Joseph kwam, zag Cody dat hij vijf biljetten van twintig dollar uittelde en erin stopte.

Cody stond op voordat de zak naar de volgende kon worden doorgegeven. Honderd dollar? Hoe kwam zijn broer aan zo veel geld en hoe kon hij het in een collectezak gooien? Rustig liep hij naar de bank waar zijn broer naast Daisy zat. Toen de zak aan het einde van de rij kwam, stak Cody zijn hand erin en haalde er discreet de vijf twintigjes uit. Toen fluisterde hij in de richting van zijn broer: 'Vriend, we moeten gaan.'

'Wat?' Carl Joseph duwde zijn bril omhoog op zijn neus. Hij scheen verbijsterd door Cody's verzoek. Hij keek naar de leerlingen om hen heen, die afwachtend toekeken wat er zou gaan gebeuren. Hij keek om naar Cody en liep rood aan. Hij leunde over Daisy's benen heen en fluisterde hard: 'Niet nu! Dit is een kerk.'

'Kom op.' Cody kon geen minuut meer wachten. Ze moesten een taxi nemen naar het centrum en naar huis. Hij wierp zijn broer een strenge blik toe. 'Nu.'

Carl Joseph had te veel respect voor hem om tegenwerpingen te maken. Ondanks zijn boze gezicht stond hij op en schoof langs Daisy heen de bank uit.

Op dat moment merkte Elle wat er gebeurde. Ze excuseerde zich en kwam ontsteld naar hen toe. Gedempt fluisterde ze: 'Wat is er aan de hand?'

'We gaan weg,' zei Cody met een verontschuldigende blik. 'Mijn broer heeft net honderd dollar in de collectezak gestopt.' Er ontsnapte hem een zacht, verdrietig lachje. 'Dit is niks voor ons. Het spijt me.'

Hij ging voorop en ondanks de blikken vol afgrijzen van

de andere leerlingen volgde Carl Joseph hem. Buiten op het bordes van de kerk draaide Cody zich naar Carl Joseph om. Hij stak de vijf twintigjes omhoog. 'Wat heeft dat te betekenen, vriend?'

Carl Josephs boosheid veranderde in verdriet. Zijn schouders zakten af. 'Mijn geschenk, broer. Mijn geschenk voor Jezus.'

'Jezus heeft geen honderd dollar nodig, vriend.' Cody wuifde met de biljetten naar zijn broer. 'Je weet helemaal niks van geld.'

'Ik weet wel iets van geld.' Carl Joseph stak zijn hand omhoog en staarde naar zijn vingers. Hij was zo zenuwachtig dat zijn hele arm beefde. Hij scheen te tellen en even later stak hij zijn wijsvinger op. 'Ik weet één ding. Geschenken zijn voor Jezus.'

Cody's hart brak. Hij sloeg een vriendelijker toon aan. 'Hoe kom je aan dat geld, vriend?'

Zijn broer maakte een reeks getergde geluiden en draaide kleine halve cirkeltjes. Toen stond hij stil en wees naar Cody. 'Ik heb gewerkt, broer. Ik heb gewerkt voor dat geld.'

'Wat voor werk?' Cody haatte de toon die hij aansloeg, hij vond het vreselijk dat Carl Joseph en hij nu alweer moesten strijden om de vriendschap te vinden die er vroeger altijd vanzelf was geweest. Maar hij moest duidelijk zijn. Hij had nog nooit gehoord dat zijn broer een baan had. Op zachtere toon vroeg hij: 'Lieg je, vriend?'

'Nee!' schreeuwde Carl Joseph.

Cody aarzelde. 'Kom, we nemen een taxi.' Ze staken de straat over toen het licht groen was en Cody het verkeer aan beide kanten in de gaten hield. Intussen begon het zachtjes te regenen.

'Vriend...' Cody vond het ongelooflijk. Minder dan honderd regendagen per jaar en nu juist vandaag één.

'Regen!' hijgde Carl Joseph en keek omhoog naar de lucht.

'Daisy! Daisy kan nat worden!' Hij stak zijn hand uit naar de kerk aan de overkant. 'Daisy, niet nat worden!' Voordat Cody hem kon tegenhouden, strompelde hij van de stoeprand af het aankomende verkeer in.

In zwenkende bewegingen reed een busje om Carl Joseph te ontwijken, maar de zijspiegel raakte zijn arm en sloeg hem tegen de grond. Het verkeer kwam piepend tot stilstand en er werd luid getoeterd.

'Vriend!' Cody rende de weg op. Carl Joseph lag roerloos op zijn buik. Zijn arm bloedde waar de auto hem had geraakt. 'Vriend!' Cody viel op zijn knieën naast zijn broer neer. 'Zeg wat, vriend.'

De bestuurder van het busje, een jonge vent, kwam met een bleek gezicht naar hen toe lopen. 'Wat erg... Hij sprong vlak voor mijn auto.'

Cody schreeuwde: 'Bel het alarmnummer! Nu!'

Hij bracht zijn gezicht dicht bij Carl Joseph. 'Vriend, je moet tegen me praten.'

Het begon harder te regenen en na enkele spannende seconden tilde Carl Joseph zijn hoofd op en keek naar de kerk. Zijn wang was geschramd, maar verder leek hij ongedeerd. Nu stak hij zijn goede arm uit, de arm die niet bloedde. 'Daisy haat regen.'

Cody kreeg tranen in zijn ogen. 'Waar doet het pijn, vriend? Zeg het.'

'In mijn hart.' Carl Joseph hees zich overeind tot hij zat, onbewust van het verkeer dat overal om hem heen stilstond. Hij legde zijn hand op zijn borst en keek Cody verwijtend aan. 'Ik heb pijn in mijn hart.'

Voorzichtig hielp Cody zijn broer naar de stoeprand. Tegen de tijd dat de ambulance arriveerde, was Cody er tamelijk zeker van dat zijn broer niets ernstig mankeerde. Lichamelijk tenminste. Hij kreeg toestemming om mee te gaan naar het ziekenhuis, en het laatste wat hij zag toen ze de deuren sloten, was Elle Dalton die met enkele leerlingen op het bordes van de kerk stond.

Zijn ogen ontmoetten de hare en een uitleg was niet nodig. Carl Joseph was aangereden door een auto, precies datgene waar Cody bang voor was geweest. Maar het was niet gebeurd vanwege iets wat Elle Dalton hem had geleerd of was vergeten te leren. Het was helemaal zijn schuld. Waarom had hij zo overdreven gereageerd? Zijn broer had honderd dollar gegeven, nou en…? Ze hadden het er later thuis over kunnen hebben. Carl Joseph had het geweldig naar zijn zin gehad; hij had omringd door zijn vrienden naast Daisy gezeten en gebeden tot een God in Wie hij geloofde. Wat had Cody bezield om hem op zo'n manier uit de dienst te halen?

De ambulance maakte een scherpe bocht. Cody was dankbaar dat ze de sirenes niet aan hadden gezet. Hij legde zijn hand op de voet van zijn broer. 'Gaat het, vriend?'

'Daisy…' Hij sloeg zijn handen voor zijn gezicht en schudde zijn hoofd. 'Daisy moet mijn jas hebben.'

In stilte verwenste Cody zichzelf. 'Het spijt me, vriend.'

Hij liet zijn handen zakken en tilde zijn hoofd ver genoeg op om hem aan te kunnen kijken. Op Carl Josephs gezicht stonden pijn en verraad te lezen. 'Ik loog niet, broer.' Hij liet zijn hoofd weer op de brancard rusten en begon te fluisteren. 'Sorry, Daisy… Sorry voor de regen.'

Cody vond het vreselijk, vreselijk wat hij zojuist had gedaan. Sinds hij thuisgekomen was, had hij Carl Joseph alleen maar ongelukkig gemaakt. Misschien moest hij toch maar terug naar het circuit. Hij deed zijn ogen dicht. Als hij zijn broer niet uit de kerk had gehaald, was alles nog in orde met hem. Nu zou het ongeluk zijn ouders waarschijnlijk overtuigen van het feit dat de arts gelijk had. Carl Joseph was niet geschikt voor een zelfstandig leven. En over het algemeen had de arts waarschijnlijk ook gelijk. Thuis was Carl Joseph veiliger.

Na vandaag zou het waarschijnlijk duidelijk zijn in hun familie. Carl Josephs dagen in het Centrum voor Zelfstandig Wonen waren geteld.

hoofdstuk vijftien

Carl Joseph lag in een groot, wit ziekenhuisbed.

Hij staarde uit het raam naar de regen. Die bleef maar vallen, en hij kon Daisy niet helpen. Hij kon haar zijn jas niet geven. Hij wist niet eens waar ze was.

Broer zat naast hem, maar hij wilde niet met broer praten, behalve soms. Hij keek naar hem. 'Ik heb niet gelogen.'

'Weet ik.' Broer legde zijn hand op het bed. 'Het spijt me, vriend. Ik weet dat je niet hebt gelogen.'

'Ik heb niet gelogen.' Hij keek weer uit het raam naar de regen. 'Mama heeft me baantjes gegeven en ik heb voor mama gewerkt. Want ik heb de hele winter brandhout gehaald. Elke keer als ze het vroeg. En ik heb brandhout opgestapeld.'

'Zo meteen komen papa en mama, vriend. Iedereen is blij dat alles in orde is met je.'

Carl Joseph wendde zich weer tot zijn broer. 'Want mijn hart is niet in orde. Daisy kan nat worden.'

'Ik weet wat je denkt.' Broer stond op en liep naar de deur. Toen kwam hij weer terug. Zijn ogen waren rood. 'Jij vindt dat dit allemaal mijn schuld is, vriend, en je hebt gelijk. Het is mijn schuld. Ik begreep het niet, van het geschenk voor Jezus.' Hij zuchtte. 'Het spijt me. Ik had je moeten laten blijven.'

'Ja.' Carl Joseph knikte. Zijn wang deed pijn en het deed pijn als hij zijn hoofd draaide. 'De excursie was nog niet voorbij.'

'Weet ik.' Broer ging weer in de stoel naast het bed zitten. 'Je wilde nog niet weg.'

Carl Joseph betastte de pijnlijke plek op zijn gezicht. Hij keek weer naar de regenachtige lucht. 'Daisy kan nat worden.

Want ik probeerde haar te gaan halen, maar de auto's…'

'Met Daisy is alles in orde. Ik heb met jullie juf gepraat. Ze wilde je laten weten dat Daisy niet nat geworden is.' Broer klonk verdrietig. 'Weet je nog?'

'Ja, want Daisy wil mijn jas hebben.' Carl Joseph zag zijn ouders in de deuropening staan.

Zijn moeder haalde diep adem en rende op hem af. 'Carl Joseph!' Ze boog zich over hem heen en knuffelde hem. 'Ik was zo ongerust!'

'Voorzichtig. Zijn borstbeen is gekneusd, mam.' Broer sloeg zijn armen over elkaar. Hij deed een stap opzij zodat papa erbij kon. 'Maar geen inwendige verwondingen. Alleen een paar schrammen en kneuzingen.'

Carl Joseph keek naar zijn moeder. Hij was blij dat hij haar zag. 'Want mijn hart doet pijn.'

'Hij heeft het over Daisy.' Broer boog naar haar toe en keek haar aan. Zijn stem klonk heel treurig. 'Volgens de dokter wordt hij gauw beter.'

'Want Daisy kan nat worden.' Hij wees naar broer. 'Hij heeft mijn geschenk voor Jezus afgepakt.'

Broer zei niets. Hij boog alleen maar diep zijn hoofd.

'Carl Joseph.' Mama omhelsde hem weer. 'Ik ben zo ongerust over je geweest.'

'Ik ook.' Papa streelde zijn gezicht. De goede kant. 'God zij gedankt dat alles goed met je is.'

'Ja, want broer heeft mijn geschenk voor Jezus afgepakt.'

'Goed, nou, daar zullen we het met Cody over hebben.' Zijn moeder kuste zijn hoofd. Ze wierp broer een blik toe, en papa ook. Toen wees mama naar de gang en broer knikte. Ze keek hem weer aan. 'We moeten met Cody praten. We gaan even naar de gang en dan komen we weer terug, goed?'

Carl Joseph wilde niet zeggen dat het goed was. Hij wilde niet dat papa en mama in de gang met broer gingen praten, want dan konden ze slecht nieuws bedenken. Heel slecht nieuws. Hij voelde tranen prikken en knipperde vier keer snel met zijn ogen. Toen keek hij van zijn moeder naar zijn vader. 'Als jullie maar opschieten.'

Dat zouden ze doen en ze volgden broer naar de gang. Carl Joseph probeerde de tranen tegen te houden, want soms zeiden ze op school: 'Baby, baby,' als hij moest huilen. Hij keek naar de regen en de tranen begonnen nog sneller te stromen. Want Daisy kon nat worden en misschien had ze zijn jas nodig.

En papa en mama en broer hadden slecht nieuws in de gang. Heel slecht nieuws.

Zijn ouders wachtten zo ver van Carl Josephs kamer dat hij hen niet kon horen. Toen keek Cody's vader hem aan. 'Vertel ons wat er gebeurd is.'

'Was het een toeval?' Zijn moeder was bleek. Ze pakte zijn vader bij de arm en er klonken tranen in haar stem. 'De arts heeft ons hiervoor gewaarschuwd.'

En daar kreeg Cody zijn kans. Zijn ouders waren bang, dat had hij wel geweten. Een week geleden zou hij dankbaar zijn geweest dat ze eindelijk het bewijs hadden. Het bewijs dat Carl Joseph niet zelfstandig kon worden.

Maar dat was niet de waarheid, nu niet in elk geval.

'Het was geen toeval.' Cody sloeg zijn armen over elkaar en keek naar de grond. 'Het was mijn schuld.' Hij keek op, maar kon geen woorden vinden en werd overvallen door verdriet. Zijn onoplettendheid was bijna Carl Josephs dood geworden.

Zijn vader pakte hem bij de schouder. 'Jongen, het geeft niet.'

'Jawel.' Hij knarsetandde. 'Wat ik deed was verkeerd.' Hij keek zijn ouders speurend in de ogen en het hele verhaal stroomde er in alle eerlijkheid uit. Hij vertelde van het voorval in de kerk, dat Carl Joseph honderd dollar in de collectezak had gestopt.

'En dat is toch gek.' Hij stak zijn handen op. 'Honderd dollar!'

Zijn moeder sloeg haar hand voor haar mond en schudde haar hoofd. 'O, nee… Ik wist ervan.' Ze werd krijtwit. 'Ik ben vergeten het je te vertellen.'

Zijn vader keek verward. 'Dit hoor ik voor het eerst.'

Mary zuchtte en wreef haar hals. 'Carl Joseph heeft de hele winter klusjes voor me gedaan, hij heeft brandhout gehaald en opgestapeld zodat we altijd genoeg hadden om het huis te verwarmen. Hij had vierhonderd dollar verdiend.'

De moed zonk Cody nog dieper in de schoenen. 'Maar toch… hij heeft geen idee van de waarde, mam.'

'Jawel.' Ze glimlachte, maar met tranen in haar ogen. 'Hij zei dat zijn geschenk een halve iPod was, vijftig pakken melk, of ongeveer vier tassen met boodschappen. Hij zei dat het twee spijkerbroeken was, of tien T-shirts. Hij wist hoeveel geld het was.'

Cody kermde. Hij liet zijn hoofd achterover tegen de muur vallen en staarde naar het plafond. Waarom moest alles zo verwarrend zijn? Hoe goed Carl Joseph het ook bedoelde, iemand met zo'n laag inkomen moest nooit honderd dollar in een collectezak stoppen. Maar wilde dat zeggen dat hij niet op zichzelf kon wonen? Als hij dat zo graag wilde?

'Ik denk…' Hij ademde langzaam in en probeerde zijn gedachten op een rijtje te zetten. Sinds hun aankomst in het ziekenhuis had hij aan dit ogenblik gedacht, sinds hij had begrepen dat Carl Joseph niets ernstigs mankeerde, en hij tijd had gehad om de situatie te analyseren. Hij keek van zijn vader naar zijn moeder. 'Ik begrijp wat jullie bedoelen met het centrum. Ik denk dat het misschien goed is voor Carl Joseph.'

Een halve minuut lang staarden zijn ouders hem alleen maar

met open mond aan. Toen wisselde zijn moeder een bezorgde blik met zijn vader. 'Cody, we hebben een besluit genomen. Carl Josephs gezondheid is te onstabiel. We laten hem niet meer naar het centrum gaan.'

Cody kon het niet geloven. De rollen waren omgedraaid, maar na het ongeluk van Carl Joseph en het doktersadvies aan het begin van de week, viel er weinig te zeggen. 'Van zelfstandig wonen ben ik niet zeker, maar dat centrum is goed voor Carl Joseph.' Zijn blik werd vertroebeld door tranen van boosheid. 'Hij vindt het er heerlijk.'

'We hebben ons besluit genomen.' De stem van zijn vader klonk kalm, maar zeker. 'Je moeder en ik hebben besproken dat jij met hem aan de slag gaat.'

'Je was toch op zoek naar een manier om dichter bij hem betrokken te zijn?' Zijn moeder pakte zijn elleboog. 'Dat zei je toen je thuiskwam.'

Cody gaf geen antwoord. Alles wat hij zei zou bedrieglijk klinken. Hij had per slot van rekening ten koste van alles veiligheid voor Carl Joseph gewenst.

Ze gingen erover door dat Cody zijn broer op de ranch kon leren werken, helpen met Ace en het hek om het land te onderhouden. Land ontruimen, heggen snoeien, dat soort dingen.

'Uiteindelijk kan hij het van een van de werklui overnemen.' Het klonk vanzelfsprekend, alsof zijn vader er al een poosje over nagedacht had. 'Carl Joseph kan thuis de kost verdienen.'

'Ja,' zei zijn moeder hoopvol. 'Ik heb in het park een programma gevonden voor mensen met het syndroom van Down. Een sociaal programma, zonder het doel zelfstandig te worden. Dat kan het centrum vervangen.'

Niets kon het centrum vervangen. Dat begreep Cody nu wel. Het klonk veilig. Constructief. Maar zou het Carl Joseph een reden geven om zich te verheugen op de vrijdag? Cody's hart deed pijn. Hij zag Carl Joseph voor zich zoals hij er vandaag had uitgezien, zich koesterend in de warmte van zijn speciale vriendinnetje. Hij keek om naar de ziekenhuiskamer en toen naar zijn ouders. 'En Daisy dan?'

'Ze kan op bezoek komen,' zei zijn moeder vlug. 'Haar ouders mogen haar altijd brengen.'

'Hij heeft vrienden in het centrum,' zei Cody halfslachtig.

'Hij maakt wel nieuwe vrienden.' Zijn vader zuchtte. 'We hebben geen keus, Cody.'

Cody voelde zich verslagen. Hij kon nauwelijks iets tegenwerpen. Na het ongeluk had Carl Joseph misschien wel een maand nodig voordat hij stabiel genoeg was om het huis uit te gaan. Op basis van het doktersadvies en het ongeluk van vandaag hadden ze inderdaad weinig keus.

Cody kreeg een nieuwe vastberadenheid. Als dit een periode in Carl Josephs leven was waarin Cody hem kon helpen sterker te worden en kon inwerken als arbeidskracht op de ranch, dan zij het zo. Hij zou hem naar de nieuwe lessen brengen en hem helpen sterker te worden. Hij zou er zijn uiterste best voor doen. Dat was hij Carl Joseph wel schuldig. Zeker na vandaag. Misschien werkte het plan van zijn ouders, al was het niet wat zijn broer wilde.

Nu was het alleen nog een kwestie van het nieuws aan Carl Joseph vertellen.

hoofdstuk zestien

Mary Gunner boog zich over een stapel vaatwerk in de gootsteen en keek naar Cody die op Ace uit de schuur kwam stappen. Zijn frustratie had een hoogtepunt bereikt. Mary keek
hem na en voelde haar onrust toenemen. Tot nu toe lukte het
nieuwe plan niet zoals ze gehoopt hadden. Ze zuchtte en drukte de afvoerstop strak in de gootsteen. Toen spoot ze afwasmid-
del om de borden en kopjes heen en draaide de heetwaterkraan
open.

Er was geen vaatwasmachine in de oude boerderij, maar dat
had Mary nooit iets kunnen schelen. Ze vond het lekker om
af te wassen. Het gaf haar de tijd om uit het raam naar de verre
velden en heuvels te kijken. Met haar handen in het warme sop
en haar ogen op het eindeloze ranchland, geloofde ze dat alles
uiteindelijk goed kwam.

Maar vandaag had ze haar twijfels.

Carl Joseph was een nacht in het ziekenhuis gebleven terwijl
ze zijn hart in de gaten hielden. Na het ongeluk was het in een
zwak ritme gekomen en zijn arts wilde er zeker van zijn dat alles weer helemaal normaal was voordat hij thuiskwam. Toen hij
ontslagen werd, waren de uitslagen van alle onderzoeken goed
en Carl Joseph was klaar om naar huis te gaan, klaar om zijn
leven weer op te pakken.

Zijn nieuwe leven.

Die middag had ze samen met Mike en Cody de tijd genomen om de situatie aan Carl Joseph uit te leggen.

Mike was het gesprek begonnen. 'We zijn trots op je, jongen.
Dat weet je wel.' Hij boog naar voren en liet zijn onderarmen

op zijn knieën rusten. Geen moment verbrak hij het oogcontact met Carl Joseph.

'Want ik word volwassen en juf leert me dingen.' Carl Joseph leek zenuwachtig. Hij verlegde zijn aandacht van Mike naar haar, en ten slotte naar Cody. 'Ik ben op excursie geweest.'

Mary zag zijn beschuldigende blik. Anders zou hij Cody nooit geconfronteerd hebben, maar hij was boos. Sinds het ongeluk had hij zich anders gedragen tegenover zijn oudere broer. Cody staarde naar de oude houten tafel. Mike schraapte zijn keel. 'We hebben een paar nieuwe ideeën voor je, jongen. Wij drieën denken dat die een goede verandering voor je zouden zijn.'

'Verandering?' Carl Joseph duwde zijn bril omhoog op zijn neus en fronste zijn wenkbrauwen. 'Op het centrum?'

Mary kon het niet verdragen om het onvermijdelijke langer uit te stellen. 'Carl Joseph, je gaat niet terug naar het centrum. Voorlopig niet in elk geval.'

'Wat?' Zijn mond viel open en hij staarde de gezichten om hem heen een paar tellen aan. Hij stootte een hard, boos geluid uit. Hij stond op en liep een paar stappen, kwam terug en ging weer zitten. Zijn gezicht stond diep geschokt. 'Ik vind het fijn op het centrum.'

'Maar misschien is het niet veilig.' Mary pakte Carl Josephs hand. 'Vrijdag was je bijna dood geweest.'

Carl Joseph staarde Cody geruime tijd aan. Toen wendde hij zich weer tot zijn moeder en zei: 'Want Daisy kan nat worden.'

'Dat weet ik.' Mary kreeg een brok in haar keel. Was er maar een manier om het Carl Joseph duidelijk te maken.

Mike nam het over. 'We dachten dat Cody misschien met je aan de slag kon, hij zou je hier op de ranch kunnen leren cowboy te worden. Dat zou een prachtige vaardigheid zijn.'

'Broer...' Carl Joseph wierp Cody een wezenloze blik toe.

'Broer is geen juf.' Langzaam herhaalde hij zijn woorden.

'Maar ik kan je veel leren over het werk op de ranch, vriend.' Cody's stem klonk teder. 'Zullen we het eens proberen? Ik heb een paar goede ideeën.'

Carl Joseph scheen te voelen dat hij verslagen was. Hij knikte en liet zijn hoofd hangen. Zonder nog een woord te zeggen stond hij op en liep langzaam de gang door naar zijn kamer.

Sindsdien had Mary het tafereel wel honderd keer in haar hoofd laten afspelen.

Sinds die dag was Carl Joseph elke middag een paar uur met ranchwerk bezig geweest, maar zijn hart was er niet bij. Dat was iedereen wel duidelijk. Mary blies een piekje haar weg. Wat was dan de oplossing?

Ze hoorde de hoeven kloppen op het gras. Cody kwam op Ace over de ranch naar de oude boerderij galopperen. Toen ze dichter bij de schuur kwamen, minderden ze vaart en kwamen tot stilstand. Cody hijgde, dat zag Mary wel door het keukenraam. Hij lag dicht over de manen van het paard gebogen, zoals hij vaak deed.

De hele afgelopen week was hij een ander mens geweest. Gelukkiger, spraakzamer. Maar nu... nu was hij weer dezelfde verdrietige Cody van de afgelopen vier jaar. Ze nam hem onderzoekend op, zijn lichaamshouding, het verdriet dat zijn schouders en zijn kaaklijn nog naar beneden trok. Arme Cody. Hij miste Ali zo erg. Op de dag dat ze stierf, had ze zo veel meer meegenomen dan alleen zijn long. Zijn enthousiasme en zijn liefde en zijn lach. Die had ze ook meegenomen. Zonder haar was hij verloren. Hij droeg zijn verdriet als een dikke mantel, vooral als hij op Ace zat.

Mary zag Cody en Ace weer naar het achterste hek rijden. Cody worstelde niet alleen met het verdriet om Ali. Hoe hij ook zijn best deed, hij kon de vertrouwde vriendschap met Carl Joseph niet meer vinden. Ze waren nog niet naar het parkprogramma geweest, maar Cody had zijn twijfels. Zij hadden allemaal twijfels.

Ze zuchtte en ging weer aan de vaat. Binnenkort moest er iets gebeuren, want haar zoons waren geen van beiden gelukkig. Carl Joseph trok zich meestentijds terug in zijn kamer. Nu en dan vond Mary hem achter de computer waar hij probeerde een brief aan Daisy op te stellen. Maar doorgaans werd zijn frustratie hem de baas voordat hij klaar was.

Hij miste haar enorm. Cody had Elle Dalton opgebeld om haar te vertellen dat de familie had besloten Carl Joseph uit het programma te halen, maar tot nu toe had Daisy niet op bezoek kunnen komen. Het was te snel, had Elle tegen Cody gezegd. Daisy had meer tijd nodig om aan het idee te wennen dat Carl Joseph niet terugkwam. Een bezoek op dit moment zou haar in de war brengen.

Dus al met al stond Mary Gunner niet meer bij de gootsteen uit het raam te kijken om het uitzicht te bewonderen. Ze deed iets wat ze van Carl Joseph had geleerd.

Ze bad.

Om herstel en hoop en liefde. En het meest van al bad ze dat God de zon door de wolken wilde laten breken die zich om hun huis hadden samengepakt. Voordat de droevige veranderingen in haar zoons een manier van leven werden.

Hoe graag Elle ook wilde geloven dat Cody en zijn ouders op andere gedachten kwamen, op maandag viel het overduidelijk niet meer te ontkennen. Carl Joseph kwam niet terug naar het centrum.

Elle had een week tijd gevraagd om Cody Gunner te overtuigen, maar het was haar niet gelukt. Dat had ze aan Cody's gezicht gezien toen hij achter in de ambulance zat, vlak voordat ze wegreden met Carl Joseph erin. Cody had zijn ouders waarschijnlijk nog voordat het avond was overtuigd dat Carl Joseph niet meer terug mocht naar het centrum.

Het ongeluk van Carl Joseph was diep traumatisch geweest voor Elles leerlingen. Ze probeerde hen nog steeds gerust te stellen dat alles in orde was met Carl Joseph, dat het ongeluk geen ernstige schade had aangericht. In het begin kwamen er om het uur vragen over zijn toestand, maar op vrijdag, een week nadat ze Carl Joseph voor het laatst hadden gezien, waren de vragen opgehouden. Toch was alles anders geworden. De leerlingen kwamen stiller de klas binnen en het eerste wat ze deden was om zich heen kijken om de toestand in zich op te nemen. Als ze zagen dat Carl Joseph er alweer niet was, trokken ze rimpels in hun voorhoofd en mompelden zachtjes zijn naam.

Daisy was natuurlijk het ergst getroffen.

Het was maandagochtend en Elle wachtte in de leraarskamer tot de leerlingen kwamen. Haar zusje zat aan tafel te kleuren. Een week lang had ze bijna niet gepraat. Ze gaf nauwelijks antwoord als Elle iets vroeg en ze liep niet warm voor de volgende excursie naar de bowlingbaan.

Het koffiezetapparaat moest schoongemaakt worden, dus Elle nam het mee naar de gootsteen en begon het uit te spoelen. Ze herinnerde zich ieder woord van haar gesprek met Cody Gunner, het gesprek dat had plaatsgevonden op de dag dat Carl Joseph uit het ziekenhuis kwam.

'We hebben als familie een besluit genomen,' vertelde hij.

Eerst was ze afgeleid geweest en had ze geprobeerd niet te laten merken welk effect zijn stem op haar had. Maar toen drong het tot haar door wat hij zei. Zijn toon was niet grof of veroordelend, zoals hij eerder wel eens was overgekomen. Als ze niet beter had geweten, had ze gemeend spijt in zijn stem te horen. 'Carl Joseph komt niet terug naar het centrum.'

En dat was dat. Het was haar verdiende loon, want ze kon niet ontkennen dat ze gevoelens voor Cody Gunner had gekregen. Wat voor een vrouw was ze? Zich te verheugen op het gezelschap van een man wiens vrouw thuis op hem zat te wachten? Elle walgde van zichzelf, want na een week met Cody was het weer gebeurd, ze was weer voor de verkeerde man gevallen. Nu zou hij niet langer een verleiding vormen. Hij kwam niet terug, en Carl Joseph ook niet.

Maar wat moest er nu met Daisy?

Haar zus keek nog steeds om het kwartier naar de deur of Carl Joseph nog niet kwam. Als de muziek speelde, zat Daisy op haar stoel naar haar handen te staren of naar een leeg stuk muur te kijken. En al die tijd had Elle haar zus in de waan gelaten dat haar vriend misschien terugkwam.

Maar het was tijd om haar de waarheid te vertellen. Hoe ze ook hoopte dat de Gunners op andere gedachten zouden komen, het was duidelijk dat ze onvermurwbaar waren. Carl Joseph kwam niet terug.

Elle keek haar zusje onderzoekend aan. Vandaag zou ze het haar vertellen, na schooltijd.

De leerlingen arriveerden en Elle ging hen tegemoet. Maar de hele dag bleef er onmiskenbaar een wolk van droefheid in de lucht hangen. Zelfs slechtgehumeurde Sid was bezorgd om Carl Joseph. Midden in de uitleg over een nieuwe busroute stak Sid zijn hand op. Hij wachtte niet tot hij een beurt kreeg. 'Heeft iemand Carl Joseph gezien?'

Elle gaf de anderen geen kans om antwoord te geven. 'Hij is aan het beter worden, weet je nog? Hij heeft een ongeluk gehad.'

'En…' Sid stak zijn handen op. Hij kneep zijn ogen samen en de verwarring stond op zijn gezicht geschreven. 'Zit hij nog in de oranje bus?'

'Nee, Sid. Hij is thuis om beter te worden.'

'Hier kan hij ook beter worden.' Gus keek de klas rond om goedkeuring. Enkele leerlingen knikten en er ging een koor van stemmen op dat hij inderdaad net zo makkelijk beter kon worden in het centrum als thuis.

De rest van de dag had Elle moeite om hen bij de les te houden. Toen eindelijk de laatste leerling was vertrokken, keek ze rond en vond Daisy weer aan tafel. *God... hoe moet ik dit zeggen?* De moed zonk haar in de schoenen en er prikten tranen in haar ooghoeken. Arme, lieve Daisy. Ze zou er stuk van zijn.

Haar zusje scheen niet op te merken dat ze dichterbij kwam, en Elle bleef even achter Daisy staan voordat ze het gesprek begon. Haar zusje maakte een tekening van Mickey Mouse, met nauwkeurige lijntjes, de kleuren precies zoals de echte Mickey.

'Mooi, Daisy.' Ze ging naast haar zusje zitten. 'Ik vind het prachtig.'

'Dank je.' Daisy keek niet op. Ze verwisselde het zwarte potlood voor een rood en kleurde verder. 'Hij is voor CJ.'

'O.' De pijn in Elles hart verhevigde. 'Hij zal hem vast mooi vinden.'

'Als hij terugkomt.' Ze zweeg even en keek Elle recht aan. 'Voor als hij terugkomt.'

'Ja.' Elle draaide haar stoel zo dat ze haar zusje aan kon kijken. 'Daisy, ik moet je iets vertellen. Iets wat ik liever niet zou zeggen.'

Daisy gaf geen antwoord, maar haar hoofd begon licht op en neer te wiegen. Als Daisy bang werd, was dit altijd het eerste teken, lang voordat ze in staat was onder woorden te brengen wat ze voelde. Elle legde haar hand op die van Daisy. 'Hou eens even op met tekenen. Je moet me aankijken.'

Daisy legde haar kleurpotlood neer. Ze draaide zich naar Elle toe, maar sloeg haar ogen niet op. Ze bleef wiegen en nu kwam er een zacht gebrom uit haar keel. Haar hele lichaamstaal vertelde Elle dat ze zich wilde afsluiten voor wat er gezegd ging worden.

Elle wilde zeggen dat ze moest opkijken, maar ze pakte de handen van haar zusje en hield ze zachtjes vast. 'Carl Joseph blijft nog een poosje thuis.' Ze had besloten dat het beter was om het zo te zeggen dan te zeggen dat haar vriend voorgoed wegbleef. Ze boog naar haar zusje toe om haar gezicht beter te kunnen zien. 'Zijn broer heeft gezegd dat we op bezoek mogen komen.'

'CJ wilde me ontvangen.' Eindelijk tilde ze haar hoofd op. Haar ogen glommen van tranen. 'Hij wilde me ontvangen in Disneyland. Met zandgebak.' Ze snufte. 'En dansen in Disneyland.'

'Het spijt me, Daisy. Misschien kunnen jullie toch een keertje naar Disneyland.' Elle wilde haar tegen zich aan trekken, maar tegelijkertijd moest ze duidelijk zijn. 'Begrijp je het? Van Carl Joseph?'

Daisy keek rond en draaide nerveus aan een lok blond haar. 'CJ is er niet. Hij is thuis.'

'Ja. Precies.' Elle kreeg tranen in haar ogen. 'Dat heeft hij nodig.'

Daisy richtte haar blik weer op de tekening die ze aan het kleuren was. Er viel een traan op Mickey's neus. Daisy wilde hem wegvegen, maar het zwart werd uitgesmeerd over het midden van haar kunstwerk. Daisy sloeg haar handen voor haar gezicht en duwde haar stoel naar achteren.

'Lieverd.' Elle legde haar handen op haar schouders. 'Het geeft niet. Het komt allemaal goed. Jij hebt je einddoel bijna bereikt, en dan kun je bij Carl Joseph op bezoek gaan wanneer je maar wilt.'

Daisy schudde haar hoofd. Bij haar gemengde gevoelens voegde zich boosheid. Ze stond op en liep naar het raam, ze waggelde erger dan anders. Bij de vensterbank zocht ze steun en staarde naar de bewolkte lucht. 'Waarom, God?' fluisterde ze luid en slepend. 'Waarom?'

Het was hartverscheurend. Elle ging naast haar zusje staan en sloeg haar arm om haar schouders. 'Wat zeg je, Daisy? Praat eens tegen me.'

Ze begon harder te huilen en wees naar de lucht. 'Zonneschijn... na de regen komt zonneschijn.' Haar ogen vonden die van Elle. 'Dat zegt CJ.'

'Hij heeft gelijk.' Elle bracht haar hand naar haar verstikte keel. Ze kon haast niet praten. 'In het leven ook.'

Daisy liet haar hoofd hangen en huilde als een klein kind. Ze stortte de hartverscheurende tranen van de pijn die alleen door de tijd kon genezen. Na vijf minuten veegde Daisy haar ogen droog en maakte ze zich los van Elle. Ze liep naar het bureau, pakte een zakdoekje en snoot haar neus.

Toen liep ze door de kamer naar de cd-speler en drukte een paar knoppen in. De stilte werd verbroken door Glenn Millers 'In the Mood', met zijn ritmische hoorns en violen. Daisy stak haar hand uit zoals ze bij tal van gelegenheden had gedaan als ze met Carl Joseph danste.

Maar dit keer hield ze haar ogen gericht op een lege plek vlak voor zich. Ze glimlachte en deed een stap naar voren. Haar voeten begonnen op de maat van de muziek te bewegen en met beide handen om haar ingebeelde partner heen danste ze.

Ze moesten naar huis en Elle kon niet veel meer hebben. De dag was al verdrietig genoeg zonder te hoeven zien hoe Daisy danste in haar eentje. Ze liep naar haar zusje toe en pakte haar elleboog. 'Daisy... het is tijd om naar huis te gaan.'

'Maar ik vind iets,' zei Daisy ademloos.

'Wat dan, lieverd?' Elle wilde net de muziek afzetten. 'Wat vind je dan?'

Daisy stond stil, haar borst ging op en neer. 'Zonneschijn.' Ze wees naar het raam. 'Ik vind zonneschijn.'

hoofdstuk zeventien

Het plan van zijn ouders werkte van geen kanten, maar pas na twee weken was Cody bereid om het op te geven. Carl Joseph was chagrijnig, hij miste zijn vrienden op het centrum. Dat was te verwachten. Cody miste de dagelijkse routine ook. Maar als het tot Carl Joseph doordrong hoe lekker het was om buiten te werken, te helpen met Ace en de omheining van de ranch te onderhouden, zou de pijn van het gemis misschien een beetje afnemen.

Het harde werken met Carl Joseph had tot nu toe maar één voordeel opgeleverd. Cody dacht minder aan Ali.

Niet dat ze niet meer in zijn hart was. Maar als hij nu iemand miste, merkte hij dat het vaker Elle was. Haar subtiele sarcasme, de manier waarop ze haar mannetje stond tegenover hem. En haar ogen… zoals hij daarin kon verdrinken zonder het te willen.

Het was maandag, het begin van de derde week. Cody liep van zijn huis naar zijn ouders en bij de achterdeur gekomen, verzamelde hij al zijn geduld.

Binnen zat Carl Joseph aan de eetkamertafel, met zijn gezicht bijna in zijn bord met roerei.

'Ha, vriend.'

Carl Joseph mompelde iets en keek niet op.

Misschien was het verbeelding van Cody, maar het leek erop dat Carl Joseph opzettelijk achteruitging. Alsof hij slim genoeg was om te weten dat als hij niet meewerkte, iemand misschien zou besluiten hem terug te brengen naar het centrum, waar hij het zo goed had gedaan.

Cody zoog zijn wang naar binnen en keek zijn broer onderzoekend aan. 'Vandaag ga ik je leren hooi bergen, vriend.'

'Het kan best gaan regenen.' Carl Joseph prikte in zijn eieren. 'Dat kan best.'

'Dat geeft niet. Mannen die op een ranch werken hebben een regenjas.' Meer dan eens had Cody gewenst dat het weer opklaarde. Het was een van de meest regenachtige late lentes die ooit in de streek waren voorgekomen. En elke druppel deed Carl Joseph denken aan Daisy en zijn vrienden in het centrum.

Ze liepen naar de schuur, waar een buurman twintig bundels hooi had neergelegd. Ze lagen allemaal op een hoop bij de ingang van de arena. 'Eerst zal ik je leren hoe je een baal hooi moet opsteken.'

Cody stelde zich op voor een van de balen. 'Je moet altijd zo bukken, vriend. Anders krijg je pijn in je rug.'

'Gus heeft een keer rugpijn gekregen bij kookles.' Carl Joseph draaide zich om naar de deur, met zijn rug naar het hooi. 'Hij kreeg een keer rugpijn.'

'Ik ben hier.' Cody hield zijn adem in. Hij wilde geen boosheid in zijn stem laten doorklinken.

Langzaam draaide Carl Joseph naar hem toe en ging achter een baal hooi staan. 'Want ik moet geen rugpijn krijgen.' Hij duwde zijn bril op zijn plaats, spreidde zijn benen wijd en boog zijn knieën. Maar tegelijk verhief hij zich op zijn tenen en verloor zijn evenwicht. Hij tuimelde naar voren en strekte zijn handen niet op tijd voor zich uit. Hij viel met zijn gezicht in het hooi en toen op de grond. Er zat hooi in zijn haar en hij had sneetjes in zijn wangen, ook langs het pas genezen gedeelte dat bij het auto-ongeluk was geraakt.

Cody snelde naar hem toe en hielp hem het hooi van zijn trui en uit zijn haar te vegen. 'Zo wijd nou ook weer niet, hè? Je moet je benen niet zo wijd spreiden.' Hij hielp zijn broer overeind. Maar Carl Joseph stond te trillen van de val.

'Goed, we proberen iets anders.'

Carl Joseph wilde het ranchwerk niet leren. Maar dat wilde hij niet zeggen tegen broer, anders werd broer kwaad op hem. En dit was thuis en broer zei dat jongens thuis moesten helpen. Hij zou betaald krijgen als hij al het werk kon leren.

Maar hij wilde niet.

Broer zei dat ze mochten ophouden met het stekelige hooi, maar Carl Joseph lachte niet en klapte niet in zijn handen. Want hoe zat het met Daisy? En met Gus en Tammy en Sid? En met juf en de busroutes en de excursies?

Broer zei dat ze een hek gingen repareren. Dus Carl Joseph liep met broer mee over het zand waar Ace graag doorheen rende, naar een hek helemaal achterin. Broer wees naar een kapot gedeelte. 'Zie je dat, vriend?'

'Ja.' Hij tuurde door zijn brillenglazen. Er zat nog hooi op. Hij zette zijn bril af en wreef hem schoon met zijn trui. Toen zette hij hem weer op. Zo. 'Nu zie ik het.'

'Eerst moeten we een stuk draad afknippen.' Broer had een rol of zoiets bij zich en hij knielde op de grond en haalde een tang uit zijn zak.

Het draad kon Carl Joseph niets schelen. Hij ging op de grond zitten terwijl broer het werk deed, en hij trok zijn vinger door de zachte zandgrond. Waar was Daisy nu? Hij keek naar de lucht. Het was donkerder geworden. Hij keek weer naar de zandgrond. Hij kon in het zand schrijven. Dat had hij wel eens meer gedaan.

'Dan neem je het draad,' zei broer, 'en dat wikkel je een paar keer om de paal en…'

Het zand voelde lekker aan zijn vingers. Beter dan het hooi.

Carl Joseph trok lijntjes naar één kant, en toen naar een andere kant. Toen veegde hij de lijntjes uit met zijn volle hand. Hij kreeg een idee. Hij begon letters in het zand te schrijven. Alle letters die hij kende.

'Vriend?' Naast hem stond zijn broer op. Hij klonk boos. 'Wat doe je nou? Je moet kijken hoe ik het hek repareer. Dan kun je leren hoe het moet.'

Carl Joseph boog opzij zodat broer het kon zien. 'Ik schrijf mijn lievelingsletters.'

'O ja?' Broer bekeek de letters. 'Wat staat er?'

Carl Joseph voelde verdriet diep vanbinnen. 'D–A–I–S–Y… Er staat D–A–I–S–Y.'

Broer gooide zijn tang op de grond en ging zitten. 'Ik weet dat je terug wilt naar het centrum, vriend. Dat wil ik ook.' Hij zette zijn hoed af en veegde over zijn voorhoofd. 'Maar de dokter zegt nee, en mama en papa zeggen nee. Dat moet je begrijpen.'

'D–A–I–S–Y.'

Zijn broer ging iets zeggen, want zijn ogen stonden moe. Maar toen begon het hard te regenen. Carl Joseph hapte naar adem en keek naar de letters in het zand. Hij bedekte ze met zijn lichaam, zodat ze niet nat zouden worden. Zodat ze niet zouden smelten.

Maar toen werd hij verdrietiger dan ooit. Want de regen viel op alles en Daisy kon smelten. Ze kon nat worden en smelten. Ook al was ze niet de boze heks van het westen. Er viel water op zijn wangen, maar niet van de regen.

'Juf zorgt wel voor Daisy. Ze wordt niet nat.'

'Maar ik ben er niet.' Hij bedekte het hele woord *Daisy* met zijn lijf. 'Ze kan nat worden.'

'Vriend, wat kan ik eraan doen?' Zijn broer zuchtte diep. Hij schoof over de natte grond dichter naar hem toe. 'Hoe kunnen we je enthousiast maken voor het werk thuis?'

Carl Joseph wist niet goed wat broer bedoelde. Hij dacht diep na en toen wist hij wat hij moest zeggen. Hij bleef met zijn lichaam over haar naam heen liggen, maar hij keek naar broers ogen. 'Weet je nog van Ali, de paardrijdster?'

Broer trok één knie op en liet zijn voorhoofd er even op rusten. 'Ja.' Hij tilde zijn hoofd op. 'Ik weet het nog.'

'Je mist haar, broer. Dat heb je gezegd.'

'Ja.' De stem van zijn broer klonk zacht. 'Ik mis haar heel erg.'

'Zo mis ik D–A–I–S–Y.'

Broer keek hem geruime tijd aan. Toen zei hij: 'Het spijt me, vriend.'

En toen hield het op met regenen en Carl Joseph kreeg een idee. Hij kon bidden. Dus bad hij de rest van de dag dat broer hem gauw mee zou nemen naar juf en de leerlingen en Daisy. Want bidden was een levensvaardigheid.

De belangrijkste van alle vaardigheden.

Vanaf het begin van het plan van zijn ouders had Cody almaar gedacht dat de clubbijeenkomst in het park een hoogtepunt zou zijn voor Carl Joseph. Warm en zonnig brak de dag aan, maar de praatjes over het mooie weer konden op weg naar het park Carl Josephs sombere stemming niet verlichten.

'Heb je er zin in, vriend?' probeerde Cody maar weer eens toen ze bij de voordeur van het parkgebouw stonden.

'Ik weet het niet.' Carl Joseph bleef strak voor zich uit kijken.

Samen liepen ze naar binnen. Er zat een oudere man achter de balie. Hij zat druk te schrijven, maar toen hij hen zag, glimlachte hij en stak zijn pen achter zijn oor. 'Kan ik u helpen?'

'Ja.' Cody wist niet goed waar hij moest beginnen. Hij besloot tot een simpele uitleg. 'Mijn broer heet Carl Joseph Gunner. Hij wil vandaag graag deelnemen aan de clubbijeenkomst.'

Naast hem sloeg Carl Joseph zijn armen over elkaar en fronste zijn wenkbrauwen.

Cody glimlachte zwak. 'Zijn we op tijd?'

'Ja. De anderen zijn er allemaal al, maar ze komen altijd een beetje vroeg.' Het was een vriendelijke man; zijn gezicht en stem waren hartelijk en uitnodigend. Hij nam een vel papier uit de stapel op de balie en gaf het aan Cody. 'Als u dit voor hem wilt invullen,' hij wees achter zijn bureau een hoek om, 'dan kunt u hem naar de anderen brengen.'

Cody nam het papier en een pen van de balie. Het was een eenvoudige en duidelijke vragenlijst. Naam van clublid, omstandigheden van clublid, eventuele gezondheids- of allergieproblemen, van gedrag en reactie. Cody beantwoordde de vragen zo snel als hij kon.

'Juf zegt dat ik de woorden moet schrijven,' mompelde Carl Joseph fluisterend. De man achter de balie zat te telefoneren en hoorde het niet.

Cody hield op met schrijven en keek zijn broer aan. 'Die man heeft mij gevraagd het in te vullen, vriend.' Hij schreef verder.

Onder aan het papier stond een lijst met contactpersonen, waar Cody hun huistelefoonnummer invulde, zijn mobiele nummer en de mobiele nummers van zijn ouders. De man was klaar met telefoneren en nam het papier glimlachend van Cody aan. Hij keek ernaar en knikte. 'Ziet er goed uit.' Hij stak zijn hand uit naar Carl Joseph. 'Welkom bij de club!'

Cody hield zijn adem in en wenste dat zijn broer netjes antwoord gaf. Carl Joseph was de vriendelijkste mens die Cody kende. Hij was niet gewend aan deze gedeprimeerde, chagrijnige Carl Joseph. Cody lachte zenuwachtig om de spanning van het moment te doorbreken.

De inwendige strijd die Carl Joseph doormaakte, stond op zijn gezicht te lezen. Met zijn armen strak over elkaar geslagen werd zijn boze blik een milde frons, en toen een angstige blik. Eindelijk ontspande hij zijn schouders en zijn armen vielen langs zijn zijden. Hij schonk de oude man een aarzelende glimlach. Toen gaf hij hem een hand.

'Mooi,' zei Cody opgelucht. Hij keek de man dankbaar aan. 'Dank u wel.' Hij legde zijn hand op Carl Josephs rug en voerde hem mee de hoek om. 'Kom, vriend. Deze kant op.'

In de volgende ruimte waren handenarbeidspullen uitgestald op een aantal tafels. Er was een tafel met modelklei, een tafel met papier en verf, en één met garen en vilt. Er waren een stuk of vijftien mensen met het syndroom van Down aanwezig, van alle leeftijden en lengtes.

Achterin aan een bureau zat een vrouw die hem bekend voorkwam. Cody leidde Carl Joseph naar haar bureau en toen ze dichterbij kwamen, keek ze op. Ineens herinnerde hij zich waar hij haar eerder had gezien. Ze was de vriendin van zijn moeder, een vrouw die vroeger op de bank had gewerkt bij zijn ouders in de buurt. Ze heette Kelley Gaylor, en ze had in de afgelopen jaren samen met hun moeder vrijwilligerswerk gedaan.

'Mevrouw Gaylor…' Cody gaf haar een hand. 'Mijn broer komt vandaag bij de club.'

'Cody! Lieve help. Je moeder zei dat je thuis was gekomen van de rodeo. Ik wil nog steeds dat we je in dienst zouden kunnen nemen om de volbloedfokkerij van onze familie te runnen.' Ze stond op en een glimlach deed haar ogen oplichten. Ze keek naar Carl Joseph en kwam achter haar bureau vandaan om hem te begroeten. 'Carl Joseph, ik ben blij dat je er bent.'

Cody probeerde zich te herinneren wat zijn moeder over haar vriendin had gezegd. Ze was veel jonger dan zijn moeder, misschien achter in de dertig, en erg knap. Ze was getrouwd en had drie kinderen, en ze deed veel liefdadigheidswerk voor kinderen.

En nu hielp ze hier met gehandicapte volwassenen.

'Bent u weggegaan bij de bank?'

'Ja.' Ze leunde op de rand van haar bureau. Haar warme blauwe ogen stelden Cody op zijn gemak. 'Ik doe de boekhouding voor mijn ouders en breng meer tijd door met mijn kinderen, en ik doe vrijwilligerswerk. Dit is pas mijn tweede dag op de club. Ik wilde je moeder erover vertellen, maar...' Ze aarzelde. Het was duidelijk dat ze niet over Carl Joseph wilde praten waar hij bij stond. Ze wenkte hem. 'Ga je mee, Carl Joseph? Laten we beginnen bij de verftafel.'

Cody keek naar haar bureau. Er stonden ingelijste foto's op van haar en haar man, en van een dochter en twee kleine jongens. Op de andere kant van het bureau stonden twee ingelijste foto's van prachtige paarden. Eindelijk had hij de perfecte plek gevonden, geleid door iemand die hij kende en bij wie hij zich op zijn gemak voelde. Kon het beter?

Hij richtte zijn aandacht op Kelley en Carl Joseph, die naar de verftafel liepen. Tot nu toe was het moeizaam gegaan, maar deze club was precies wat Carl Joseph nodig had. Misschien hadden zijn ouders gelijk. Hier kon hij dinsdags op een veilige manier creatief en sociaal bezig zijn.

Carl Joseph verzette zich niet. Misschien vanwege de vriendelijke aanpak van de vrouw, of vanwege het medeleven in haar stem. Hij liep achter haar aan naar de tafel met verf, en ze stelde hem voor aan een andere jongeman die bezig was een kleur uit te kiezen. Carl Joseph trok een neutraal gezicht, maar hij nam een vel papier en een potje met rode verf. Toen ging hij ergens aan een tafel zitten en ging aan het werk. Kelley bleef geruime tijd bij hem staan om hem te helpen en te zorgen dat hij zich thuis voelde.

Kelley wachtte tot Carl Joseph zelfstandig aan het werk was, toen kwam ze terug bij Cody. Ze dempte haar stem. 'Je moeder vertelde dat Carl Joseph op het CZW zat.' Ze keek zorgelijk. 'Is er iets misgegaan?'

Er flitsten gebeurtenissen uit de afgelopen maanden door Cody's hoofd. Hij vertelde van het ongeluk en het voorstel van de dokter, dat Carl Joseph thuisbleef waar hij veiliger was vanwege zijn epilepsie.

Kelley zweeg een ogenblik, maar haar ogen lieten de zijne niet los. 'En Carl Joseph? Vindt hij het prettig thuis?'

'Hij mist het centrum,' antwoordde Cody nadenkend. 'Hij is altijd erg vrolijk geweest. Maar nu kent hij het leven weg van thuis.' Hij kneep zijn ogen tot spleetjes en keek naar zijn broer. 'Het risico is gewoon te groot.'

Kelley glimlachte. 'Het hele leven is een risico, Cody. Rodeorijden en van een zieke tonnenracer houden. Eén van je longen weggeven.' Ze zweeg even. 'Juist jij zou dat moeten weten.'

Haar woorden raakten hem diep. Hij had even tijd nodig om op adem te komen en toen had hij geen zin meer om iets te zeggen. Hij had gedacht dat Kelley aan de kant van zijn ouders zou staan, maar ze praatte net als Elle Dalton. Zoals hij misschien zelf ook had gepraat als hij beter zijn best had gedaan om zijn ouders ervan te overtuigen dat Carl Joseph het centrum nodig had. Cody zuchtte. Hij had het gevoel dat hij in de afgelopen week tien jaar ouder was geworden. 'De bijeenkomst duurt drie uur?'

'Ja.' Ze legde haar hand op zijn arm. 'Kom dan maar terug. Niet boos zijn om wat ik zei. Wat jij en je familie ook besluiten voor Carl Joseph, het komt allemaal goed.' Ze hield haar hoofd schuin en keek naar de clubleden. 'Zo'n uitstapje is voor veel van hen de oplossing.' Ze keek Cody weer aan. 'Maar voor anderen is zelfstandig wonen een heel realistische mogelijkheid.'

Hij aarzelde. 'Bedankt.'

Cody wist niet meer hoe hij naar het parkeerterrein was gekomen en in zijn auto was beland. Hij kon alleen maar denken aan wat Kelley Gaylor had gezegd. Juist Cody moest weten dat het leven vol risico's was. Dus waarom deed hij niet beter zijn best om het voor zijn broer op te nemen? Zoals Elle Dalton zou doen als zij een stem had in de kwestie. Hij startte de motor en reed naar het winkelcentrum. Hij had een spijkerbroek nodig en hij wilde een paar cd's halen voor Carl Joseph. Terwijl hij eigenlijk alleen maar zijn broer in de auto wilde zetten en naar het centrum rijden. Omdat hij de mensen daar zo vreselijk miste.

En Cody zelf misschien ook wel.

hoofdstuk achttien

Cody zette zijn auto in een parkeervak bij het winkelcentrum de Citadel toen zijn mobiele telefoon ging. Het was de club. Zijn hart sloeg een slag over. Met Carl Joseph was alles in orde toen hij vertrok, maar misschien was hij in huilen uitgebarsten om zijn vrienden in het centrum. Hij klapte zijn telefoon open. 'Met Cody.'

'Cody, met Kelley.' Ze klonk paniekerig, ademloos. 'Carl Joseph is verdwenen.'

'Wat?' schreeuwde Cody. Hij voelde het bloed uit zijn gezicht wegtrekken. 'Hoe kan dat nou? Heb je het gebouw doorzocht?'

'Overal. Ik heb de politie gebeld. Ze zijn onderweg.' Ze snikte. 'Cody, het spijt me zo. Hij had een verftekening gemaakt van Minnie Mouse en hij schreef de naam Daisy erboven.' Haar stem haperde, vermengd met paniek. 'Toen vroeg hij of hij naar buiten mocht om het park te bekijken. We hebben een speciale tuin voor onze gehandicapte clubleden. Normaal is het hek dicht, maar vandaag... vandaag heeft de onderhoudsman het open laten staan.'

'Dus hij is weg? Heeft niemand gezien welke kant hij op ging?' Cody's hart bonsde razendsnel. Hij startte zijn pick-up en reed het parkeervak uit. Hij racete dezelfde weg terug die hij gekomen was. 'Waar hebben jullie gezocht?'

'Rond de hele omtrek van het park.' Ze kreunde. 'Het is niet te geloven. Toen hij na een paar minuten niet terugkwam, ben ik hem achternagegaan. Het hek stond open. Hoe ver kan hij gekomen zijn?'

Ineens viel Cody een vreselijke mogelijkheid in. 'Is er een bushalte in de buurt van het park?'

'Ja, natuurlijk. Vlak achter…' Haar adem stokte. 'Je denkt toch niet…'

'Een ogenblik.' Cody draaide bij het dichtstbijzijnde benzinestation. Er was maar één persoon die wist welke busroutes Carl Joseph kon nemen. Hij probeerde zich te concentreren. 'Carl Joseph had zijn portemonnee bij zich. Ik weet zeker dat hij zijn buspas had en waarschijnlijk tien dollar.'

'Wat moet ik tegen de politie zeggen?' vroeg Kelley angstig.

'Zeg maar dat Carl Joseph waarschijnlijk de bus heeft genomen. Ik ga naar het CZW. Daar is hij vast heen gegaan.'

'Hoe weet hij welke bus hij moet nemen?'

Cody's hoofd duizelde en hij dwong zich om helder te denken. 'Van zijn vroegere juf.'

'Nog iets? Ik wil dit meteen aan de politie melden.'

'Ja.' Cody voelde de eerste tranen. Zijn broer zat ergens verdwaald in een stadsbus. Stel dat hij uitstapte en weer tussen het verkeer terechtkwam? Of dat hij een toeval kreeg? Hij kneep in zijn neusbrug. 'Alsjeblieft, Kelley. Bid voor Carl Joseph.'

Toen het gesprek beëindigd was, bereikte Cody in recordtijd het centrum. Ze hadden Carl Joseph nooit bij zijn vrienden weg moeten halen. Nooit. Wat de gevolgen waren van deze beproeving moesten ze later maar uitzoeken. Intussen was Cody voor één ding heel dankbaar.

Er was geen wolkje aan de hemel.

Hij snelde naar binnen, maar bij de deur van het klaslokaal stond hij stil. Hij mocht Elles les niet verstoren. Hij had het recht niet na alle schade die hij al had aangericht. Ondanks zijn bonzende hart probeerde hij rustig adem te halen. Langzaam deed hij de deur open en onmiddellijk vond hij Elle met zijn blik. Als op een wachtwoord draaiden de leerlingen hun hoofd naar hem toe. Er stond schrik op de gezichten te lezen. Maar twee juichten hardop en klapten in hun handen.

Gus wees naar hem. 'De broer van Carl Joseph!' Hij grijnsde breed en keek naar de anderen. 'Hé jongens… de broer van Carl Joseph! Dat betekent dat Carl Joseph zo binnenkomt!'

'Nee.' Cody deed moeite om rustig te blijven. De paniek maakte het lastig om te ademen. Carl Joseph werd vermist, hij kon aan niets anders denken. 'Sorry, jongens. Carl Joseph is er niet.' Hij wierp Elle een wanhopige blik toe. 'Alsjeblieft… kan ik je buiten even spreken?'

Elle keek niet blij, maar ze voelde kennelijk dat het dringend was. Ze wenkte haar assistente en de oudere vrouw kwam voor in de klas. De leerlingen praatten allemaal door elkaar, ze probeerden te raden waar Carl Joseph zich verstopt hield en of hij nog gewond was en waarom Cody hier kwam zonder zijn broer.

'Luisteren.' Elle stak haar hand op. 'Allemaal even luisteren. Ik ga met meneer Gunner praten en ik ben zo terug.'

Ze liep met Cody mee het lokaal uit. Toen de deur dicht was, draaide ze zich naar hem om, op haar gezicht stond een mengeling van verwarring en bezorgdheid te lezen. 'Vandaag pas vragen mijn leerlingen niet meer elke tien minuten naar je broer. Ik heb gevraagd of je wilde bellen voordat…'

'Elle, ik heb je hulp nodig!' Cody's mond was droog. In gedachten zag hij beelden van zijn broer die de bus naar Denver nam of beroofd werd. 'Carl Joseph is vermist. Ik heb hem naar het park gebracht, naar een clubbijeenkomst, en hij is weggegaan.' Hij zweeg even vol afgrijzen. 'Ik denk dat hij de bus genomen heeft.'

Haar ogen werden groot. 'O, nee…' Ze deed een stap naar achteren. 'Wacht hier.'

Cody bleef buiten, maar hij keek door het raam. Elle nam haar assistente apart en fluisterde iets.

Zodra ze weer buiten was, pakte Cody haar hand en rende

met haar terug naar zijn pick-up. Hij probeerde niet te denken aan het gevoel van haar hand in de zijne. Alleen zijn broertje was nu belangrijk. 'Jij weet de busroutes, de routes die Carl Joseph kent.'

'Ja.' Ze wachtte tot hij het portier aan haar kant had geopend. 'Rijd naar Adler Street.'

Cody rende om de truck heen en toen hij achter het stuur sprong, voelde hij iets van opluchting. Elle zou hem helpen. Ze zouden Carl Joseph vinden. Ze moesten hem vinden.

Voordat het ondenkbare gebeurde.

Carl Joseph voelde zich schuldig om wat hij had gedaan.

Die aardige vrouw, Kelley, was de vriendin van zijn moeder. Carl Joseph wist nog dat ze wel eens bij hen thuis kwam. Maar niemand had gezegd dat hij moest blijven. Over drie uur kwam Cody terug. Dat had Kelley gezegd. Drie uur was genoeg tijd voor een excursie. Dat had juf gezegd.

Toen Carl Joseph naar buiten ging en het hek uit liep, kwam de bus er net aan. Hij dacht aan zijn portemonnee. 'Als je uitgaat, Carl Joseph, moet je zorgen dat je twee dingen bij je hebt,' had juf gezegd. 'Je buspas en tien dollar.' En nu dacht hij eraan.

Toen de bus stopte, stapte hij in. Helemaal alleen. En de chauffeur was aardig. Hij vroeg waar Carl Joseph heen wilde. Er stond geen rij mensen en niemand zei dat hij moest opschieten, opschieten. Hij likte zijn lippen en haalde zijn portemonnee uit de zak van zijn spijkerbroek. Hij liet zijn buspas zien, en toen nog iets. Hij liet de kaart zien van Elle Dalton. De kaart van het centrum.

'Hier.' Hij wees naar de kaart. 'Ik wil naar het centrum.'

De man bleef aardig. Hij zei dat hij vier haltes mee moest en dan zou hij zeggen wat hij verder moest doen. Carl Joseph ging bij het raam zitten. Want op een raamplaats kon je de hele wereld buiten zien. Dat zei Gus altijd als ze op excursie gingen.

Maar toen Carl Joseph eenmaal zat, werd hij bang en verdrietig. Want misschien moest hij de chauffeur vragen of hij zijn moeder of zijn broer wilde bellen. De bus was heel groot en er zaten geen andere leerlingen in. En ook geen juf. En geen Daisy, die de busroutes beter kende dan alle leerlingen bij elkaar.

Hij drukte zich dichter tegen het raam en wipte met zijn voet. Misschien zou hij zijn moeder bellen als hij in het centrum was. Dan kon ze tegen die aardige Kelley zeggen dat het Carl Joseph speet dat hij was weggegaan. Dat het hem speet dat hij geen gedag had gezegd. Hij drukte zijn voorhoofd tegen het glas. Dat voelde warm, dus hij trok zich terug.

Toen dacht hij aan de belangrijkste vaardigheid. Hij deed zijn ogen dicht. 'God, ik vind dit niet leuk,' fluisterde hij. Misschien te hard, want de chauffeur keek om.

'Gaat het, maat?'

'Ja, maat.' Carl Joseph ging rechter zitten. 'Best.' Zijn hart bonsde. 'D–A–I–S–Y… D–A–I–S–Y.' Hij spelde haar naam een paar keer. Heel zachtjes. Toen praatte hij nog een keer tegen God. 'Help me, God. Help me nu.'

Ze kwamen bij de vierde halte, want de chauffeur stopte. Toen stond hij op en kwam naar achteren. Carl Joseph was de enige in de bus. 'Dit is je halte.'

Carl Joseph stond op, maar zijn benen trilden. Net als wanneer hij op Ace had gereden. Hij slikte en duwde zijn bril omhoog op zijn neus. 'Wat nu?'

'Kom maar mee.' De chauffeur voerde hem langzaam mee door het middenpad en het trapje af. Op de stoep wees hij naar de overkant van de straat. 'Je moet recht oversteken en één blok lopen. Daar staat een blauwe bank. Daar neem je de bus, je rijdt vijf haltes mee en dan sta je vlak voor het centrum.'

Carl Joseph glimlachte. Zie je nou? Hij kon het best. Hij kon de bus nemen en bij Daisy op bezoek gaan. Dat had hij veel eerder moeten doen. Dan had broer niet zo hard met hem hoeven werken. Het was beter als broer en hij vrienden waren. Nu probeerde broer hem te veranderen. Want hij wilde hem veranderen.

Carl Joseph schudde de buschauffeur de hand. 'Dank je, maat.'

'Graag gedaan.' Hij aarzelde. 'Weet je zeker dat alles in orde is?'

'Prima.' Hij voelde zich minder wiebelig. Prima zei Tammy altijd. Het klonk stoer. 'Ja, heel prima.'

De buschauffeur klom de treetjes van de grote bus weer op. Toen sloot hij de deur en reed weg. Carl Joseph liep zes stappen, want hij telde ze. Want tellen was ook een vaardigheid. Toen stond hij stil en keek rond. Moest hij nu rechtuit oversteken? Of schuin? Hij deed twee stappen recht vooruit. Zijn hart begon weer sneller te slaan.

Toen draaide hij zich om en deed drie stappen in de richting van het andere verkeerslicht. Hij knipperde vier keer met zijn ogen. Welke kant was het op? Hij sloeg zijn handen voor zijn gezicht en draaide rond en rond. Eerst de ene kant op, toen de andere. De buschauffeur noemde hem maat. En wat had hij nog meer gezegd? Welke kant moest hij op?

'Vaardigheden, Carl Joseph,' zei hij tegen zichzelf. 'Denk aan vaardigheden die je hebt geleerd.' Hij spreidde zijn vingers en keek ertussendoor. Twee voorbijgangers keken naar hem. Ze hadden enge gezichten. 'Vaardigheden,' zei hij tegen hen. 'Tijd voor vaardigheden.'

De mensen liepen door. Carl Joseph kon niets horen. Zijn hart bonsde te hard, want het beviel hem niks. Hij was alleen en hij moest bijna huilen. Maar de belangrijkste vaardigheid was bidden, want bidden deed je eraan denken dat… je nooit alleen was! Carl Joseph liet zijn handen langs zijn zijden vallen en keek omhoog naar de lucht. Recht omhoog. Hij was helderblauw, er kwam helemaal geen regen. 'God, ik wil naar het centrum. Ik ben vergeten welke kant ik op moet.'

Hij wilde net weer naar de verkeerslichten kijken en een besluit nemen, toen hij een hand op zijn schouder voelde. Misschien was het broer of mama. Hij draaide zich om en sloeg meteen weer zijn handen voor zijn gezicht.

Want politieagenten kwamen alleen maar als er moeilijkheden waren. Heel, heel erge moeilijkheden.

En meteen begonnen zijn ogen heen en weer te trillen. Heen en weer en heen en weer. En zijn mond ging open en hij kon niets zeggen. Want zijn armen en benen beefden en toen viel hij.

En alles om hem heen werd zwarter dan zwart.

hoofdstuk negentien

Er was bijna een uur verstreken sinds Carl Josephs verdwijning, en Elle wist zich geen raad meer. Cody zat wanhopig naast haar, zijn ogen waren wijd opengesperd en het afgrijzen stond in de zorgenrimpels in zijn voorhoofd geschreven.

Elle wees naar het verkeerslicht voor hen. 'Rechtsaf, verderop in de straat is nog een bushalte.' Haar hart bonsde en ze had buikpijn. Hoe hevig ze ook bad, Carl Joseph kwam niet opdagen. Ze waren drie keer langs elke bushalte gereden die Carl Joseph kende, maar er was geen spoor van hem te bekennen.

'Hij kan onderhand haast in Denver zitten.' Cody sloeg de bocht om en de spieren in zijn rechterarm spanden van de ijzeren greep om het stuur. Hij zuchtte tussen zijn tanden door. 'Het is mijn schuld. Ik had bij hem moeten blijven. Logisch dat hij wilde proberen de weg terug te vinden naar het…'

Hij zweeg abrupt toen zijn mobiele telefoon ging. Hij hield het stuur in zijn linkerhand, pakte de telefoon en klapte hem open. 'Met Cody.'

Elle kon het antwoord niet verstaan, maar ineens leek alle spanning uit Cody weg te vloeien. 'Dank U, God…' Hij zweeg even. 'We zijn in de buurt. Vijf minuten misschien.'

'Is hij in het centrum?' Elle boog naar hem toe en fluisterde.

Cody knikte. 'Goed… ja, we zijn onderweg.' Hij klapte de telefoon dicht en legde hem op de stoel. Alsof het de natuurlijkste zaak van de wereld was, pakte hij haar hand en zuchtte opgelucht. 'Hij is veilig.'

Elle kon geen antwoord geven. Cody's aanraking trok omhoog langs haar arm en ze wist dat ze los moest laten. Wat er ook op het spel stond, hoe anders dingen ook waren gelopen. Ongeacht de emoties van het afgelopen uur, Cody was getrouwd. Ze hoorde zijn hand niet vast te houden.

Maar op dat moment had ze zijn hand niet los kunnen laten, al had haar leven ervan afgehangen. Moeizaam zocht ze haar stem. 'Hoe... hoe hebben ze hem gevonden?'

Cody scheen haar moeite niet op te merken. Hij concentreerde zich op de weg en toen het veilig was, keerde hij de auto. 'Ik denk dat hij op een bus is gestapt en de chauffeur jouw kaart heeft laten zien. Dat hij verteld heeft dat hij naar het centrum wilde.' Cody keek haar opgelucht aan. 'Na de overstap moet hij in de war zijn geraakt.' Hij streek met zijn duim langs de zijkant van haar hand. Zorgelijker zei hij: 'Toen hij door een politieagent werd gevonden, kreeg hij een toeval.'

Laat zijn hand los, zei Elle tegen zichzelf. Maar zijn aanraking was zo heerlijk. 'Heeft hij een toeval gehad?'

'Die agent heeft hem erdoorheen geholpen. Hij is nu bij mijn moeder op het parkeerterrein van het centrum.'

Elle probeerde zich Carl Joseph helemaal alleen in een bus voor te stellen en dat hij probeerde over te stappen zonder de hulpinstrumenten waaraan hij gewend was. En als hij een toeval had gehad, waarom had die agent hem dan niet naar het ziekenhuis gebracht? Ze bleef met vragen zitten, maar die zouden zo meteen beantwoord worden als ze bij het centrum waren. Al die vragen, behalve één.

Waarom hield ze nog steeds de hand vast van een getrouwde man?

Cody was zich hevig bewust van Elles aanwezigheid naast zich, de flauwe geur van haar parfum, en haar hand in de zijne. In het afgelopen uur had de onderliggende band die hij met haar voelde, de aantrekkingskracht, hem nagenoeg verteerd. Maar hoe paniekerig hij ook was vanwege Carl Joseph, hij durfde er toen niet naar te handelen en haar hand te pakken.

Nu, in zijn opluchting echter, had hij het overweldigend verlangen om de auto stil te zetten, Elle in zijn armen te nemen, haar vast te houden en haar te bedanken voor haar zorg voor Carl Joseph. Maar het was slechts een dwaze, voorbijgaande gedachte. Elle leek niet op haar gemak, en geen wonder. Na het ongeluk van Carl Joseph had hij nooit meer de kans gekregen om haar te vertellen hoe goed ze was geslaagd. Hoezeer hij nu in haar werk geloofde, nu hij het met eigen ogen had gezien.

In zekere zin moest ze hem nog steeds zien als de vijand.

Hij liet haar hand los toen ze het parkeerterrein op reden. Zijn moeder stond in de voorste rij geparkeerd en Cody koos het vak naast haar. Hij zette de motor af en liet zijn hoofd achterover tegen de rugleuning vallen. 'Ik had niet gedacht dat het zou helpen.'

'Wat?' Ze pakte de deurhendel vast.

Hij draaide zich naar haar toe. 'Bidden.' Zijn hart en ziel werden vervuld van eerbied. 'Vanaf het moment dat ik hoorde dat hij vermist werd, heb ik gebeden en het heeft geholpen.'

Ze glimlachte, maar de lach bereikte haar ogen niet. 'Bidden helpt altijd,' zei ze op een droevige, berustende toon. 'Zelfs als het antwoord ons soms niet bevalt.' Ze keek langs hem heen naar Carl Joseph. 'Kom je even binnen met hem voordat je gaat?'

Cody keek haar onderzoekend aan. Hij wilde niet nog meer onrust stoken dan hij al had gedaan. 'Weet je het zeker? Ik bedoel, na alles...'

'Ja.' Ze stapte uit, maar haar ogen hielden zijn blik vast. 'Daisy mist hem.' Ze aarzelde. 'Heel erg. Ze is een ander mens geworden zonder Carl Joseph.'

'Goed.' Hij opende zijn portier. 'Geef ons een paar minuten.'

Elle knikte en snelde toen het centrum in. Cody keek haar na en het drong tot hem door dat hij zijn adem ingehouden had. Dat effect had ze op hem, het viel niet te ontkennen. Maar zelfs met zijn gebrek aan ervaring kon hij haar makkelijk doorgronden.

Ze was niet geïnteresseerd.

Hij stapte uit en klopte op het portier aan de kant van Carl Joseph.

Zijn broer schoot overeind en zijn ogen werden groot. Zijn portier zwaaide open en hij vloog naar buiten. Toen werd hij ineens overvallen door schaamte en verdriet. 'Het spijt me, broer. Want ik had het niet eerst gevraagd.' Carl Joseph schudde zijn hoofd, zijn mond hing open alsof hij de juiste woorden niet kon vinden. Hij duwde zijn bril weer op zijn plaats. 'Ik heb er heel, heel erg spijt van.'

Cody hield het niet meer uit. Hij trok zijn broer in zijn armen en hield hem stevig vast. 'Vriend... ik ben zo blij dat alles in orde is met je.' De omhelzing duurde geruime tijd en toen Cody hem losliet, legde hij zijn handen op Carl Josephs schouders en keek hem recht in de ogen. 'Dit was jouw schuld niet, vriend. Ik had je nooit alleen moeten laten.'

'Nee.' Carl Joseph schudde zijn hoofd, eerst een beetje en toen heviger. 'Nee, want de chauffeur zei: "Gaat het, maat?" en ik zei ja en toen wist ik niet meer welke kant ik op moest.' Hij wees recht vooruit. 'Die kant op.' Toen wees hij de andere kant op. 'Of die kant op. En dus is het jouw schuld niet, broer.'

Hun moeder was ook uitgestapt en ze sloeg haar armen om hen beiden heen. 'Heeft Elle gezegd dat we even binnen mochten komen?'

'Ja.' Cody wist niet wat er nu verder ging gebeuren met Carl Joseph. Hij wilde meer horen over zijn toeval en er was al een afspraak bij de dokter gemaakt voor morgenochtend. Dat had zijn moeder hem verteld toen ze belde. Maar eerst moesten ze nu naar binnen gaan, want dat was wat Carl Joseph wilde.

Jammer genoeg had hij zijn leven op het spel gezet om hier te komen.

Met z'n drieën liepen ze naar de deur van het centrum. Door het raam hoorden ze muziek en vrolijk gelach. Het was duidelijk dat de leerlingen het bericht van Carl Josephs pijnlijke ervaring was bespaard.

Carl Joseph liep langzamer dan anders, maar hij stapte voor Cody en hun moeder uit en hield de deur open.

Binnen was een dansles in volle gang. Alleen Daisy deed niet mee. Carl Josephs vriendinnetje zat helemaal alleen aan een tafel in de verste hoek van de ruimte. Cody's hart werd geraakt. Van alle leerlingen in de klas was Daisy het meest open en op gezelschap gesteld. Haar teruggetrokken gedrag kon maar één oorzaak hebben.

Elle zag hen en onmiddellijk lichtte haar gezicht op. 'Carl Joseph!' Ze lachte en haastte zich naar hem toe. Alle tekenen van pijn en verdriet die ze eerder had vertoond waren verdwenen. Ze nam Carl Joseph in haar armen en omhelsde hem. 'Gaat alles goed met je?'

'Nu wel.' Hij grinnikte naar Elle en toen naar de leerlingen, die één voor één ophielden met dansen en zich naar hem omdraaiden. 'Ik wilde heel erg graag hierheen komen. Want hier zal ik op een dag mijn einddoel bereiken. Hier groei ik op als een man.' Hij boog dichter naar Elle toe en dempte zijn stem tot wat hij meende dat een fluistering was. 'Bij broer kan ik niet opgroeien.'

Elle wierp een meelevende blik op Cody.

Cody had zin om te schreeuwen dat hij aan hun kant stond. Maar het was niet het juiste moment. Bovendien hadden Carl Josephs woorden hem pijn gedaan en ze bleven door zijn hoofd spelen. *Bij broer kan ik niet opgroeien.* Geen wonder dat Carl

Joseph de laatste weken zo moeilijk was geweest.

Carl Joseph ging er maar over door hoe blij hij was om terug te zijn. 'Ik heb het centrum erg gemist, juf!' Carl Joseph knikte met snelle bewegingen. 'Heel erg.'

'Dat is zeker waar.' Hun moeder zag er uitgeput uit, maar ze glimlachte. Ze keek Elle recht aan. 'Dank je wel... voor alles.'

Elles glimlach werd zacht. Ze gaf Carl Joseph klopjes op zijn schouder en iemand zette de muziek af. Iedereen begon door elkaar te praten, de leerlingen noemden Carl Josephs naam en klapten in hun handen. Elle verhief haar stem om boven het lawaai uit te komen. 'Je klasgenoten hebben je gemist. Eentje in het bijzonder.'

Carl Joseph lachte, de luide, lieve lach met open mond die Cody sinds het ongeluk niet meer in huis had gehoord.

'D–A–I–S–Y!'

'Ja, die is het.' Elle ging hem voor naar achteren.

Cody voelde zich leeg en uitgeput na de schrik. Met zijn moeder hield hij zich op de achtergrond terwijl Elle haar arm door die van Carl Joseph stak en hem meenam naar de anderen. Het duurde even, maar toen kwam er een kettingreactie op gang.

Gus sloeg beide handen voor zijn mond en liet ze toen langs zijn wangen naar zijn kruin glijden. Hij danste in een cirkel en hief beide armen hoog boven zijn hoofd. 'Carl Joseph is terug!' Hij keek naar de anderen en wenkte dat ze hem moesten volgen. 'Carl Joseph is terug, jongens!' Hij rende zo hard naar Carl Joseph toe dat hij struikelde. Drie anderen hielpen hem overeind en Cody keek toe hoe zijn broer omringd werd door zijn vrienden.

Sid keek Carl Joseph met gefronst voorhoofd aan. 'Je moet nooit zo lang wegblijven van school.' Maar even later lachte hij ook. 'Nooit meer, Carl Joseph.'

Enkele leerlingen stonden te springen op hun plaats, te klap–

pen, te lachen en te praten. Enthousiast, als altijd.

'We hebben een nieuwe busroute! Je moet de nieuwe busroute kennen.'

'Kijk eens naar mijn haren, Carl Joseph. Haren knippen is een vaardigheid!'

'We hebben asperges gekookt, dus nu kun je asperges koken als je asperges wilt eten.'

Degenen die niet stonden te schreeuwen kwamen aanlopen en klopten Carl Joseph op de rug. Een paar bedankten hem. 'Eindelijk is onze klas weer bij elkaar.' Tammy zwaaide haar lange vlechten van de ene kant naar de andere. 'Bedankt dat je teruggekomen bent, Carl Joseph!'

Pas toen zag Cody Daisy. Ze was van tafel opgestaan en kwam naar de groep toe lopen. Haar mond hing open en de tranen stroomden over haar gezicht. Op hetzelfde moment nam Carl Joseph de gezichten om hem heen in zich op en het drong tot hem door wie er ontbrak. Met een plotselinge uitbarsting van drukke bewegingen draaide hij alle kanten op tot hij haar eindelijk aan zag komen. Hij lachte breder dan Cody hem had zien doen sinds hij thuis was.

'Daisy…' Hij brak door de kring van vrienden heen en rende met uitgestrekte armen en grote, lompe stappen op haar af.

Maar Daisy rende hem niet tegemoet. Ze liet haar hoofd hangen en bleef huilen, met zachte, onderdrukte snikken, terwijl Carl Joseph op haar toe kwam.

'Daisy, wat is er?' Carl Joseph legde zijn hand op haar schouder. 'Ik ben er nu.'

'Je… hebt me alleen gelaten.' Haar woorden waren slecht te verstaan door haar hevige emotie. Ze keek op en haar neus was rood, haar wangen nat. 'Ik wist niet waar je was. Zelfs niet toen het regende.'

Carl Josephs ogen werden groot en zijn mond ging open. Cody zag de schrik en spijt op zijn gezicht. Hij had zijn vriendinnetje in de steek gelaten en voelde zich verscheurd door schuld. Zijn adem stokte. 'Het spijt me, Daisy. Ik wilde hier zijn. Echt waar, hoor.'

Na zijn uitleg werd ze kalmer, maar in haar gezichtsuitdrukking bleef iets van pijn en verraad bestaan. En op dat moment voelde Cody de pijn die Carl Joseph de laatste weken moest hebben ervaren op z'n ergst. Wat hadden ze gedaan door hem weg te houden uit het centrum? Weg van Daisy en Elle en Gus en iedereen hier?

Elle ving zijn blik op. Ze veegde haar eigen wangen droog en kwam naar hem en zijn moeder toe. 'Ik weet dat u het er niet mee eens bent, maar...' ze keek naar Carl Joseph en Daisy, 'hij hoort hier.' Ze aarzelde, klaarblijkelijk worstelend met haar emoties. 'Dit heeft hij nodig.'

Hun moeder keek naar Carl Joseph, zoals hij nu met beide handen op Daisy's schouder stond en haar probeerde te overtuigen dat hij niet weg had willen gaan, dat hij haar net zo erg gemist had als zij hem. De gewonde blik in Daisy's ogen verflauwde. Ze keek Carl Joseph met een klein lachje aan. Mary bracht haar vingers naar haar keel en keek Elle aan. 'Je hebt gelijk.' Haar stem brak. 'Maar zijn gezondheid... ik weet niet hoe het moet.'

De andere leerlingen kwamen naar Daisy en Carl Joseph toe. Nu glimlachte Daisy en Carl Joseph maakte een raar rondedansje om haar aan het lachen te maken.

'Alstublieft, mevrouw Gunner. Ik ken andere artsen met wie u kunt praten.' Ze slikte, wilde haar boekje niet te buiten gaan. 'Overweeg het alstublieft.'

Het idee leek zijn moeder te overweldigen. Maar ze knikte. 'Dat zullen we doen.'

Cody had Elle Dalton wel kunnen zoenen. Dat was de oplossing! Een andere arts, een arts die meer openstond voor de vooruitgang of ontwikkeling van zieke mensen met het syndroom van Down. Hij zei niets, omdat hij het niet kon. Hij was te gebiologeerd door de jonge lerares die daar met zijn moeder stond te praten.

Voordat ze vertrokken, nam Cody Elle apart. 'Dank je wel.' Hij keek haar onderzoekend aan. Steeds als haar ogen zo dichtbij waren als nu, sloten ze zich voor hem af. Hij slikte van frustratie. 'Voor het helpen zoeken, maar ook voor je zorg.'

'Natuurlijk.' Ze deed een stap naar achteren en maakte een gebaar naar haar leerlingen. 'Ik moet gaan. Misschien… misschien zien we Carl Joseph binnenkort weer.'

'Misschien.' Hij wilde haar vragen wat er mis was, maar hij weerstond de aandrang. 'Mijn ouders… Ze hebben morgen een afspraak met zijn arts.'

'Tja, dan… ach, ik hoor het wel.' Ze schonk hem een zakelijk lachje. Toen keerde ze terug naar haar leerlingen.

Op weg naar huis die middag, terwijl Carl Joseph maar doorratelde over Daisy en Gus en Sid en juf, dacht Cody onafgebroken aan Elle. Zijn gevoelens werden niet alleen veroorzaakt door haar mooie ogen of door wat hij voelde als hij bij haar was. Het was meer dan dat, het was haar liefde voor haar leerlingen. Haar toewijding en zorgzaamheid voor Carl Joseph. In het uur dat ze samen op zoek waren geweest naar zijn broer, had ze Cody's hart geraakt met een hevigheid die hij maar één keer eerder in zijn leven had gekend. Hij hoefde zich niet meer af te vragen wat hij voelde voor Elle Dalton. Het was hem vandaag zo duidelijk geworden: zo helder als de lucht boven Colorado Springs. Er was maar één probleem, en dat verteerde hem de rest van de dag tot in de avond. Hij had een slechte eerste indruk gemaakt.

En hij wist niet of hij die nog ongedaan kon maken, wat hij ook probeerde.

hoofdstuk twintig

De afspraak met de specialist bracht nog meer slecht nieuws.

Toen ze die avond met z'n drieën terugkwamen uit Denver, kwam Cody's vader bij hem in de schuur en vertelde de bijzonderheden. Er was een MRI-scan gemaakt die een degeneratie had aangetoond in Carl Josephs hersenen. Hij zou vatbaar worden voor meer en sterkere toevallen en wat erger was, hij liep een groot risico op een beroerte.

'En samen met zijn hartkwaal heeft hij misschien niet lang meer te leven. Een paar jaar. Vijf, misschien.' De ogen van zijn vader waren rood en gezwollen. 'Dus we hebben ons besluit genomen. Carl Joseph moet hier blijven, waar we voor hem kunnen zorgen.' Zijn vaders adem stokte even en hij vocht met zijn emoties. Toen hij zich weer in bedwang had, keek hij Cody in de ogen. 'We moeten met Elle praten of hij naar het centrum kan. Eén keer in de week misschien.'

Cody zocht steun tegen de dichtstbijzijnde muur. Het kon niet waar zijn, niet Carl Joseph. Het verlies van Ali was genoeg voor een mensenleven. Ze mochten het niet opgeven, niet simpelweg de diagnose aanvaarden als er misschien nog iets anders gedaan kon worden. Hij slikte zijn ongeloof in en liet zijn handen vallen. 'Elle zegt dat ze een andere arts kent...'

'De uitslagen liegen niet, Cody.' Zijn vader schudde bedroefd zijn hoofd en hij liep naar de schuurdeur. 'Ik ga weer naar binnen. Je moeder heeft het moeilijk.'

Toen hij weg was, wilde Cody diep ademhalen, maar het ging niet. Zijn ene long vocht tegen het nieuws, tegen de schok die door hem heen voer. Dus Carl Joseph was ten dode opgeschreven? Er moest een andere mogelijkheid zijn, een manier waarop hij het doel kon bereiken dat zo belangrijk voor hem was.

Het doel dat Carl Joseph dacht niet te kunnen bereiken met Cody naast zich.

Er was maar één plek waar Cody naartoe kon gaan met alle gevoelens die zich verdrongen in zijn hart. Naar de landerijen op de rug van Ace. Hij had drie dagen niet op het paard gezeten, hij was te druk bezig geweest met Carl Joseph om ook maar een uurtje te rijden. Nu richtte hij zich op en zette zijn honkbalpet recht, zadelde het paard en steeg op.

'Kom op, Ace.' Hij knipperde zijn tranen weg. 'Vandaag moet je voor me rennen.'

Er waaide een warme wind over de ranch van zijn ouders, die herinneringen meevoerde aan alles wat verdwenen was uit zijn leven. Alles wat nooit meer terug zou komen. Zijn rodeotijd, de dagen op het circuit, en Ali. Hij ademde diep in en tuurde naar de verstilde blauwe hemel. Hij liet zijn verdriet naar boven komen.

Hij liet Ace naar het begin van het pad stappen. Juniavonden in Colorado Springs waren altijd prachtig en deze avond was geen uitzondering. Het was acht uur en hij had nog een half uur voordat de zon onderging. Het oude paard was nog even sterk en trots en trouw als toen Ali hem week na week, seizoen na seizoen, bereed op het ene tonnenracetoernooi na het andere. Het beeld van Ali die op Ace om de tonnen heen scheurde, bleef hem nog altijd bij. En dat zou ook altijd zo blijven.

Cody klopte het paard op de hals. 'Braaf, Ace.' Hij boog naar voren en schreeuwde plotseling: 'Galop!'

Het paard hinnikte en Ace zette een draf in die al snel een volle galop werd. Het tempo paste bij zijn stemming en gaf hem het gevoel dat ze konden ontsnappen aan het slechte nieuws over Carl Joseph, ontsnappen aan de achteruitgang van zijn broer in de weken dat hij thuis was geweest.

Meestal deed het rijden hem alleen maar aan Ali denken, maar nu niet. Met de wind in zijn gezicht en Ace die onder hem een tijdloos ritme stampte, kon Cody alleen maar denken aan zijn broer, en de lerares die hem een kans had gegeven om echt te leven.

Elle Dalton.

De zon baande zich een weg naar de bergen en wierp een onwerkelijk laatste licht op de cactussen en struiken waarmee de achterkant van het land begroeid was. Cody boog naar achteren en liet de zonnestralen in zijn gezicht schijnen, alsof de warmte zijn weg kon vinden naar de koude, donkere plaatsen in zijn hart. Langzaamaan minderde Ace vaart tot hij stapvoets liep.

'Tja, Ace…' Hij wreef de paardenmanen. 'Carl Joseph doet het ook rustiger aan.'

Het paard deed nog een paar stappen en stond stil om van een stukje gras te eten.

Carl Joseph ging sterven. Niet nu meteen, maar binnenkort. Cody staarde zo ver als hij kon naar de horizon. Carl Joseph, zijn vriend. Het kind dat hem geadoreerd had sinds hij groot genoeg was om te kruipen. Degene die stierenrijder wilde worden om een beetje meer op Cody te lijken. Sterven aan iets wat Cody niet kon begrijpen, laat staan verhelpen.

Als hij het risico liep om een beroerte te krijgen, dan kon elke dag gevaar inhouden voor Carl Joseph. Cody drukte zich in het zadel en zuchtte diep. Wat had Kelley Gaylor gisterochtend gezegd? Juist Cody zou moeten weten wat het was om risico's te nemen.

Sinds de nachtmerrie Carl Joseph te verliezen, had één bepaald moment zich wel honderd keer in Cody's hoofd afgespeeld. Toen hij gisteren het recreatiecentrum binnen was gewandeld, was hij getroffen door iets wat pas na Carl Josephs verdwijning tot hem doorgedrongen was. De jonge volwassenen op de club waren totaal anders dan de leerlingen in Elle Daltons Centrum voor Zelfstandig Wonen.

Op de club kregen mensen met het syndroom van Down handenarbeid en eenvoudige boeken en de gelegenheid om een praatje te maken. Maar hun gezichten hadden een lege uitdrukking, en ze zagen er droefgeestig uit. Er werd hun geen uitdaging geboden, ze leerden niets. Het was alleen een manier om samen de tijd door te komen. Iets om de dinsdag te onderscheiden van de woensdag. Dat was niet Kelley Gaylors schuld. De club was niet in het leven geroepen om de leden te leren zelfstandig te worden of een doel te geven om na te streven.

Cody streelde Ace' hals weer en het paard tilde zijn hoofd op. Er waren niet veel paarden zoals Ace. Hij kon de gevoelens en de stemming van een mens aanvoelen. Nu bijvoorbeeld, terwijl Cody met zijn gevoelens worstelde, stelde Ace zich ermee tevreden te grazen en maar een paar kleine stapjes te verzetten. En toen Ali ziek was, en Ace merkte dat ze moeite had met haar ademhaling, tilde hij zijn hoofd hoog op zodat ze ergens tegen aan kon rusten tot ze weer op adem was.

Cody keek naar zijn trouwring, de eenvoudige witgouden ring die hij nog steeds droeg. Hij wist zonder enige twijfel wat Ali over Carl Josephs situatie zou zeggen als ze nog leefde, als ze hier bij hem was, en goed genoeg was om met hem door het veld te rijden.

Ali en haar zus waren allebei geboren met taaislijmziekte, en de eerste tien jaar van hun leven hadden ze binnen doorgebracht. Hun ouders hadden speciale luchtfilters gekocht en al het mogelijke gedaan om allergenen en stof niet binnen te laten komen. Ali en haar zus zaten voor het raam van hun slaapkamer en droomden ervan over de grazige heuvels naar de schuur van de buren te rennen.

Ali was blijven paardrijden nadat haar arts had gezegd dat het jaren van haar leven zou kosten. Ze reed omdat ze haar leven wilde leven, en niet uitzitten. Ali was een dromer en een doener, en als ze Carl Joseph langer had gekend, zou ze van begin af aan achter het centrum hebben gestaan en het doel hebben toegejuicht.

Zelfs toen ze wist dat haar dood naderde, had ze elke dag geleefd en elk moment ten volle beleefd. Hij zag Elle Dalton voor zich en haar onvermoeibare werk met Carl Joseph en de andere deelnemers. Elle was eigenlijk niet veel anders dan Ali. Allebei begrepen ze dat risico een onontkoombaar deel van het leven was.

Cody trok de teugel licht aan en Ace begon terug te lopen naar de schuur. Een jaar voordat ze gestorven was, had Ali in de herfst met Cody door de bergen gewandeld. Ze stond stil en staarde naar een boom waarvan de bladeren schitterend rood waren met een spoor van goud.

'Raar, hè?' Ze pakte een rood blad van de grond. 'Helemaal op het einde, vlak voordat het sterft, is een blad op z'n allermooist.'

Hij had naar haar geluisterd, naar haar gekeken, zich haar beeld ingeprent.

'Net als ik ongeveer.' Ze keek hem in de ogen, hief haar gezicht op en kuste hem. 'Dit zijn de allermooiste dagen, Cody. De dagen waaraan ik wil dat je terugdenkt.'

De zon was nu achter de heuvels gezakt. De lucht was doorstreept met roze en lichtblauwe tinten. Hij had genoeg verloren in zijn leven en wilde zijn jongere broer niet kwijt. Maar het zou nog erger zijn om hem thuis te zien wegkwijnen terwijl hij zelfs nooit de simpelste dingen had gedaan waarvan hij had gedroomd.

Misschien kon hij verhuizen met Carl Joseph, met z'n tweeen samen gaan wonen. Dat was misschien wat veiliger voor Carl Joseph. Maar zodra de gedachte in hem opkwam, werd hij door twijfel overmand. Carl Joseph en hij waren beter af met de vriendschap die ze vroeger hadden. Zijn broer wilde niet dat hij als de leraar optrad. Hij wilde dingen zelf doen. Cody zou hem alleen maar in de weg staan.

Cody zoog de zoete avondlucht diep in.

Hij dacht aan het telefoontje dat hij eerder op de dag had gekregen. Een onderdirecteur van de omroep had gebeld. Kennelijk had Cody's agent mondeling toegezegd dat Cody terugkwam naar het circuit.

'We kunnen je gebruiken, Gunner,' had de man gezegd. 'De fans zijn dol op je. Eind volgende week moet ik het weten.'

Er wrong iets in zijn borst. Uiteindelijk was het misschien het verstandigst om terug te gaan. Stierenrijden was wat hij kende, waar hij goed in was. En het hield hem uit de buurt van Elle Dalton, een vrouw die duidelijk niet geïnteresseerd was in hem. Hoe dan ook, zijn besluit over het circuit was niet half zo belangrijk als de beslissing die zijn ouders moesten nemen over Carl Josephs toekomst.

Cody drukte zijn kuiten licht tegen Ace' flanken en het paard begon te galopperen. Hij liet de teugels vieren en Ace zette een volle rengalop in. Hoe was hem nog niet duidelijk, maar hij moest zijn ouders op andere gedachten brengen. Cody boog dicht naar Ace' hals en kneep zijn ogen halfdicht tegen de wind. Carl Joseph zou zeggen dat hij moest bidden. En bidden had gisteren inderdaad geholpen. Hij kwam dichter bij de schuur en in het wegstervende zonlicht zag hij iemand bij de achterkant van het huis staan. Toen hij dichterbij kwam, zag hij dat het drie mensen waren. Carl Joseph en… Hij spande zich in om het te onderscheiden tot hij het eindelijk zag. Zijn hart sloeg een slag over en hij richtte zich op in het zadel.

Het was Elle Dalton met haar leerling Daisy.

hoofdstuk eenentwintig

Elle kon haar ogen niet van Cody afhouden. Zoals hij eruit-
zag in het wegstervende zonlicht, vliegend over het veld op
die prachtige palomino. Samen vormden ze een toonbeeld
van kracht en gratie en schoonheid. Ze was niet gekomen om
Cody te zien, maar het was onmogelijk om niet te kijken.

Ze wendde zich af en keek naar haar zusje en Carl Joseph,
die langzaam dansten op het vers gemaaide gras. De moeder
van Carl Joseph had opgebeld met het nieuws, en Daisy had
alleen haar kant van het gesprek gehoord.

'Is CJ ziek?' Daisy had aan haar arm getrokken. 'Is hij ziek,
Elle? Zeg het als hij ziek is.'

Elle legde haar vinger tegen haar lippen en keek haar zusje
streng aan. Maar Daisy liet zich niet met een kluitje in het riet
sturen. Ten slotte moest Elle Carl Josephs moeder vragen even
te wachten terwijl zij haar zusje uitlegde dat alles in orde was
met CJ. Over epilepsie konden ze het later wel hebben.

'Breng me naar hem toe, Elle... Ik heb een Minnietekening
voor hem. Alsjeblieft!' Daisy begon weer aan haar te trekken.
'Alsjeblieft, Elle!'

Eindelijk gaf Elle toe. 'Hebt u er bezwaar tegen als Daisy en
ik vanavond na het eten even langskomen?'

Carl Josephs moeder klonk vermoeid, maar ze zei dat ze
dankbaar was voor het aanbod. 'We kunnen wel een reden gebruiken om even te glimlachen.'

Elle had nog een reden om vanavond naar het huis van de
Gunners te gaan. Ze wilde kennismaken met Cody's vrouw. Ze
speurde het terrein naast de oprit af. Was zijn vrouw daar? Vol-

gens Carl Joseph was Cody voor zes weken thuis. Maar waar was zijn vrouw dan? Was ze in de stad gebleven waar Cody vandaan was gekomen?

De stukken van zijn verhaal klopten niet.

Ze hoorde Cody's paard dichterbij komen en liep naar het weiland om hem naar de schuur te zien rijden. Hij moest kapot zijn van het nieuws over Carl Joseph. Als hij verdriet had, moest ze bijzonder voorzichtig zijn. Zijn gedrag van gisteren toen hij haar hand had vastgehouden en de manier waarop zij ervan had genoten, brandden nog in haar geweten. Vandaag zou ze die grens niet overschrijden.

Een eindje verder stond Carl Joseph de situatie aan Daisy uit te leggen. 'Broer moet Ace op stal zetten, want het is bedtijd.' Hij praatte hard, waarschijnlijk om indruk te maken op Daisy met zijn paardenkennis.

'Maar paarden gaan toch niet liggen slapen?' Daisy stond naast Carl Joseph en leunde tegen zijn arm.

'Want ze hebben geen bed.' Hij lachte hard en zij deed mee. 'Is dat niet grappig, Daisy? Want paarden hebben geen bed.'

Cody kwam uit de schuur naar hen toe. Hoe dichter hij naderde, hoe zekerder Elle wist dat ze iets anders zag in zijn ogen, iets wat er eerst niet was geweest. Een uitstraling en empathie die rechtstreeks op haar gericht schenen te zijn. Ze werd waakzaam. *Hij is getrouwd, Elle... Wees geen dwaas. God, help me het hoofd koel te houden.*

'Hoi.' Hij sloeg zijn armen over elkaar en keek naar Daisy. 'Ik zie dat juf een omweg heeft gemaakt naar huis.'

Daisy lachte. 'Na schooltijd mag ik haar geen juf noemen.'

Ineens besefte Elle hoe weinig Cody van haar wist. Ze pakte Daisy's hand. 'Daisy is mijn zus.' Ze keek Cody aan. 'Wist je dat niet?'

Cody keek haar wezenloos aan voordat de verwondering toesloeg. 'Jij bent haar... ze is jouw...'

Cody was duidelijk geschokt door het nieuws, maar meer nog leek hij erdoor geraakt. Er ontsnapte Elle een zenuwachtig lachje. Hoe was het mogelijk dat ze hem dat niet eerder had verteld? Dan hadden ze veel eerder raakvlakken gevonden in de kwestie zelfstandig wonen.

Hij stond haar nog steeds verbaasd aan te kijken toen Carl Joseph aan de mouw van zijn spijkerblouse begon te trekken. 'Broer, kijk eens.' Hij hield een verftekening omhoog. 'Ze heeft Minnie Mouse voor me getekend.' De tekening was nauwkeurig geverfd en bovenaan had Daisy geschreven: *Daisy wil dat CJ terugkomt.*

Cody glimlachte. 'Wat mooi.' Hij gaf Daisy een knipoog. 'Goed gedaan.'

'Bedankt.' Ze straalde. Welke vijandige gevoelens ze ook voor Cody Gunner gehad mocht hebben, ze waren nu verdwenen. Daisy haalde een tekening achter haar rug vandaan. 'En kijk eens wat CJ mij heeft gegeven. Mickey voor D–A–I–S–Y. En dat het is mooiste cadeau van allemaal.'

Ook dit kunstwerk bewonderde Cody, en de nauwgezetheid waarmee Carl Joseph Daisy's naam bovenaan had gespeld. Haar naam was nog een van de weinige woorden die hij steeds correct kon spellen.

Carl Joseph fluisterde iets tegen Daisy en weer lachten ze samen. Elle maakte van de gelegenheid gebruik om Cody te benaderen. *Hou het zakelijk,* hield ze zich voor. Ze sloeg haar armen over elkaar. 'Kunnen we even praten?'

'Tuurlijk.' Hij liep een eindje uit de buurt van hun lawaaiige broer en zus en zij volgde hem. 'Dus mijn moeder heeft het je verteld?'

'Ja. De diagnose is niet best.' Elle hield afstand.

Cody zette één voet op een spijl van het hek. Het was niet donker, maar er begonnen schaduwen over het erf te vallen. Cody staarde met verdriet in zijn ogen in de verte. 'Dat dit moet gebeuren, net nu hij begon op te leven.'

De achterdeur van het huis ging open en mevrouw Gunner stak haar hoofd naar buiten. 'Ik heb een paar appels gesneden,' riep ze. 'Carl Joseph, neem je vriendinnetje maar mee naar binnen voor een hapje.'

Carl Joseph zette zijn handen aan zijn mond. 'Alleen appels of met pindakaas?'

'Met pindakaas.' Er klonk een lach in mevrouw Gunners stem.

'Jippie!' Carl Joseph klapte hard in zijn handen en nam Daisy bij de hand. 'Kom, Daisy... want mijn moeder maakt de lekkerste appels met pindakaas van de hele Rocky Mountains.'

Elle keek hen na toen ze naar de achterdeur huppelden en in het huis verdwenen. Ze deed een stap bij Cody vandaan. Hoewel het een warme avond was, liep er een rilling over haar armen. Het lied van krekels in de verte mengde zich met de wind en verhoogde haar gewaarwording van Cody naast haar. Ze probeerde zich te concentreren. 'Die andere arts... heeft methodes om patiënten te helpen aan hun medicijnen te denken. Zodat een epileptische patiënt ze zeker niet kan vergeten.'

Cody keek haar onderzoekend aan en zei een tijdje niets. Toen leunde hij achterover op zijn ellebogen. 'Je voelt je niet op je gemak bij mij.'

Het was geen vraag, en aanvankelijk wist Elle niet hoe ze moest reageren. Maar haar nieuwsgierigheid was gemengd met boosheid en ze zette haar handen in haar zij. 'En dat is maar goed ook, vind je niet?'

Cody veegde zijn voorhoofd af met de rug van zijn hand, maar zijn ogen bleven vast in de hare. 'Omdat je nog steeds denkt dat ik de vijand ben?'

'Nee.' Ze lachte kort. 'Vanwege je vrouw.'

Even keek Cody ongelovig. Hij deed zijn mond open om

iets te zeggen, maar toen bedacht hij zich. Hij zette zich af tegen het hek en deed drie stappen in de richting van de schuur. Hij stond stil en draaide zich langzaam naar haar om. 'Meen je dat in ernst?'

Elle was trots dat ze de situatie meester was. Maar ze begreep er helemaal niets meer van. Wat bedoelde hij? Dat het hem niet in het minst interesseerde, of dat het prima was dat zij tweeën gevoelens voor elkaar hadden ondanks het feit dat hij getrouwd was?

Ze snoof en liep een paar stappen naar hem toe. 'Natuurlijk meen ik dat in ernst. Ik hoor nooit iets over haar, Cody.' Ze keek om naar het huis en stak haar handen in de lucht. 'Waar zit ze eigenlijk? Hoe heet ze?'

Nu werd zijn gezichtsuitdrukking gekleurd door een onmiskenbaar verdriet. 'Ze heet Ali.' Hij stopte zijn handen in de zakken van zijn spijkerbroek en zijn stem werd zacht. 'Ze is vier jaar geleden gestorven.'

Elle schrok hevig. 'Wat?' fluisterde ze. Het drong langzaam tot haar door. Al die weken! Al die tijd dat ze had aangenomen dat hij getrouwd was, terwijl... 'Cody...' Ze sloeg haar handen voor haar gezicht, ontsteld en bedroefd om het verlies dat de man tegenover haar had meegemaakt. Langzaam vielen haar handen langs haar lichaam. 'Wat erg.'

Afwezig wreef hij de ring om zijn linkerhand. 'Misschien moesten jij en ik maar een ritje gaan maken.'

Elle wist niet waarheen of hoelang ze weg zouden blijven. Maar ze wilde overal heen waar Cody Gunner haar mee naartoe zou nemen, en ze wilde zijn verhaal horen en tot in de details begrijpen.

Want dan zou ze misschien de man achter het verhaal kunnen begrijpen.

Cody wist niet of hij moest lachen of huilen.

Dus het was door zijn trouwring gekomen. En misschien iets wat Carl Joseph had gezegd. Maar nu begreep hij eindelijk waarom ze zich zo gevoeld had. Ze dacht dat hij getrouwd was. Natuurlijk had ze gedaan of ze geen belangstelling had. Niet dat het er nu nog veel toe deed, want hij ging terug naar het circuit. Zijn leven zou uit trekken bestaan, en het hare hier bij haar leerlingen.

Maar toch wilde hij de tijd nemen om de lucht te klaren.

Hij nam haar mee naar zijn pick-up en opende het portier aan de passagierskant. Toen hij achter het stuur zat, startte hij de motor en reed door een hek op het land van zijn ouders. 'Er loopt een weg langs de zijkant van onze ranch... Die voert naar een rotswand.' Hij reed langzaam de zandweg op. 'Van daar kun je miljoenen sterren zien.'

Het was maar een paar minuten rijden en toen parkeerde Cody en pakte een zaklantaarn uit zijn handschoenenkastje. Daarbij streek zijn hand langs haar knie. Hij probeerde er niet op te letten, maar dat was onmogelijk. Ze stapten uit en hij nam haar bij de hand. Met de zaklantaarn verlichtte hij het pad de laatste vijftig meter naar een uitstekende rots bovenaan een heuvel.

Hij wachtte tot ze zat voordat hij haar hand losliet en de zaklantaarn uitknipte. Een tijdlang zei hij niets en liet zich overspoelen door de warme wind, terwijl de lucht tussen hen opklaarde. Hij steunde achterover op zijn handen en keek op. De hemel was bedekt met een tapijt van sterren. 'Zie je... toen ik ongeveer een jaar geleden voor het eerst dit plekje vond, dacht ik dat dit een beetje op de hemel moest lijken,' zei hij zacht.

'Het is prachtig.' Haar tanden klapperden en ze wreef haar armen.

'Heb je het koud?' Hij wilde overeind komen. 'Er ligt een trui achter in de auto.'

'Nee…' Ze legde haar hand op zijn arm. 'Ik ben alleen een beetje… geschokt.' Ze trok haar knieën op naar haar borst. 'Over je vrouw.'

'Had je mijn ring gezien?'

'Ja. En Carl Joseph vertelde me dat je getrouwd was.' Haar droevige glimlach was nauwelijks zichtbaar in het licht van de sterren. 'Hij zei dat je vrouw paardrijdster was. Maar ja, hij had natuurlijk ook gezegd dat jij stierenrijder was.'

'Ali was tonnenracer.' Zijn stem werd zachter. 'Een van de beste aller tijden.'

Elle ging verzitten om hem aan te kunnen kijken. 'Echt waar? Professioneel rodeo?'

'Ja.' Hij probeerde haar niet voor zich te zien, scheurend om de tonnen heen. 'En wat Carl Joseph over mij zei, is ook waar.'

'Ben jij stierenrijder?' Elle klonk verlegen en ontsteld. 'Wauw… wat heb ik nog meer gemist?'

'Ik heb een tijdje fulltime aan stierenrijden gedaan. Een jaar na Ali's dood heb ik het opgegeven.' Hij glimlachte. 'Carl Joseph zal me altijd als rodeorijder blijven zien, maar tegenwoordig doe ik verslag van de shows. Zo blijf ik erbij betrokken.'

'Dus… je hebt haar via de rodeo ontmoet.'

'Ja. Ik was de eerste buiten haar familie die wist dat ze ziek was.' Van een paar heuvels verderop dreef op de wind het krassen van een uil naar hen toe. Cody voelde Elle weer huiveren en nu wachtte hij haar weigering niet af. Hij sprong op, knipte de zaklantaarn aan en liep met lange passen naar de auto. Hij pakte de trui, draafde de heuvel op en gaf hem aan haar. 'Trek aan.'

Ze trok hem aan en schoof daarbij dichter naar hem toe. 'Was ze ziek? Is ze daaraan gestorven?'

'Ze had cystische fibrose.' Hij had Ali's verhaal lange tijd niet verteld. Dat hij het nu deed, maakte dat de tijd met haar verder weg leek. Bijna alsof het over iemand anders ging.

'CF.' Elle zuchtte en zweeg even. 'Ik heb er op school een scriptie over geschreven.' Ze keek hem weer aan. 'Dus je wist toen je met haar trouwde...'

'Ja.' Hij wist eigenlijk niet of hij haar de rest van het verhaal wilde vertellen, maar hij was al zo ver gekomen. Hij haalde diep adem. 'Ik heb haar een van mijn longen gegeven.'

'Cody...' Ze kreunde zacht. 'Heb je haar een long gegeven en werkte hij het niet?'

'Hij werkte wel.' Hij had geen spijt, nooit zou hij spijt krijgen. 'De artsen vertelden ons dat ze met de transplantatie drie jaar erbij zou krijgen, en dat is gebeurd.' Hij zweeg even. 'Ongeveer duizend dagen.'

Elles ogen glommen. 'Zoals je van je broer houdt...' Ze snufte en zei verdrietig: 'Nu begrijp ik het beter.'

'Ik moet er niet aan denken dat ik hem kwijtraak.' Cody richtte zijn blik omhoog naar de sterren. 'Maar ik moet er ook niet aan denken dat hij zijn laatste jaren thuis naar tekenfilms zit te kijken.' Hij pakte haar hand. 'Hij moet terug naar het centrum, Elle. Help me een manier te vinden.'

'Ja.' Ze klonk niet overtuigd. 'Dus dat had ik ook mis.'

'Je dacht dat ik... dat ik Carl Joseph in de weg stond?'

'Ja. Ik bedoel... Ik wist dat het de keuze van je ouders was, maar ik dacht dat jij hen na het ongeluk had overgehaald om hem uit het programma te halen.'

'Nee.' Hij stootte speels tegen haar schouder. 'Je vroeg me om een week en het is je gelukt.'

'Echt?' Hun armen raakten elkaar weer.

'Ja.' Het gevoel was terug, de bedwelmende sensatie van haar nabijheid. 'Je bewees dat mijn broer het centrum nodig heeft. Of hij ziek is of niet.'

'Denk je dat je ouders hem zullen laten gaan?'

'Ik weet het niet zeker.' Cody dacht aan de toon die zijn vader had aangeslagen. 'Ze zijn ongerust. Ik heb zelfs bedacht dat ik hier moest blijven en bij hem moest gaan wonen.'

Ze hield haar hoofd schuin. 'Zeg, dat is een geweldig idee.'

'Alleen heeft Carl Joseph nooit méér last van me gehad dan in de afgelopen weken.' Cody lachte kort. 'Het kwam erop neer dat hij tegen me zei dat ik het niet haalde bij jou.'

'O.' Haar toon werd wat luchtiger. 'Volgens mij is dat een compliment.'

'Ja.' Hij probeerde haar diep in de ogen te kijken, maar de duisternis stond het niet toe. 'Je bent fantastisch met je leerlingen, Elle. Ik snap het wel nu ik het weet van Daisy.'

'Mmm. Je ontwikkelt een speciale gevoeligheid als je een broer of zus met het syndroom van Down hebt.'

'Klopt.'

Er viel een stilte tussen hen, die Cody het eerst verbrak. 'Over een week of zo ga ik weer de weg op. Dan heeft Carl Joseph niet het gevoel dat ik hem in de gaten houd.'

'O.' Haar teleurstelling was duidelijk. 'Dat weet ik niet, hoor. Ik bedoel... ik denk dat hij je harder nodig heeft dan je denkt.'

'Hij heeft jou nodig en je centrum.' Cody glimlachte. 'Dat weet ik nu wel.' Het begon al laat te worden en Daisy en Carl Joseph zouden zich afvragen waar ze gebleven waren. Hij stond op en pakte haar hand om haar overeind te helpen. 'Fijn dat we gepraat hebben.'

Ze keek hem aan, haar hand nog in de zijne. 'Ik vind het erg van Ali.'

Cody knikte traag. Hij bewoog zijn onderkaak en keek even van haar weg. 'Wij allemaal.'

'Daarom... ben je zo beschermend tegenover Carl Joseph.'

'Ja.' Zijn ogen vonden de hare weer. 'Ik denk dat we elkaar nu allebei een beetje beter begrijpen.'

'Ik denk het ook.'

De hele weg naar de auto hield Cody haar hand vast. Elle was stil. Ze reden terug naar het huis en toen ze naar binnen gingen waren Daisy en Carl Joseph aan het dansen, ze neurieden iets dat niet leek op dansmuziek die Elle ooit eerder had gehoord. Ze glimlachte. 'Ik vind het zo leuk om ze samen te zien.'

Cody zei niets, maar zijn ogen straalden als hij naar hun broer en zus keek. 'Hij heeft haar gemist.'

'Zij hem ook.' Ze haalde diep adem. De gebeurtenissen hadden vanavond een ongelooflijke wending genomen en ze zat in een achtbaan van emoties. De man voor wie ze gevallen was, was niet getrouwd maar alleen. Maar nu was hij vastbesloten om langs de weg te blijven werken voor de rodeo? Ze moest er niet aan denken dat ze over een week afscheid van hem moest nemen.

Op weg terug naar het huis schoot het haar te binnen. Eigenlijk was het Daisy's idee, iets wat ze eerder vandaag na schooltijd had gezegd: 'CJ wil me ontvangen in Disneyland. Maar ik heb een plannetje.' Haar stem klonk vastberaden, alsof ze goed had nagedacht over wat er verder kwam. 'Ik wil eerst een wandeltocht maken. Eerst een wandeltocht, Elle. Zou dat niet leuk zijn?'

Elle bleef naast Cody naar haar zusje staan kijken. *Kom op, Elle... je kunt het.* 'Ik wil je een gunst vragen.'

Hij hield zijn hoofd schuin en glimlachte plagerig. 'Elle Dalton... die een gunst vraagt van mij?' Hij zette zijn honkbalpet af en stopte hem onder zijn arm.

Zijn reactie stelde haar op haar gemak. 'Ja. Ik zit namelijk met een zusje dat niets liever wil dan met haar vriend CJ een wandeltocht maken.' Ze trok haar wenkbrauwen op. 'En ik denk dat ze daar allebei een beetje hulp bij nodig zullen hebben.'

Hij lachte. 'Dus misschien kunnen we beter met z'n vieren gaan?'

'Precies.'

'Nou, weet je wat.' Cody glimlachte ontspannen en met maar een spoortje droefheid. 'Als de dokter zegt dat mijn broer in staat is tot een wandeltocht, al was het maar van het parkeerterrein tot de eerste wegwijzer, dan doen we het aanstaande zondagmiddag.' Hij stootte haar zachtjes aan. 'Lijkt je dat wat?'

'Mijn zusje zal er heel gelukkig mee zijn.'

Hij ging voor naar Carl Joseph en Daisy. Ze praatten en lachten nog een paar minuten met z'n vieren over paarden die in bedden sliepen en of ze dan hun ijzers af moesten doen. Ten slotte sloeg Elle haar arm om Daisy's schouders. 'We moesten maar eens gaan. Het is al laat.'

Lang nadat ze die avond vertrokken waren, dacht Elle aan de gebeurtenissen van die avond. Ze zag Cody op de palomino rijden, en de blik in zijn ogen toen hij haar zag en de nieuwe kameraadschap waarmee hij haar behandelde toen hij eenmaal wist dat Daisy haar zusje was.

Toen ze op die rots naast Cody zat, had ze meer emotie ervaren dan ze in jaren had gevoeld. Ze kon er niet over uit dat hij uit liefde voor Ali zo'n offer had gebracht, wat hij allemaal had opgegeven en wat hij allemaal verloren had.

Toen ze de oprit in draaide, hoopte ze uit alle macht haar vreemde nieuwe gevoelens voor haar moeder te kunnen verbergen. Daisy was ontvankelijk, maar ze herkende niet meer dan het feit dat haar grote zus blij was. Haar moeder was lastiger om de tuin te leiden.

Ze kon niet met haar moeder over Cody praten, nu ze zelf nog amper kon vaststellen wat ze voelde. Was ze verliefd op hem? En wat had dat voor zin als hij toch wegging? Ze wilde geen gevoelens hebben voor een man die ze maar een paar keer per jaar kon zien. Maar misschien bleef Cody wel, als God het toestond. De komende week kon ze God elke avond vragen om hem hier te houden, om hem ervan te overtuigen dat hij het fitnesscentrum naast het centrum moest gaan runnen als het openging.

Maar wat dan? Wist haar hart nog wel hoe het deze weg moest gaan? En zo ja, was ze dan dapper genoeg om het te volgen?

Ze wist alleen maar dat de sterren vanavond wat helderder schenen, en het plekje op haar arm dat hij had aangeraakt voelde een beetje warmer. Haar hart was lichter en ze hoorde bijna de hoop in haar eigen stem. Allemaal omdat ze een paar minuten gepraat had met een man die meer was dan ze ooit van hem had gedacht.

Een ruige stierenrijder met een gebroken hart, die Cody Gunner heette.

hoofdstuk tweeëntwintig

De arts van Carl Joseph gaf geen goedkeuring voor een wandeltocht, maar hij verbood het ook niet. Zondagmorgen vroeg voor het ontbijt vond Cody Carl Joseph in zijn kamer en hij stak zijn hoofd om de hoek. 'Ha, vriend. Wat ben je aan het doen?'

Carl Joseph keek op en zijn gezicht klaarde op. 'Ik schrijf mijn honderd woorden! Want vandaag is wandeldag, dus later geen tijd. Want we gaan wandelen.' Hij lachte een paar keer opgewonden.

De kamer was doortrokken van de geur van zijn aftershave. 'Je ruikt lekker voor een wandeltocht, vriend.'

Zijn broer lachte verlegen en haalde zijn schouders op. 'Voor D–A–I–S–Y.' Hij droeg een nette broek en een poloshirt, niet bepaald wandelkleding. Maar hij had stevige schoenen aan. 'Ik heb me netjes aangekleed voor Daisy.' Hij ging weer achter zijn bureau zitten en wees naar het papier dat daar lag. 'Kijk eens, broer.'

Bovenaan stond: *Honderd veel voorkomende woorden.* Nauwgezet had zijn broer twee van de woorden elk vijf keer opgeschreven. Toen Cody achter zijn broer kwam staan en over zijn schouder keek, werd hij overspoeld door medelijden. Zijn ouders overwogen of ze de arts zouden raadplegen over wie Elle had verteld. Intussen had Carl Joseph een besluit genomen. Hij zou zijn werk thuis bijhouden tot hij van de dokter terug mocht. In zijn hoofd was het geen kwestie van *of* hij terugging, maar *wanneer.*

'Moet je kijken, broer!' Carl Joseph sloeg zijn handen voor

zijn ogen. 'Ik mag niet spieken.'

Cody kwam naast hem staan zodat hij het beter kon zien.

'*Op*. O–P. *Op.*' Hij haalde zijn handen van zijn ogen en keek naar het woord. Toen klapte hij in zijn handen en stuiterde op zijn stoel. '*Op*, broer. Ik kan het woord "op" spellen.'

Cody legde zijn hand op Carl Josephs schouder en gaf een zacht kneepje. 'Goed gedaan, vriend. Ik ben trots op je.'

Daarop draaide Carl Joseph zich langzaam om in zijn stoel. Hij duwde zijn bril een beetje omhoog op zijn neus en staarde Cody aan. Toen, alsof er een kraan langzaam begon te druppelen, liepen Carl Josephs ogen vol met tranen. 'Echt, broer? Ben je trots op me? Ook al leer ik nu geen nieuwe dingen?'

Cody's hart brak. 'Kom hier, vriend. Ik ben zo trots op je.' Hij spreidde zijn armen en Carl Joseph stond op. Langzaam kwam hij op Cody af, en de twee omhelsden elkaar zoals ze na Cody's eerste dag thuis niet meer gedaan hadden. Cody deed een stap naar achteren en glimlachte. 'Laten we gaan ontbijten voordat we de dames ophalen en aan de wandeltocht beginnen.'

Carl Josephs ogen lichtten op van blijdschap, maar even snel verflauwde zijn glimlach. Hij keek naar een kalender aan de muur van zijn kamer waar elke dag van de week door een andere kleur werd voorgesteld. Carl Joseph had elke dag van de maand die verstreken was aangekruist. Hij bewoog zijn vinger langs de vakjes tot hij het eerste niet aangekruiste vakje bereikte. De datum van vandaag.

'O-o.' Hij richtte zich op en draaide zich om naar Cody. 'Blauw betekent zondag. Zondag betekent kerk.'

Eens te meer werd Cody overvallen door een schuldgevoel. Hij had zijn broer ervan weerhouden geld te geven aan de kerk, en Carl Joseph had sindsdien niet meer verteld dat hij naar een dienst was geweest. Maar hier was het bewijs dat Carl Joseph heel goed wist wat de zondag betekende. Wat hij hoorde te betekenen. 'Ja vriend, vandaag is het zondag.'

Carl Josephs gezicht betrok even en hij keek naar de ladekast naast zijn bed. Hij opende de bovenste lade en haalde er een envelop uit. In het handschrift van hun moeder stond erop: *Carl Josephs geschenk voor Jezus.* Hij bekeek de envelop, legde hem weer neer en sloot de lade weer. 'Niet naar de kerk vandaag?'

'Nee, vriend. We gaan toch wandelen?'

Carl Joseph beet weifelend op zijn lip. Toen knikte hij en er speelde een aarzelend lachje om zijn mond. 'We gaan wandelen!' Hij snelde naar de deur. 'Ik moet even wat doen, broer. Ik ben zo terug.'

Cody voelde zijn muur van afweer afbrokkelen. Wie was hij om Carl Joseph te vertellen hoe hij zijn geld moest uitgeven? Carl Joseph woonde thuis en als hij een kwart van zijn inkomsten aan de kerk wilde geven, was dat zijn goed recht. Hij opende de lade en haalde de envelop met het geschenk van zijn broer eruit.

Cody dacht aan zijn tijd bij de rodeo en hoeveel moeite mensen deden voor geld. Atleten die zich inspoten met cortisonen of pijnstillers omdat ze duizend dollar wilden verdienen. Mensen gingen soms tot het uiterste.

Hij streek met zijn duim over de envelop en werd verteerd door schuldgevoel. Hij staarde uit het raam en voelde het gewicht van zijn vroegere besluit drukken. Hoe kon het zo lang geduurd hebben voordat hij het geschenk zag zoals het was? Een geschenk. Een beslissing. Een beslissing waartoe Carl Joseph het volste recht had.

'Goed, God,' fluisterde Cody. Hij was niet goed in bidden, en het ging niet vanzelf. Hij kneep zijn ogen halfdicht tegen het zonlicht. 'Moet ik Carl Joseph aanmoedigen om honderd dollar in de collectezak te stoppen?'

Cody keek rond in de kamer van zijn broer en zijn oog viel op een poster naast zijn bed. Er stond op: *Zoek eerst het konink-*

rijk van God en Zijn gerechtigheid, en alle andere dingen zullen je er-
bij gegeven worden. Daaronder zat een jongen met het syndroom
van Down in een bushokje te wachten.

De rillingen liepen Cody over de rug. De boodschap was
niet mis te verstaan. Zoek eerst God, en al het andere zou op
zijn plaats vallen. Hij dacht aan zijn long: het geschenk dat hij
aan zijn geliefde Ali had gegeven. Veel mensen zouden hem
voor gek verklaren dat hij artsen in zijn borst liet snijden om er
een long uit te halen, zodat een doodziek meisje een paar jaar
extra kreeg.

De tranen prikten weer in zijn ogen. Hij had het niet belangrijk gevonden wat andere mensen zeiden. Zijn geschenk
aan Ali was voor hem volkomen logisch geweest. Maar stel dat
hij het syndroom van Down had gehad? Stel dat hij Ali het geschenk had willen geven en iemand had dat in de weg gestaan
en het hem verboden? Een deel van hem zou met haar gestorven zijn, daar was geen twijfel aan. Hij dacht weer aan de blik
in Carl Josephs ogen van daarstraks.

Voelde zijn broer het zo? Machteloos, niet in staat te doen
wat hij zo sterk in zijn hart voelde?

Cody haalde diep adem en nam een besluit. Hij zou ook
een nette broek en een poloshirt aantrekken, zodat zijn broer
zich niet uit de toon voelde vallen. Hij zou zijn broer meenemen op de afgesproken wandeltocht. Maar voordat ze Daisy en
Elle zouden ophalen, zou Cody doen wat hij lang geleden had
moeten doen.

Hij nam Carl Joseph mee naar de kerk.

Toen Cody de snelweg op draaide, voelde hij zich lichter en
vrolijker dan hij zich in weken had gevoeld, in jaren zelfs. Hij
reed door de buitenwijken naar de binnenstad. Hoe dichter ze

naderden, hoe breder hij moest glimlachen. Carl Joseph merkte niets bijzonders op tot Cody stilstond voor de kerk waar de excursie heen had gevoerd.

Toen staarde hij naar het gebouw en zijn mond viel open. Hij keek naar Cody en slikte. 'Daar woont Daisy niet.'

'Nee, vriend.' Hij haalde Carl Josephs envelop onder de stoel vandaan en gaf die aan hem. 'Ik vond dat we eerst maar naar de kerk moesten gaan. Dan kun je Jezus je geschenk geven.'

Carl Josephs adem stokte. Hij was altijd snel emotioneel, makkelijk tot tranen toe geroerd, hoewel hij de afgelopen maanden over het dramatische vertoon van zijn gevoelens heen gegroeid leek. Maar nu staarde Carl Joseph naar de envelop en kreeg hij tranen in zijn ogen. Weer keek hij Cody nieuwsgierig aan. 'Wil je zeggen dat het goed is, broer? Dat mijn geschenk goed is?'

'Ja.' Cody kreeg een brok in zijn keel. 'Het is een prachtig geschenk.' Hij keek op zijn horloge. 'Maar we kunnen beter naar binnen gaan. De dienst gaat zo beginnen.'

Het was of de boodschap van die dag rechtstreeks tot Cody's hart gesproken werd. Het ging over vertrouwen en bezorgdheid, en hoe zinloos het was om je zorgen te maken voor de dag van morgen. Niemand kan de toekomst voorspellen, had de dominee gezegd. 'We kunnen alleen op God vertrouwen en Zijn leiding volgen op de reis die leven heet. Als het einde dan komt, hebben we niets anders te doen dan feestvieren.'

Het vervulde Cody's hele wezen. Elke dag op God vertrouwen, zodat er op het einde een feest zou zijn, en geen dodenwake. Vreugdevolle herinneringen, geen pijnlijk berouw.

En was dat niet van het begin af aan Ali's boodschap geweest? Mensen stierven zo vaak een tragische dood. Het ging er niet om hoe iemand stierf. Het ging erom hoe je leefde.

Cody keek naar Carl Joseph, die ernstig en eerbiedig staarde naar het kruis voor in de kerk. Cody worstelde met relaties en liefde, met de volgende stap die hij moest nemen in zijn leven en met de vraag waar God in zijn leven paste.

Zaken waarmee Carl Joseph totaal geen problemen had.

Toen de collectezakken rondgingen, haalde zijn broer de op-gevouwen envelop tevoorschijn, drukte er een kus op en stopte hem teder in de zak. Toen keek hij Cody aan en grinnikte.

Ze hadden dit allemaal te danken aan Elle. Het meisje met de mooie ogen en het gevoelige hart. Hij popelde om de middag met haar door te brengen. 'Ik vind je juf leuk, vriend,' fluisterde Cody.

Carl Joseph lachte. 'Dat weet ik.'

'Wat?' Cody glimlachte. 'Hoe weet je dat?'

Hij lachte weer. 'Omdat ik het gewoon weet. Want je stond dicht bij haar en je lachte. Je lachte veel naar haar.'

'Oké.' Cody lachte nu ook. Hij dempte zijn stem tot een fluistering. 'Maar het is ons geheim.'

'Mooi.' Hij klapte zachtjes in zijn handen. 'Ik hou van geheimen.'

Lang na de kerkdienst behield Cody het vredige gevoel dat hij sinds zijn thuiskomst twee maanden geleden niet had gehad. Zijn broer en hij waren weer vrienden, daar kwam het voor een groot deel door. Maar het was ook zo dat de dominee gelijk had. Het leven was een kwestie van elke dag op God vertrouwen, zodat als alles voorbij was, er geen verdriet was om een berg van berouw.

Er zou feest worden gevierd.

Het soort feest dat straks werd gevierd op een simpele wan-deltocht met vrienden.

hoofdstuk drieëntwintig

Cody en Carl Joseph zouden er over een uur zijn. Elle kon haar haarborstel niet vinden, dus ze liep door de gang naar de kamer van Daisy. Haar moeder en zusje waren in Daisy's kamer samen bezig krullers in haar fijne blonde haar te zetten.

Elle bleef in de deuropening staan en trok een wenkbrauw op. 'Heb ik het verkeerd begrepen? Ik dacht dat we een wandeltocht gingen maken.'

Daisy gluurde over haar schouder. 'Het is een afspraakje.'

'O ja?' Dat vond Elle zo leuk aan haar zusje, haar pittige onafhankelijkheid, haar eigen mening.

Hun moeder wierp Elle een hulpeloze blik toe. 'Daisy zei dat het een afspraakje was. Ze wilde krullen in haar haar.'

'Voor jou is het ook een afspraakje, Elle.' Daisy grinnikte in de spiegel. 'Met Cody.'

Elles wangen werden warm. 'Het is geen afspraakje voor ons, lieverd. We zijn alleen maar voor de gezelligheid samen.'

Daisy staarde haar een paar tellen aan. 'Het is een afspraakje.'

Haar moeder wierp haar nog een blik toe en de twinkeling in haar ogen was onmiskenbaar. 'Ik weet het niet, hoor Elle. Misschien moet jij ook maar krullen in je haar.'

'Dank je, mam.' Ze zuchtte geërgerd. 'Ik heb echt wat aan je.' Maar terwijl ze het zei, reageerde haar hart. Ze dwong zichzelf om nuchter te blijven. Daisy had het mis. Dit was geen afspraakje voor haar en Cody Gunner. Daar was helemaal geen sprake van geweest.

Maar als Daisy krullen in haar haar wilde, mocht Elle best wel een leukere broek aantrekken. Ze rende terug naar haar kamer en trok zowel een andere broek als een ander T-shirt aan. Was het een afspraakje? Zag Cody de wandeltocht van vanmiddag zo? Ze betwijfelde het. Hij was duidelijk geweest toen ze over zijn Ali spraken. Cody verwachtte niet ooit weer van iemand te gaan houden. Dat wilde hij ook niet. En met Elle was het net zo gesteld. Dat had ze zichzelf tenminste altijd voorgehouden. Maar nu moest ze zich afvragen of haar hart soms zijn eigen gedachten had.

Toen ze tevreden was over haar uiterlijk voegde ze ze zich weer bij haar moeder en zusje. Toen ze wegliep, liet ze een vaag spoor van parfum achter.

Ze stonden voor een stoplicht en Carl Joseph stak zijn hoofd uit het raam om zichzelf in de zijspiegel te bekijken.

'Broer… kun je me helpen?'

Cody smoorde een lach. Nooit had hij zijn broer zo bezig gezien met zijn uiterlijk. 'Wat is er?'

Carl Joseph keek nog eens in de spiegel. 'Ik zie er fout uit.' Hij keek zijn broer vragend aan. 'Hoe komt dat?'

Het licht sprong op groen en Cody haalde zijn schouders op. 'Ik vind dat je er prima uitziet.'

'Mooi.' Carl Joseph trok zijn broekspijp omhoog. 'Ik heb mijn mooiste sokken aangetrokken, want Daisy is mijn beste vriendin. De allerbeste, broer.'

'Zie je nou?' Cody klopte op zijn schouder. 'Je bent de beste.'

'Ja, want ik vertel de leukste grappen. Dat zegt Daisy. Misschien vraag ik haar wel mee uit naar Disneyland. Want ik kan haar ontvangen in Disneyland.'

'Laten we eerst die wandeltocht maar gaan maken.'

'Eén ding.' Carl Joseph stak een vinger op. 'Kunnen we bidden? Want dit is een grote dag, broer, en we moeten een heel eind rijden en we hebben Daisy en Elle bij ons en we willen niet verdwalen. Want bidden is ook…'

'Een levensvaardigheid.' Cody glimlachte naar hem. 'Ik wilde net hetzelfde zeggen.' Hij hield zijn ogen op de weg gericht en met één hand op Carl Josephs schouder bad hij hardop om bescherming en leiding en een open hart en vertrouwen.

En toen vroeg hij in stilte om nog iets.

Of God zijn zenuwen tot bedaren wilde brengen voordat ze bij de Daltons waren.

Elle was zo lang ze zich kon heugen niet meer zo zenuwachtig geweest. Ze beende voor het raam heen en weer en tuurde de straat door of zijn pick-up er al aankwam, en liep toen met grote passen terug naar de keuken. 'Geen spoor van hem te zien.'

'Het duurt nog minstens vijf minuten voordat hij komt.' Haar moeder was een kop thee aan het maken. 'Toch?'

'Cody is altijd vroeg.' Ze streek haar broek glad.

'Elle Dalton,' zei haar moeder gedempt. 'Je bent verliefd op hem.'

Daisy stond bij de gootsteen een waterflesje te vullen en ze meenden dat ze hun gesprek niet kon verstaan.

Elle staarde haar moeder aan. 'Wat ter wereld brengt je op dat idee?'

'Zoals je je gedraagt, zo opgewonden. Zo heb ik je niet meer gezien sinds…' Ze zweeg. 'Zo heb ik je lang niet gezien.'

'Dat komt omdat juf Cody leuk vindt.' Daisy draaide zich om en draaide de dop op haar waterflesje. 'Hè, juf?'

'Daisy…' zei Elle met een waarschuwende klank in haar stem. Ze trok haar wenkbrauwen op en keek haar zusje recht aan. 'Zo mag je me alleen in de klas noemen.'

'Oké.' Daisy danste wervelend in het rond en maakte een enigszins onbeholpen pirouette. 'Elle vindt Cody leuk.' Ze haalde haar schouders op en trok een gek gezicht naar haar moeder. 'En Cody vindt Elle ook leuk.'

Elle zag het rampzalige verloop van de dag al voor zich. 'Dat zie je verkeerd, Daisy. En zeg daar vandaag alsjeblieft niks over, hè?'

Daisy legde haar vinger tegen haar lippen. 'Ssst. Geen woord.' Ze grinnikte en danste de voorkamer in. 'Ik ga buiten wachten op CJ.'

'Fijn, hoor!' Elle liet zich in een stoel vallen en staarde haar moeder aan. 'Moest je dat nou beslist vragen waar zij bij was? Ze gaat er natuurlijk over praten.'

'Nee, hoor.' Haar moeder trok het theezakje uit haar dampende beker en gooide het in de vuilnisbak. Ze keek Elle scherp aan. 'Daisy is degene die het me heeft verteld. Een week geleden, Elle. Al die tijd heeft ze geen woord over Cody of jou gezegd.'

'Echt waar?' Elle ontspande.

'Ja.'

Elle dacht na over haar zusje. Natuurlijk had Daisy het een week geleden al gezien. Hadden ze niet allemaal lang geleden geleerd Daisy's ontvankelijkheid voor stemmingen en haar begrip van sociale omstandigheden niet te onderschatten?

Er klonk een geluid bij de deur en Elle sprong op. Ze pakte haar rugzak en kuste haar moeder op de wang. Heel even aarzelde ze, met haar ogen strak op die van haar moeder gericht. 'Stel dat je gelijk hebt?' fluisterde ze. Haar hart bonsde twee keer zo hard. 'Stel dat je gelijk hebt?'

Glimlachend pakte haar moeder haar hand. 'Dan bid je om wijsheid en je handelt behoedzaam.' Ze gaf Elles hand een kneepje en liet hem los. 'En je dankt God dat Hij dat heel bijzondere hart van je nieuw leven heeft ingeblazen. Ook als er helemaal niks van komt.'

Elle wilde met haar zusje achterin zitten, maar Daisy wees met veel dramatisch vertoon naar de passagiersstoel naast Cody. Toen Elle naast hem schoof, verborg Cody een meelevende glimlach.

'Zit er maar niet over in.' Hij keek in de achteruitkijkspiegel naar Daisy en Carl Joseph. 'Ze zijn gewoon opgewonden.'

'Leuk om straks te proberen hen op het pad te houden.' Elle leunde achterover. Het rook in de auto sterk naar aftershave en ze snoof een paar keer.

'Dat is mijn broer.' Cody wees met zijn duim naar achteren. 'Twee doppen vol aftershave...'

'Oeps.' Elle huiverde en lachte zacht. 'Daar hebben we het in de les sociale vaardigheden niet over gehad.'

Cody knipperde met zijn ogen alsof zijn ogen brandden van de stank. 'Als dat gaat gebeuren, kun je Carl Joseph als voorbeeld gebruiken.'

Ze lachten samen en Cody zette de radio aan. Er klonk een countrysong van Lonestar en Elle vond het een toepasselijke tekst. Het ging erover dat God de mensen bergen gaf zodat ze konden leren klimmen. Als dat waar was, waren Cody en zij onderhand specialisten.

Ze keek naar Cody, heel even maar. Ze was zich scherp bewust van elke beweging die hij maakte. De spieren in zijn schouders als hij aan het stuur draaide en de trekken van zijn knappe profiel. Ze had hem gisteravond opgezocht in een zoekmachine en ontdekt dat Cody Gunner in rodeokringen een absolute legende was. Op een website had gestaan: *Tot op de dag van vandaag heeft niemand een stier bereden zoals Cody Gunner.*

Zowel binnen als buiten de arena is hij een groot man, en het zal lang duren voordat iemand anders zijn plaats heeft ingenomen.

Inderdaad. Dat voelde ze bij hem vandaag. Dat hij een groot man was. In zijn aanwezigheid kon ze moeilijk ademhalen. En toch, ondanks zijn professionele reputatie had de wereld niet gezien wat zij had gezien. Wat hij haar had laten zien op een sterrenavond op een rots aan de achterkant van de ranch van zijn ouders.

Ze kwamen bij het parkeerterrein en toen ze uitstapten, merkte Elle ineens hoe lang Cody was. Het was voor het eerst dat ze zonder hoge hakken naast hem stond.

'Klaar?' Hij lachte even naar haar en klopte zijn broer op zijn rug.

'Klaar, over en uit!' salueerde Carl Joseph.

Daisy lachte en salueerde ook. 'CJ, wat ben je toch grappig!'

Elle vormde met haar mond geluidloos de woorden: 'Nee, hè!' voor Cody. Toen gingen ze op pad.

Het eerste deel van de wandeltocht ging Cody voorop en Elle vormde de achterhoede. Ze wilde er zeker van zijn dat er geen problemen waren met Daisy en Carl Joseph, dat ze op het pad bleven en niet achter raakten. Na een uur vonden ze een open plek en hielden een rustpauze. Carl Joseph en Daisy liepen naar een klaverveldje.

'Hierheen, CJ. Ik heb een nieuwe danspas voor je.'

'Dansen in de klaver!' Carl Joseph klapte in zijn handen en sprong een paar keer op en neer. 'Want ik hou van dansen in de klaver!'

'Ja, maar dit is een danspas uit de klas, CJ. Dus kom hier.'

Carl Joseph ging naar haar toe en Daisy begon de geïmproviseerde les.

'Ze vinden het heerlijk om te dansen.' Cody beet in een appel en gaf Elle er ook een.

Ze nam de appel aan en bedankte hem. 'Ja. Soms wilde ik

dat we ook een dansruimte in de aanbouw op konden nemen. Dan konden ze zichzelf in de spiegel zien.' Ze hield haar hoofd schuin en keek naar hun broer en zus. 'Dat zou een stuk schelen met hun lichaamscontrole, als ze weten hoe ze eruitzien.'

Cody zat op een groot rotsblok. Hij zweeg een paar minuten terwijl hij naar Carl Joseph en Daisy zat te kijken. Ten slotte zuchtte hij diep. 'Ze zien er heel vrolijk uit.'

'Ja, zeker.' Ze stond een eindje van hem af. 'Bedankt, trouwens.'

'Waarvoor?' Hij nam nog een hap van zijn appel.

'Dat je Carl Joseph vandaag hebt meegenomen. De dokter was er vast niet enthousiast over.'

'Nee.' Er speelde een droevig lachje om Cody's mond. 'Maar hij zei dat we Carl Joseph niet tegen alles kunnen beschermen.' Hij keek haar aan. 'Mijn ouders overwegen met die andere arts te gaan praten, die jij hebt aanbevolen.'

Elle kreeg hoop. 'Dat hoop ik dan maar.'

'Mooi.' Hij klopte op het plekje naast zich. 'Kom zitten. We krijgen geen rustpauze meer voordat we bij de top zijn.' Hij grinnikte. 'Degene die deze tocht heeft uitgezet is een echte slavendrijver.'

Ze lachte en ging naast hem zitten. Daarbij streek haar arm langs de zijne, het gevoel deed haar duizelen. Ze wierp hem een plagende blik toe. 'We kunnen wel langzamer lopen als je het niet aankunt.'

'Nee, nee.' Hij stak zijn half opgegeten appel omhoog. 'Mijn ene long is beter dan die twee van jou. Zit daar maar niet over in.'

'O nee, hè.' Ze liet haar hoofd in haar handen zakken. Hoe was het mogelijk dat ze daar niet aan gedacht had? Daar had ze Carl Joseph en Daisy omhoog gedreven de heuvel op en de twee aangemoedigd hen bij te houden, en ze had niet één keer gedacht aan Cody's beperkingen. Tussen haar vingers door gluurde ze naar hem. 'Ik was het helemaal vergeten. Sorry.'

'Geeft niet.' Hij klopte op haar knie. 'Het gaat echt best. Ik heb een heel seizoen stieren gereden met één long. Ik kan heus wel een berg beklimmen.'

'Ja, dat zal wel.' Ze bleef zich schuldig voelen, maar voordat ze er nog iets over zeggen kon, begonnen Daisy en Carl Joseph naar hen te zwaaien.

Cody keek haar onderzoekend aan. 'Nou, ik heb je mijn verhaal verteld. En jij? Ben je nooit getrouwd?' Hij schrok er zelf van. 'Sorry. Daar hoef je geen antwoord op te geven.'

'Nee, het geeft niet.' Ze steunde achterover op haar handen. Ze keek naar Carl Joseph en haar zusje die nog steeds de danspas oefenden. Ze zuchtte diep. 'Op school heb ik niet vaak afspraakjes gehad. Mijn enige echte liefde was de directeur van de eerste school waar ik heb lesgegeven. Hij heette Trace.'

Ze had het verhaal niet vaak verteld en het ging haar ook nu niet vlot af. Ze hield het bij de grote lijnen, dat ze na een jaar van vriendschap met Trace was overgeplaatst naar een andere school, zodat ze een relatie konden beginnen. Cody luisterde aandachtig, hoewel het een heel gewoon verhaal was tot ze bij de trouwerij kwam.

'Het gerucht ging dat Trace homo was.' Ze kneep haar ogen halfdicht tegen de stekende pijn van haar verleden. 'Ik denk dat ik het niet wilde geloven. En toen we een relatie waren begonnen, had ik er geen reden toe.'

Cody keek haar bezorgd aan. 'Heeft hij zich voor het huwelijk teruggetrokken?'

'Op onze trouwdag.' Ze glimlachte, maar dat kon de pijn niet verbergen. 'Toen hij me belde, zaten er driehonderd gasten te wachten tot de muziek begon te spelen.'

'Elle...' Cody was bleek geworden. Hij verschoof op zijn plaats en keek haar dringend aan. 'Wat verschrikkelijk.'

'Ik had het aan moeten zien komen.' Elle stak haar kin in de lucht en staarde naar een stukje blauw tussen een groep groen-blijvende bomen.

Cody zei geruime tijd niets. Dat was doorgaans het effect dat haar verhaal op mensen had. Toen hij eindelijk sprak, was zijn toon zachter dan anders. 'Dus toen heb je je helemaal op je werk gestort.'

'Ja.'

'Wauw…' Hij zette zijn ellebogen op zijn knieën en staarde naar de grond. 'Ik neem aan dat je dat aan niet veel mensen hebt verteld.'

'Nee. Onze vrienden en familie denken dat hij een zenuwin-storting heeft gekregen, een ernstig geval van koudwatervrees.'

'Hoe is het met hem verdergegaan?'

'Het laatste wat ik heb gehoord is dat hij hulp heeft gezocht bij een christelijk centrum in San Francisco.'

Cody richtte zich op. 'Hoe ben je er doorheen gekomen?'

'Met God.' Ze glimlachte naar hem, maar met pijn in haar hart. Zoals altijd als ze over Trace praatte. 'Ik heb een goed le-ven. Het geeft me voldoening. Het is genoeg.'

'Hé…!' Carl Joseph wuifde naar hen. 'Kom, broer. We moe-ten je de dans leren!'

Elle liet de droevige gevoelens van zich afglijden. Ze glim-lachte naar hun broer en zus. 'Het is me een stelletje.'

'Inderdaad.' Cody lachte. 'Tijd voor de les, zo te zien.'

'Kom!' Carl Joseph gooide zijn hoofd in zijn nek en lachte uitbundig als een kind. Hij liet Daisy wervelend draaien en ze dook onder zijn arm door. Daarbij struikelde ze en viel bijna, maar Carl Joseph ving haar op.

Elle glimlachte. Mensen met het syndroom van Down waren op zo veel terreinen beperkt. Maar in veel belangrijke opzich-ten waren ze helemaal niet beperkt.

'Nu ben ik de juf.' Daisy kwam aanrennen en pakte Elle bij de hand. Toen Elle overeind stond, wenkte Daisy Cody. 'Kom.'

Ze wees naar het veldje klaver. 'We moeten allemaal dansen, want dat is een goede dansvloer.'

Cody volgde haar, maar hij wierp Elle een behoedzame blik toe. 'Ik kan niet dansen.'

'Ja, broer, want ik ga het je leren.' Carl Joseph kwam hun halverwege tegemoet en leidde Cody naar het midden van de klaver.

'Je begint zo.' Daisy legde haar hand in Carl Josephs hand en de andere op zijn schouder. 'Toe maar.' Ze knikte naar Elle. 'Net als CJ en ik.'

Elle draaide zich om naar Cody en trok een gezicht. Het was eerder lachwekkend dan pijnlijk, maar ze wilde niet dat Cody zich gedwongen voelde iets te doen waarbij hij niet op zijn gemak was. 'Ik geloof dat we geen keus hebben.'

'Nee.' Hij richtte zich op, zette een bijpassend gezicht en stak zijn hand uit. De andere legde hij op haar schouder. Met gedempte stem zei hij: 'Ik heb je gewaarschuwd. Ik heb twee linkervoeten.'

'Nou, dit is de maat.' Daisy stond nog in Carl Josephs armen. Met haar hand gaf ze het ritme aan. 'Vijf, zes, zeven, acht.' Langzaam en weloverwogen maakten ze samen een danspas. Daisy wees naar hun voeten. Ze sprong een paar keer op haar plaats. 'Zo doen!'

Cody imiteerde de passen.

'Dat moet beter!' Ze lachte naar hen.

'We doen ons best,' giechelde Elle. 'Rustig aan.'

De ene pas na de andere speelden Elle en Cody mee en ze volgden Daisy's aanwijzingen op. Halverwege de dans begon Carl Joseph te neuriën en Cody bracht zijn hoofd dicht bij Elle. 'Ik ben gek op die knul.'

'Weet ik.' Ze sprak zacht, dicht bij zijn gezicht. 'Ik ook. Hij is zo lief voor Daisy.'

De lacherigheid was verdwenen en Elle kon alleen maar

denken aan het prettige gevoel. Haar hand lag warm in die van Cody en ze waren zo dicht bij elkaar dat ze nu en dan zijn adem op haar gezicht voelde. Als ze zich niet op de danspassen concentreerde, werd ze duizelig van zijn nabijheid. Nieuwe gevoelens, splinternieuwe emoties schoten wortel in haar hart en ze kon niets doen om ze tegen te houden.

'Doen we het goed, vriend?' Cody keek over zijn schouder naar Carl Joseph.

Carl Joseph stond stil en sloeg hen een paar maten gade. Hij knikte beslist en duwde zijn bril omhoog op zijn neus. 'Want dit is jullie eerste keer.'

'Heel goed voor de eerste keer.' Daisy glimlachte. 'Blijf muziek maken, CJ.'

De dans ging voort en Elle genoot ervan. Ze had niet gedacht dat ze zich na Trace ooit nog zo zou voelen. Maar nu danste ze op een berghelling die uitkeek over Colorado Springs op een veldje klaver in de armen van Cody Gunner, en ineens leek niets meer onmogelijk.

'En nu een spin!' Daisy maakte weer een spin onder Carl Josephs armen door, maar dit keer voegde ze er een tweede spin aan toe. Het zag er niet soepel uit, maar het lukte zonder dat ze struikelden of vielen.

Cody probeerde geconcentreerd de bewegingen van zijn broer na te doen, maar daarbij zaten zijn voeten in de weg en Elle struikelde erover. Ze gaf een gil en viel voorover in zijn armen. Hij ving haar op en even leek het erop dat ze samen zouden vallen. Maar hij hervond zijn evenwicht en ze barstten in lachen uit.

'Broer.' Carl Joseph stond stil en keek Cody afkeurend aan. 'Zo doe je dat niet.'

'O nee?' Cody liet zijn hoofd tegen het hare rusten. Hij lachte zo hard dat hij haast zijn evenwicht verloor en zij lachte mee. Zijn ene hand lag tegen het smalle gedeelte van haar rug en de andere tussen haar schouderbladen.

Toen ze op adem kwamen, keken ze elkaar aan en het scheen tot Cody door te dringen dat hij haar nog steeds vasthield. Zijn lach stierf weg en er veranderde iets in zijn ogen. Een mengeling van verlangen en tomeloze angst. Ook zij voelde de verandering. Waarom stonden ze hier zo, met hun gezichten vlak bij elkaar? Op hetzelfde moment voelde ze iets langs haar middelvinger strijken. Ze hoefde niet te kijken om te weten wat het was.

Cody's trouwring.

Hij moest begrijpen wat ze voelde, want hij deed een stap naar achteren en verlegde zijn handen naar haar schouders. De lach keerde terug in zijn ogen en de intimiteit van het ogenblik was voorbij. Het was duidelijk dat hij niet wilde praten over de ring of waarom hij hem na vier jaar nog steeds droeg.

En Elle ook niet. Ze bracht haar haar op orde en knikte naar Cody's voeten. 'Je had me gewaarschuwd.'

'Ja.' Hij liet zijn handen langs zijn zijden vallen. Hij was weer de zelfverzekerde, relaxte Cody, die hij haar pas kortgeleden had laten zien. Maar hij sloot haar in elk geval niet buiten, afgeschrikt door het intieme ogenblik.

En dat was het ongetwijfeld geweest. Al had het maar een paar seconden geduurd, Elle had in zijn ogen gezien dat hij hetzelfde voor haar voelde als zij voor hem. Die wetenschap benam haar de adem.

'Je moet goed oefenen,' bracht Daisy hem onder het oog. Ze haakte haar arm door die van Carl Joseph. 'Een ander keertje misschien.'

Ze waren het er allemaal over eens dat de danslessen beter een ander keertje konden worden voortgezet.

'Ik heb dorst.' Carl Joseph haalde zijn waterflesje uit zijn rugzak. 'Kijk, juf. Ik ken deze vaardigheid. Water drinken!'

'CJ weet het.' Daisy klopte hem op de rug.

Ze dronken allemaal uit hun flesje. Elle keek naar Daisy en Carl Joseph. Daisy was zo trots op elke mijlpaal die Carl Joseph bereikte en hij beschermde haar telkens weer. Ze waren zo op hun gemak bij elkaar. Elle was onwillekeurig een beetje jaloers. Wie van hen was nu eigenlijk gehandicapt, als je zag hoe soepel Daisy en Carl Joseph met hun relatie omgingen?

Nadat ze de waterflesjes in hun rugzakken hadden gestopt, gingen ze weer op pad. Maar er was iets veranderd. Dit keer liet Cody Carl Joseph en Daisy voorop gaan en hij kwam naast Elle lopen. Het pad was hier en daar smal en soms raakten hun schouders elkaar.

Elle was niet zo ontvankelijk als Daisy, maar ze bespeurde een lichte aarzeling bij Cody. Hij was niet boos en zelfs niet afstandelijk. Maar hoewel ze er niet over spraken, was ze er haast zeker van dat hij overrompeld was door de gevoelens die tijdens het dansen naar boven waren gekomen. Net als zij.

Onder het lopen praatten ze over andere wandeltochten die Elle met Daisy had ondernomen, en dat Cody wilde dat Carl Joseph meer aan lichaamsbeweging deed. Toen ze de top bereikten, hadden ze over alles gepraat, van Daisy's kindertijd tot Disneyland. Behalve over het meest voor de hand liggende.

Wat er tussen hen plaatsvond.

De rest van de wandeling was er geen spanning meer tussen hen, ze waren gewoon twee vrienden die samen een middag doorbrachten. Maar toen Cody Elle en Daisy thuis afzette, stapten ze met z'n vieren uit. Carl Joseph liep met Daisy mee naar de deur en daar omhelsden ze elkaar. Elle hoorde dat Daisy hem vertelde over de komende week in het centrum en dat Carl Joseph probeerde te raden waar de volgende excursie heen ging.

Elle en Cody bleven bij de pick-up staan. 'Bedankt.' Ze keek naar hem op. 'Het was leuk.'

'Zeker.' Hij keek naar de grond en danste een paar pasjes op zijn plaats. 'Ik kan nog wel wat hulp gebruiken bij het dansen.'

'Die krijg je de volgende keer.' Elles wangen waren zonverbrand van de dag op de berg. Er blies een zachte wind lang hen heen en Elle vroeg zich af wat hij echt dacht en of er wel een volgende keer zou komen.

Ze keken elkaar aan en Cody nam haar handen in de zijne. En terwijl ze diep ademde, won het ogenblik aan diepte en intimiteit, precies zoals in de klaver. Hij keek haar onderzoekend in de ogen. 'Elle… ik weet het niet.'

Haar hart begon te bonzen. 'Wat weet je niet?'

Zijn kaakspieren spanden en hij keek geruime tijd naar boven, waar de grote, bolle witte wolken dreven door de helderblauwe lucht. Hij zuchtte vermoeid. Toen keek hij haar weer aan. 'Ik weet niet hoe…' Hij keek naar Carl Joseph en Daisy. Ze waren weer aan het dansen, nu op de voorveranda. 'Ik weet niet hoe ik moet voelen of…' Hij wees naar zijn broer. 'Of hoe het moet om weer zo te zijn.'

Ze dwong haar hart tot kalmte en zocht naar de juiste woorden. 'Dat hoeft misschien ook niet.' Ze lachte droevig. 'Het was maar een dansje, Cody.'

Hij wreef met zijn duimen over de rug van haar handen. 'Nee, dat was het niet.' Hij keek door haar heen. 'Jij hebt het ook gevoeld.' Zijn lippen weken uit elkaar. Hij keek zenuwachtig en vastberaden tegelijk. Zijn stem werd nog zachter. 'Je voelt het nu.'

Ze zou het huis binnen willen rennen en nooit meer omkijken. Was het zo niet met Trace begonnen? Het was veruit het beste om het luchtig te houden, om te lachen en grappen te maken over dansen en Disneyland, zodat ze nooit over meer hoefden te praten. Ze greep zijn handen wat steviger vast. Ze zette zich schrap en keek hem weer in de ogen. 'Mijn moeder zei een keer dat God ons pas iets nieuws geeft als we met lege handen staan.' Ze trok een schouder op en keek naar zijn linkerhand met de ring. 'Snap je?'

Cody keek haar lange tijd aan. 'Ik heb veel om over na te denken.' Hij trok haar in een broederlijke omhelzing. 'Jij ook.'

'Ja.' Ze deed een stap naar achteren. Haar wangen waren nog warmer geworden en nu de zon achter de wolken verdwenen was, wist ze zeker dat het gloeien niet alleen van het verbranden kwam. Er was iets wat ze wilde zeggen, wat ze hem wilde laten weten voordat hij wegging. 'Dank je, Cody.'

Hij begreep dat ze iets anders bedoelde dan de wandeltocht, want hij keek haar afwachtend aan. Zijn glimlach raakte haar diep vanbinnen. 'Waarvoor... nog meer dan op je voeten stappen?'

'Dat je me genoeg vertrouwde om me dat te vertellen.' Hoe warm de zomerse middag ook was, Elle voelde een rilling over haar armen lopen nu Cody zo dicht bij haar stond. 'Ik hoor het nog wel van de arts en Carl Joseph.'

'Ja.' Hij deed een stap naar achteren en zwaaide. 'Tot kijk.'

Toen de mannen weg waren, sloeg Elle haar arm om Daisy's schouders en ze gingen met z'n tweeën naar binnen. 'Dat was een leuke dag.'

'Weet je wat?' grinnikte Daisy en ze giechelde alsof het grootste geheim van de wereld op het puntje van haar tong lag. 'Ik hou van CJ.'

Elle knuffelde haar zusje. 'Daar ben ik blij om, lieverd. Ik denk dat hij ook van jou houdt.'

Daisy knikte overtuigd. 'Ha, mam! Wat eten we?'

Wat ging Daisy makkelijk om met de liefde. Het gevoel was er, en dat was dat. Niets te verbergen of om vreemd over te doen, waakzaamheid of schijn waren niet nodig. Liefde bestond gewoon. Punt. Daisy ging naar haar slaapkamer en hun moeder kwam de keuken uit.

'Help je even met worteltjes hakken?'

'Tuurlijk.' Elle wist wat er kwam. Haar moeder en zij hadden altijd over alles gepraat. Ze was natuurlijk benieuwd hoe de dag met Cody Gunner verlopen was. Vooral omdat Elle haar moeder al had verteld over Cody's verleden, het hartverscheurende verlies van zijn vrouw, en zijn besluit om haar een long te geven om drie jaren met haar te winnen.

'Zo'n grote liefde maken de meeste mensen geen twee keer in hun leven mee,' was het enige wat haar moeder had gezegd. Sindsdien hadden ze niet meer over Cody gepraat, zelfs niet toen Elles moeder te weten kwam dat ze vandaag met z'n vieren een wandeltocht gingen maken.

Nu namen ze ieder hun plaats in achter een snijplank, met een pan water tussen hen in. Een tijdje hakten ze zwijgend. Toen hield haar moeder even op en keek haar aan. 'Ik zag je buiten met Carl Josephs broer. Je keek erg... gelukkig.'

Elle legde haar mes neer en legde haar hand op de hand van haar moeder. 'We zijn gewoon vrienden.'

'Maar wat vind je ervan?' vroeg ze zacht. 'Hoe voel je je?'

Elle aarzelde en in die ene aarzeling wist ze dat ze een probleem had. Ze voelde nog haar vingers in de hand van Cody; hoe veilig en beschermd ze zich had gevoeld naast hem op het pad en dat ze in zijn armen had gewenst dat het nooit meer op zou houden.

'Elle?'

'Ik weet het niet goed.' Ze pakte haar mes op en een nieuw worteltje en richtte haar blik op de snijplank. Ze zuchtte even en glimlachte. 'Maar goed, de wandeltocht was heerlijk. Carl Joseph en Daisy waren door het dolle heen, ze hebben gedanst op een veldje klaver halverwege de tocht...'

Ze stak van wal met een uitgebreide beschrijving van de middag, waarmee ze haar moeder in niet mis te verstane termen duidelijk maakte dat het gesprek over Cody en hoe het met zijn hart was gesteld afgelopen was. Ze kon haar moeder niet vertellen wat ze voelde voor de broer van Carl Joseph voordat ze alleen was geweest en tijd had gehad om met God te praten. Want voordat ze met iemand over haar gevoelens voor Cody Gunner kon praten, moest ze eerst iets anders doen.

Ze moest duidelijkheid krijgen voor zichzelf.

hoofdstuk vierentwintig

Nadat Cody Carl Joseph naar huis had gebracht en de vragen van zijn moeder had ontweken, keek hij op zijn horloge. Vier uur. Het bleef nog vier uur licht. Genoeg tijd om een bezoek te brengen aan de enige plek waar hij wilde zijn.

De enige plek waar hij heen moest.

Tegen de tijd dat hij weer in zijn auto zat en over de zandweg naar de achterkant van de ranch reed, buitelden in zijn hoofd duizend verschillende gedachten over elkaar. Beelden van de wandeltocht en Elle vulden zijn hart. Zijn gevoelens voor haar kwamen boven voordat hij er klaar voor was. Wat was er vandaag gebeurd? En wat moest hij ermee aan, terwijl hij niet van plan was geweest ooit nog van iemand anders dan Ali te gaan houden?

Hij concentreerde zich op de weg.

Hij parkeerde op dezelfde plek als die avond met Elle. Hij bleef een paar minuten tegen zijn pick-up geleund staan en staarde naar de groenblijvende bomen en de bonkige uitstekende rotsen. Toen liep hij de heuvel op en ging op de rotswand zitten. Van daar keek hij uit over kilometers onontgonnen heuvels en in de kalme sereniteit kon hij nadenken. Er was op de ranch een aantal plekken waar Ali en hij heen waren gegaan om over haar naderende dood te praten.

Maar deze plek hoorde daar niet bij.

Hij voelde de tranen, uit zijn hart overstromen naar zijn ogen. Begon hij het leven weer op te pakken? Deed hij precies dat wat Ali van hem gevraagd had voordat ze stierf? Hij sloot zijn ogen. Elke keer als hij aan haar dacht waren de schok en het verdriet hetzelfde. Het leek nog maar tien minuten geleden dat ze naast hem lag, vechtend tegen de ziekte, dezelfde lucht inademend als hij. Hoe kon ze werkelijk dood zijn?

'Ali...' Hij ging rechter zitten en drukte zijn vuisten tegen zijn ogen. *God... zal het ooit makkelijker worden?*

Het gebed kwam onverwacht en Cody deed zijn ogen open. Hij keek over de heuvels naar de horizon in de verte. *Alstublieft, God... kunt U me horen?*

Op hetzelfde moment daalde er een warmte op hem neer die zijn emoties tot rust bracht. Zijn hart werd vervuld van een wetenschap die hem de kracht gaf om de gedachten te overwegen die hem al de hele dag door het hoofd spookten. Hij keek naar zijn trouwring en plotseling kreeg hij een zekerheid die hij nooit eerder had gehad.

Ali was er niet meer, maar meer dan dat, ze was doorgegaan. Ze was in de hemel bezig met de taken en vreugden die God aan de andere zijde voor haar had bestemd. En wat ze had achtergelaten was een les waar hij tot nu toe niet naar had willen handelen. Ali geloofde in het leven, ze had elke minuut beleefd alsof het haar laatste was.

Dus waarom had hij de afgelopen vier jaar geleefd alsof zijn leven voorbij was? Hij had weerstand geboden tegen vriendschappen en gesprekken, en hij had het vaste voornemen gehad nooit meer lief te hebben. Terwijl dat totaal niet in de geest van Ali was. Ze zou boos op hem zijn om wat hij was geworden: een afgesloten man, die aanvankelijk zelfs bang was geweest om Carl Joseph de vleugels te geven om te vliegen. Hij knipperde zijn tranen weg. Ali zou hem niet herkennen.

Elles woorden van daarstraks kwamen bij hem terug. Wat had haar moeder ook alweer gezegd? Dat God iemand niets nieuws kon geven tenzij hij met lege handen stond. Hij keek weer naar zijn linkerhand, naar de trouwring die hij nog steeds om had. Elle had het natuurlijk opgemerkt. Hij had haar voelen verstrakken toen ze haar blik om die reden afwendde.

Cody draaide aan zijn ring en ineens stond hij weer op de rotsachtige plek op het land van haar ouders, onder de weidse lucht van Colorado, waar hij Ali Daniels voor altijd trouw had beloofd. Hij kon haar ogen zien, haar handen voelen in de zijne. Maar toen verdween het beeld, als een windvlaag die van richting veranderde.

Hij kreeg haar niet terug door haar ring te blijven dragen. Het diende alleen als herinnering dat zijn leven tegelijk met het hare was geëindigd. En Cody was er zeker van dat Ali daar woest om zou zijn geweest. Ali, die hem had laten beloven weer van iemand te gaan houden, en die boos was geworden toen hij dat wegwuifde.

'Je moet leven, Cody.' Ze verhief zelden haar stem, maar de laatste keer dat ze over zijn toekomst hadden gepraat, was ze boos op hem geworden. 'Ik vind het niet goed dat je je hartstocht en je vermogen tot liefhebben verliest, alleen omdat ik er niet meer ben.'

Ali had niet alleen gehoopt dat hij na haar dood een nieuw leven zou vinden; ze had het geëist. Maar vier jaar lang had hij haar wensen veronachtzaamd. Niet omdat het hem niet kon schelen wat ze dacht, maar omdat hij elke ochtend amper uit bed kon komen. Het verlies maakte ademhalen al moeilijk, laat staan dat hij aan liefhebben kon denken. Hij verplaatste zijn blik naar de heuvels in de verte.

Tot nu toe.

Hij knarsetandde. Vanaf het moment dat hij haar had gezien, had hij geprobeerd Elle Dalton uit zijn hart te bannen. Wat maakte het uit dat ze mooi was? Daar kon hij afstand van nemen. Maar vandaag had hij, tijdens een wandeltocht die alleen maar bedoeld was als een uitstapje met hun broer en zus, iets over zichzelf geleerd.

Hij kon geen afstand nemen van Elle Daltons hart.

Elle was gepassioneerd over het leven en de liefde en mensen met het syndroom van Down. Diep vanbinnen in haar gewonde hart koesterde ze een liefde voor Daisy die zijn liefde voor Carl Joseph evenaarde, en daarin was Elle een verwante geest.

Hij vond het vervelend om zo te denken, maar hij had zich voor een deel tot Ali aangetrokken gevoeld door haar ziekte en het feit dat hij haar kon beschermen en beschutten. Ze had hem nodig en dat dreef hun liefde naar een hoogte waarvan Cody het bestaan niet had gekend.

Elle had geen dodelijke ziekte, maar de schade die haar hart was toegebracht was genoeg om haar levenslang te verminken. Het was genoeg voor Elle om te werken met mensen als haar zusje. Ze was bereid haar eigen gevoelens in de ijskast te zetten terwijl ze anderen diende. Liever dat dan te experimenteren met de pijn en afwijzing die verliefd worden met zich mee kon brengen.

En dat maakte dat Cody Elle wilde beschermen, net zoals hij een mensenleven geleden Ali had willen beschermen. In de verte bespeurde hij een stel herten. Ze stonden stil en keken zijn kant op, en vluchtten toen weg de heuvels in. Cody leunde achterover op de rots en dacht aan de wandeltocht.

Toen hij op Elles tenen had getrapt en ze in zijn armen was gevallen, had hij de plotselinge aandrang gevoeld om haar zo lief te hebben dat alle verraad en afwijzing in haar verdween. Hij wilde haar beschermen en voor haar zorgen en haar leren dat liefde niet zo'n pijn hoefde te doen. De kracht van zijn gevoelens had hem de adem benomen. Gevoelens die hij tot dat ogenblik niet had erkend.

Hij ademde diep in en zoals altijd na de transplantatie voelde hij dat zijn lichaam tekortkwam voor een volledige ademteug. De tastbare herinnering aan Ali die hij voor altijd met zich meedroeg.

Hij keek nog één keer naar zijn trouwring. Toen stond hij op en staarde in de verte. 'Ik weet wat me te doen staat, Ali. En ik weet dat je het ergens in de hemel begrijpt, want… je hebt het me laten beloven.'

Zijn tranen waren gedroogd en zijn gedachten vertoefden meer bij Elle en de toekomst dan in het verleden. Een vredig gevoel verwarmde hem, zoals vaker als hij gebeden had. Hij aarzelde nog een ogenblik. Hij stopte zijn handen in zijn zakken, wierp nog een laatste blik naar de lucht en liep terug naar zijn pick-up. Op weg naar huis kwamen zijn verwarde gedachten tot rust. En ineens wist hij precies wat zijn volgende stap moest zijn.

Toen hij binnenkwam zat zijn familie aan de eettafel, op het punt om te gaan eten. Er hing een warme geur van lasagne en toen Cody binnenkwam, brak er een brede grijns uit op Carl Josephs gezicht. 'Broer! Je bent op tijd thuis!'

Cody lachte. Hij vond het prachtig zoals Carl Joseph deed alsof etenstijd een vakantie naar de Bahamas was. 'Ja, vriend. Ik ben terug.'

Hij stak zijn vork in de lucht. 'Broer is hier voor mama's lasagne.'

Toen Cody was gaan zitten, bleef er nog een paar minuten een feestelijke sfeer hangen. Pas toen merkte hij dat zijn ouders elkaar aankeken alsof ze popelden om iets te vertellen.

Eindelijk nam zijn vader het woord. 'We hebben met de arts gesproken die Elle had voorgesteld.'

'Hij heeft ons thuis gebeld.' De ogen van zijn moeder werden vochtig, maar haar blijdschap was onmiskenbaar. 'Hij vertelde ons over een nieuw medicijn.'

Cody keek verwachtingsvol van zijn moeder naar zijn vader. 'En?'

'Ik kan het niet meer houden, mam!' Carl Joseph zette zich af tegen de tafel en sprong op. Hij danste een paar rondjes en pompte met zijn vuisten in de lucht.

'Geen geheimen meer! Ik kan niet wachten!'

Er viel een traan op zijn moeders wang en ze maakte een geluid dat meer op lachen leek dan huilen. 'Carl Joseph gaat maandag weer terug naar het centrum.'

Cody's adem stokte in zijn keel. Hij stond op en keek zijn ouders aan. 'Meen je dat?'

'Ik mag blijven werken aan mijn einddoel, broer!' Carl Joseph hief beide vuisten in de lucht. 'Want ik krijg een beter medicijn.'

Zijn moeder vouwde haar handen en Cody zag dat haar vingers trilden. Terwijl Carl Joseph naar de keuken danste, vroeg Cody: 'Wanneer mag hij het nieuwe medicijn gaan proberen?'

'Morgenmiddag.' Ze glimlachte beverig. 'Dan hebben we een afspraak met de nieuwe dokter.'

'We weten nog steeds niet of het wel veilig is.' Zijn vader sloeg zijn armen over elkaar. Zijn kin beefde en hij hoestte om zijn zelfbeheersing terug te krijgen. 'Maar het is goed. Dat weten we.'

'De arts was erg bemoedigend.'

Cody dacht weer aan Ali. Zij zou liever één jaar op paarden hebben geracet dan tien jaar in de veiligheid van een steriele kamer te blijven. Voor Carl Joseph gold hetzelfde. Ineens stonden de beslissingen die Cody moest nemen hem glashelder voor ogen.

Carl Joseph keerde buiten adem terug bij de tafel. 'Mijn beurt om te bidden!' Zijn stem was luider dan anders en hij betrapte zichzelf erop. Hij sloeg zijn hand voor zijn mond en trok zijn wenkbrauwen op. 'Sorry,' fluisterde hij. 'Want het is mijn beurt om te bidden.'

'Ga je gang, jongen.' Zijn vader glimlachte naar hem.

Carl Joseph pakte zijn moeders hand en iedereen deed zijn ogen dicht. 'Ha God, met Carl Joseph.' Hij smoorde een lachje. 'Alles is nu prima, God. Dus bedankt voor de lasagne, en bedankt voor papa en mama en broer en juf.' Hij giechelde weer. 'En Daisy. En medicijn.' Hij klapte in zijn handen. 'Nu kunnen we aanvallen!'

Cody deed verbijsterd zijn ogen open. Zoals Carl Joseph van het leven genoot, was zijn geloof ook een voorbeeld voor hen allen.

Ze lieten Carl Joseph een poosje aan het woord. Hij vertelde dat Daisy en hij hadden besloten dat het volgende uitstapje naar Disneyland zou gaan. 'Want we moeten er eerst naartoe en we kennen de busroute niet.'

'Ik denk dat jullie met het vliegtuig moeten.' Zijn vader was klaar met eten. Hij ging soepel om met Carl Joseph, wat Cody kort na zijn thuiskomst niet had opgemerkt in zijn haast om zijn vader verwijten te maken.

'Ja.' Carl Joseph keek uit het raam. Hij had nog nooit gevlogen, en de opwinding stond op zijn gezicht geschreven. 'Want we kunnen gaan vliegen.'

Na een paar minuten praten over Disneyland stond Carl Joseph op en bracht zijn lege bord en beker naar de keuken. 'Ik zal afwassen.' Hij schonk hun moeder een brede glimlach en tikte hun vader op de schouder. 'Dat is een goede praktische vaardigheid.'

Papa stond op en ging met Carl Joseph mee naar de keuken. 'We doen het samen.'

'Jippie.' Hij klapte van blijdschap in zijn handen.

Cody stond op en voegde zich bij zijn vader en zijn broer in de keuken. Carl Joseph vertelde op komische wijze over de wandeltocht en hoe Cody en Elle samen hadden gedanst.

'Broer kan niet goed dansen.' Carl Joseph schudde dramatisch zijn hoofd, zo dramatisch dat zijn bril haast op de grond viel. Hij ving hem op en zette hem weer op zijn plaats. Toen klopte hij Cody op zijn schouder en omhelsde hem ruw. 'Maar hij is een heel, heel goede broer.'

Die avond deden ze een spelletje en Cody bleef langer op dan anders voordat hij naar zijn eigen huis op de ranch ging. Hij had almaar naar dit ogenblik uitgekeken en nu was het onvermijdelijk gekomen. Hij ging door de voordeur zijn huis binnen en sloot de deur achter zich af.

Wat hij nu moest doen, zou hij alleen doen; zoals hij ook alleen naar de rotswand was gegaan. Hij liep door zijn woonkamer naar de schoorsteenmantel. Op het gewreven eikenhout stond zijn ingelijste trouwfoto. Ali en hij, toen de toekomst nog mogelijk leek. Toen een geneesmiddel voor CF het enige was wat tussen dat vluchtige ogenblik en de rest van hun leven instond.

Hij streek met zijn duim over het glas, over hun hoopvol lachende gezichten. 'Het is tijd, Ali.' Hij glimlachte, al brak zijn hart. Hij keek naar haar gezicht, haar ogen. 'Ik weet dat jij dat ook zou willen.'

Als een oude man sleepte hij zich naar zijn slaapkamer en opende de bovenste lade van zijn commode. Achterin lag een klein rieten mandje, een vergaarbakje voor dingen die geen eigen plek hadden. Zijn oude zakmes van vroeger en een paar oordoppen die hij droeg als hij met de tractor over de ranch reed. En daarnaast lagen boven op een bergje oude munten de twee fluwelen doosjes.

Eerst pakte hij het roze doosje. De scharniertjes kraakten zacht toen hij het openmaakte. De ring was nog steeds mooi, vooral omdat de aanblik hem eraan deed denken hoe hij er aan Ali's vinger uit had gezien. Hij nam de ring uit het doosje en bracht het koele witte goud dicht bij zijn gezicht.

Nu en dan hield hij haar trouwring zo vast en het gaf hem het gevoel of hij haar hand weer vasthield. Haar vingers weggestopt in de zijne. Maar vanavond was het alleen een koude, lege herinnering aan alles wat niet meer was. Alles wat nooit meer zou zijn.

Voorzichtig legde Cody de ring weer in het fluwelen doosje en sloot het deksel. In het graf was Ali niet, en in het fluwelen doosje was ze niet te vinden. Ze woonde in zijn hart, in een achterkamer waar ze kortgeleden in was getrokken, een kamer die altijd van haar zou blijven. Hij pakte het andere doosje, het donkere, en zette het op het commodeblad.

Nooit was hij zo ver gekomen en elke beweging was traag en pijnlijk. Hij opende het doosje en keek naar zijn linkerhand. Daar had Ali de ring zeven jaar geleden omgedaan en daar was hij sindsdien gebleven. Maar op deze dag, waarop hij had gebeden om een antwoord, voelde hij met grote zekerheid dat dit de volgende stap was, de stap die hij onafwendbaar moest nemen.

De trouwring paste nog net zo precies als op hun trouwdag. Dus het duurde maar een paar seconden om hem voorzichtig over zijn knokkel te draaien. De pijn in zijn hart spreidde zich uit naar zijn borst en omhoog in zijn keel. En met een scherpe ademteug deed hij wat hij nooit had gedacht te zullen doen.

Hij deed zijn ring af en legde hem teder terug in het doosje. Hij staarde er een paar seconden naar. Wat hij voelde bij die ring zou in zijn hart altijd blijven bestaan. Maar wat de ring voor de wereld betekende, was niet meer waar. Hij was niet getrouwd en na vier jaar was de tijd gekomen om dat feit te erkennen.

Al brak het bijna zijn hart.

Cody sloot het doosje en zette het vol tederheid naast het doosje met Ali's ring. Toen sloot hij de lade en liep naar een oude leunstoel die in zijn slaapkamer voor het raam stond. Hij liet zich erop neervallen en tuurde in de donkere avond. God leidde hem. Cody voelde Zijn leiding bij elke stap. En daarbij had hij Ali losgelaten, net genoeg om één stap vooruit te kunnen doen. En nu was hij klaar om onder ogen te zien wat er verder kwam. Want of hij nu weer naar de rodeo terugkeerde of niet, hij had datgene waar Elle het over had gehad, datgene waarvan hij voelde dat God hem ertoe gedrongen had.

Lege handen.

hoofdstuk vijfentwintig

Elle wilde die maandagochtend net met de les beginnen toen de deur openging en Cody en Carl Joseph binnenkwamen. Cody's gezicht werd verlicht door een glimlach en Elle wist wat er aan de hand was voordat er een enkel woord werd gezegd.

'Carl Joseph wil graag weer in de les komen,' zei Cody.

Gus ging rechtop zitten. 'Ben je terug? Ben je echt terug?'

'Ik wist het wel.' Sid gaf de jongen naast hem een high five. 'Ik zei toch dat hij wel terug zou komen!'

Daisy was opgesprongen. Ze liep op haar tenen naar Carl Joseph toe en sloeg haar armen om zijn hals. 'Je bent thuis, CJ! Welkom thuis!'

Elle was dankbaar voor de luidruchtige feeststemming onder haar leerlingen. Want ze had niets kunnen zeggen als ze het had gewild. Ze stond op en liep naar Cody toe. 'Hebben je ouders met de nieuwe arts gesproken?'

'Ja. Ik vertel het je later wel.' Hij glimlachte en hield haar blik vast. 'Hoeveel tijd Carl Joseph ook nog heeft, hij wil leven.' Hij keek naar zijn broer. 'En hier kan hij dat.'

Elle vroeg of Cody wilde blijven, maar hij schudde zijn hoofd. 'Ik heb van alles te doen.' Hij glimlachte, maar iets in zijn gezicht wees op de gevoelens waarmee hij te kampen had.

'Heb je een besluit genomen? Of je teruggaat naar de rodeo?'

'Nog niet.' Hij raakte haar hand even aan. 'Ik hoor het wel als er problemen met hem zijn.' Cody nam afscheid van zijn broer en vertrok.

Die week was het elke dag hetzelfde, Cody zei maar een paar woorden als hij Carl Joseph afzette of ophaalde. Er gebeurde iets vanbinnen bij hem en Elle kon niets anders doen dan voor hem bidden.

Nu en dan keek hij naar haar of wisselde een paar woorden met haar, en dan zag ze altijd strijd en kwetsbaarheid bij hem waar ze niet naar durfde vragen, niet in een praatje van een paar minuten voordat de lessen begonnen.

Op vrijdagochtend wist Elle niet goed wat ze moest denken van de verandering, maar het joeg haar angst aan. Omdat ze niet wist hoe ze zich zou moeten ontdoen van de gevoelens die bij haar wortel hadden geschoten. Ze verheugde zich er elke ochtend op hem te zien als hij zijn broer bracht. Ze overwoog er Carl Joseph naar te vragen, maar dat vond ze een vervelend idee. Als God wilde dat ze wist wat er veranderd was voor Cody Gunner, dan zou die informatie op een andere manier tot haar komen.

En dat gebeurde.

Vrijdagochtend, vlak voor hun excursie naar een supermarkt drie kilometer verderop. Carl Joseph en Daisy zaten bij elkaar te wachten tot de rest van de klas arriveerde. Ze praatten over zandgebak en Disneyland en welke sokken ze het liefst aantrokken als ze het uitstapje naar het pretpark gingen maken.

Elle sloot zich een paar minuten af voor hun gesprek. Ze was informatiepakketjes voor de deelnemers aan het sorteren toen ze haar zusje van toon hoorde veranderen.

'Waarom zou hij langs de weg willen zitten?' Daisy trok haar knieën op en kruiste haar benen.

'Hij wil nadenken.' Carl Joseph probeerde ook zijn benen op te trekken, maar ze waren te kort en dik en algauw gaf hij het op. Hij probeerde zich te herinneren wat hij ook alweer gezegd had. 'Want... broer wil over dingen nadenken.'

Daisy keek verward het lokaal rond. 'Hij kan toch hier nadenken, CJ.' Ze wees naar de plaats naast haar op de bank. 'Hier op deze plek.'

'Hij kan nadenken als hij op de rug van Ace, het paard, zit.'

'Of op zijn bed.' Ze bracht haar wijsvingers bij elkaar en schreef zorgvuldig een hart in de lucht tussen hen in. 'Op mijn bed staan grote harten.'

'Op mijn bed staat Mickey Mouse.' Carl Joseph stak met een overwinningsgebaar zijn vuist in de lucht. 'Mickey Mouse is het lekkerste bed.'

Elle wilde alleen zijn. Ze stapte de leraarskamer binnen en zocht steun bij het aanrecht. Ging Cody weg? Na alle emoties die ze door hem had doorstaan vertrok hij? *God, gaat het nu zo aflopen? Waarvoor brengt U hem dan in mijn leven, zodat ik afscheid van hem kan nemen voordat er iets van komt en…*

Er kwam een abrupt einde aan haar zelfmedelijden. Wat bezielde haar? Wat oppervlakkig om te denken dat zij de enige reden was dat Cody Gunner was verschenen. De reden dat God Cody in haar leven had gebracht, had waarschijnlijk niets met haar te maken. Ze zag Carl Joseph voor zich, enthousiast over de excursie, weer helemaal in het gareel met zijn klasgenoten en hard op weg naar zijn einddoel. Carl Joseph was reden genoeg, al zag ze Cody nooit meer.

Ze werd overvallen door doelloosheid en de verleiding was groot om het onderwerp los te laten, de leraarskamer uit te gaan en de excursie uit te voeren in het geloof dat ze op een dag in de niet al te verre toekomst Cody zou vergeten. Maar haar oog viel op een briefje dat naast het koffiezetapparaat was opgehangen.

Vergeet niet te bidden! Dat is de allerbelangrijkste levensvaardigheid!

Ze kreeg een brok in haar keel en vocht tegen haar tranen. *Vergeef me, God. Als Cody weggaat, kunnen we altijd nog vrienden blijven. Maar alstublieft… als het Uw wil is, overtuig Cody dan om te*

blijven. Overtuig hem ervan dat hij hier in het centrum moet gaan wer-
ken, zodat we onze liefde voor mensen met het syndroom van Down
kunnen delen en misschien op een dag… iets meer. En zo niet, God…
help me dan hem los te laten.

Ze beheerste zich en keerde terug naar het leslokaal. De
meeste leerlingen waren er al, druk in gesprek over de beste-
ding van hun denkbeeldige honderd dollar. Ze had met de bedrijfsleider van de supermarkt afgesproken dat elke deelnemer
een karretje kreeg en eten mocht uitkiezen binnen een budget,
en dat ze daarna, om een beter begrip te krijgen van de afde-
lingen in een supermarkt, de artikelen terug mochten zetten in
de schappen.

En toen ze een half uur later op weg gingen naar de eerste
bushalte, weigerde ze na te denken over Cody en of hij zou
blijven of de weg weer op zou gaan. God had alles in handen.
Als hij wegging zou ze zelfs in haar verdriet weten dat het
Gods wil was.

Al zou ze zich haar leven lang blijven herinneren hoe het
was om met hem te dansen op een veldje klaver halverwege
een bergpad op een zonnige middag in juni.

Cody hield met opzet afstand. Hij wilde niet dat zijn gevoelens
voor Elle invloed hadden op zijn beslissing om te blijven of te
gaan. Want als hij bleef, wilde hij niet alleen met lege handen
naar haar toe gaan, maar ook met een vol hart. Vol hoop en
belofte en enthousiasme voor morgen en elke dag daarna.

Dus die week hield hij afstand van Elle en zijn ouders, en
in zekere zin zelfs van Carl Joseph. Daarbij nam hij het advies
van zijn broer ter harte en bad. Zodra hij de kans kreeg, sprak
hij met God. Moest hij weggaan en een jaar gebruiken om zijn
opties en gevoelens op een rijtje te zetten? Of moest hij blijven,

zijn mouwen opstropen en samenwerken met een meisje dat zijn gedachten beheerste? Was hij daar klaar voor, of was hij in zijn eentje beter af? Alleen met God.

Zo had hij eigenlijk nooit gedacht na Ali's dood.

Tot nu, nu hij haar had losgelaten.

Dag na dag bad hij, elke ochtend bracht hij Carl Joseph naar het centrum en dwong zichzelf maar een paar minuten te blijven, om niet van gedachten te veranderen en de hele dag te blijven. Zo voelde hij zich tot Elle aangetrokken. In zekere zin verwachtte hij dat het antwoord gemakkelijk zou komen. Moest hij blijven of gaan? Eenvoudige vraag, eenvoudig antwoord. Maar God riep niet tegen hem, fluisterde niet in zijn hart en maakte het antwoord op geen enkele manier duidelijk.

Het antwoord kwam op vrijdag, na Carl Josephs excursie.

Die dag had Cody op Ace gereden, en hij was in de schuur het paard aan het borstelen en klopte het op de hals. Lang voordat zijn broer in de deuropening verscheen, hoorde hij Carl Joseph aan komen stampen om hem te begroeten.

'Broer!' Het was halverwege de middag en de zon wierp zijn stralen om Carl Joseph heen. 'De supermarkt was leuk!'

Cody legde de borstel neer, veegde zijn handen af en liep over de met stro bedekte vloer naar de deur. Hij veegde zijn voorhoofd af en glimlachte naar zijn broer. 'Daar heb ik nog nooit iets van gemerkt.'

'Wat?' Sarcasme pakte Carl Joseph niet op. Daar was hij te onschuldig voor.

'Ja, vriend.' Cody klopte hem op de schouder. 'De supermarkt is erg leuk.'

'Ja, en ik heb een meloen uitgezocht en...' hij stak twee vingers op, 'twee pakken melk en ongezouten boter en tarwebrood.' Hij klapte in zijn handen en lachte omdat hij buiten zichzelf was van blijdschap.

'Dat is geweldig, vriend. Ik ben trots op je.' Hij meende het. Elke excursie, elke les in de klas was een nieuwe overwinning voor Carl Joseph, een nieuwe stap dichter naar zijn einddoel.

Carl Joseph danste een beetje op en neer, hij knikte en vertelde uitgebreid over het uitstapje. Maar even later viel hij stil en zijn glimlach stierf weg. Hij duwde zijn bril omhoog op zijn neus en keek Cody turend aan. 'Waarom, broer?'

'Waarom wat?'

'Je bent niet meegegaan. Ik vind het leuk als je meegaat, broer. Maar misschien hou je niet van de supermarkt?'

Cody staarde naar zijn broer, langs het extra chromosoom heen naar de goedhartige jongen daarbinnen. Een jongen die sinds hij kon praten naar hem had opgekeken en naar zijn aandacht had gehunkerd. En daar vond Cody, in de argeloze vraag van zijn enige broer, het antwoord dat hij had gezocht.

Even duidelijk alsof God Zelf het hem met Zijn eigen hand gegeven had.

Tien minuten te laat wandelden Cody en Carl Joseph het centrum binnen, maar Elle was nergens te zien. Cody's hart bonsde, maar dat had hij verwacht. In het weekend was hij veel in gebed geweest over het antwoord dat hij gekregen had. Het gevoel in zijn hart bleef hetzelfde.

Nu was het tijd om ernaar te handelen.

Carl Joseph wist niet wat Cody van plan was of waarom vandaag anders was dan alle andere dagen. Hij danste de klas binnen, stond stil en wilde Cody net een afscheidsknuffel geven toen Cody hem tegenhield. 'Ik blijf, vriend.'

De wenkbrauwen van zijn broer schoten ver omhoog. 'Blijf je?' Hij lachte bulderend, ongelovig. 'Echt waar, broer?'

'Echt waar.' Cody klopte zijn broer op de schouder. 'Ik ga

hier bij de deur zitten. Ga jij maar naar je vrienden toe.'

Carl Joseph rende zwaaiend met zijn handen naar de groep toe. Hij riep net: 'Broer blijft! Broer blijft!' toen Elle uit de leraarskamer kwam. Ze voelde kennelijk dat Cody haar gadesloeg, want ze draaide zich naar hem om en hun ogen vonden elkaar. Ze bleven elkaar aankijken terwijl Daisy opsprong en om Carl Joseph heen danste om te vieren dat zijn broer bleef.

Elle legde haar spullen neer op haar bureau, draaide zich om en kwam langzaam naar hem toe. Hij zag aan haar gezicht dat ze in de war was, dat ze niet begreep of hij de hele dag bij Carl Joseph in de klas wilde blijven.

Of dat hij in Colorado Springs bleef.

Toen ze bij hem was, sprongen er honderd vragen uit haar ogen. Maar ze stelde er maar één. 'Blijf je?'

Hij vond het akelig dat ze zo zenuwachtig was, haar hart had al genoeg doorstaan. Hij stond op en keek naar de klas. De assistente was met enkele leerlingen aan het werk. Hij keek haar onderzoekend aan. 'Kun je even mee naar buiten gaan?' Zijn hart begon harder te bonzen, zo hard dat hij zich amper kon concentreren. Hij zette zich schrap. *Ademhalen, Gunner. Adem in.* Hij kon het wel. Dat had God duidelijk gemaakt.

Elle vertelde de klas dat het tijd was voor een groepsdiscussie. Ze wierp haar assistente een veelbetekenende blik toe en glimlachte naar haar leerlingen. 'Op jullie plaatsen, alsjeblieft. Ik ben zo terug.'

Ze volgde Cody naar buiten en op de binnenplaats waaide een warme wind. Hij leunde tegen de koele stenen muur en wachtte tot ze bij hem kwam staan. 'Ik heb een vraag.'

'Goed.' Ze beet op haar onderlip. Ze keek nerveus, had geen idee wat er komen ging.

Hij glimlachte en liet haar ogen niet los met zijn blik. 'Is die positie nog vacant? Om het fitnessprogramma hier in het centrum te gaan leiden?'

Eerst keek ze verbaasd, maar toen lichtten haar ogen op. 'Meen je dat?'

Cody voelde zijn onrust verdwijnen. 'Op één voorwaarde.' Op dit moment zag hij Elle, en Elle alleen.

Ze uitte een kreet van blijdschap. 'Wat dan?'

'Ik wil een dansstudio.'

Haar reactie was niet traag of afgemeten of behoedzaam. Ze sloeg haar armen om zijn hals en omhelsde hem, de overwinningsknuffel waar het ogenblik om vroeg. Maar het vroeg om meer dan dat.

Hij deinsde ver genoeg achteruit om haar te kunnen zien en langzaam maakte ze haar armen van hem los. Ze stonden centimeters van elkaar en de stemming tussen hen veranderde met een plotselinge hevigheid. Hij kromde zijn vinger en streek langs haar wang. 'Je had gelijk. Ik voel het ook. Ik voelde het toen op de berg.' Hij bracht zijn gezicht dichter naar het hare en keek haar onderzoekend in de ogen. 'En ik voel het nu.'

'Cody…' Haar ogen keken angstig en ze wendde haar blik af. 'Ik weet het niet.'

'Ik zal je geen pijn doen, Elle.' Hij nam haar handen in de zijne. 'Ik zou hier niet zijn als ik er niet grondig over na had gedacht.'

Toen hij in gedachten dit moment geoefend had, was hij er niet zeker van geweest waar het precies zou plaatsvinden of hoe het zou aflopen. Maar hij wist één ding. Hij liet haar niet gaan voordat ze duidelijkheid had over zijn gevoelens. Maar nu haar klas op haar wachtte en ze overmand werd door twijfel, kon hij maar één ding bedenken om haar te overtuigen.

Voorzichtig, met een tederheid die hij lang geleden had geleerd, liet hij haar handen los en liet zijn vingers langs haar gezicht in haar zachte, bruine krullen verdwijnen. In een moment dat ze geen van beiden ooit zouden vergeten, boog hij naar haar toe en kuste haar. Het was geen kus van hartstocht en verlangen, al waren die gevoelens ook in hem verborgen. Maar het was een kus van nieuwheid en tederheid en onschuld. Een aarzelende kus, die maar een paar seconden duurde.

Toen hij zich oprichtte, liet hij haar niet los met zijn ogen. 'En?' Hij omhelsde haar nog een keer en fluisterde in haar haar. 'Krijg ik de baan?'

Ze gaf geen antwoord en eerst vroeg hij zich af of ze zich bedacht had. Niet over hem, maar over het fitnessprogramma. Maar toen voelde hij haar schouders trillen. Ze had zich niet bedacht.

Ze huilde.

En voor het eerst in veel te lange tijd genoot Cody van dat geluid. Omdat Elles tranen dit keer niet voortkwamen uit wanhoop en verdriet.

Ze kwamen voort uit pure, grenzeloze blijdschap.

Elle snufte en droogde haar tranen. 'Ja.' Ze drukte haar wang tegen Cody's borst. 'Je krijgt de baan.'

Hij streelde haar haren en na een tijdje lieten ze elkaar los en pakte hij haar handen weer. 'Gelukkig maar, want ik heb niet bepaald een plan B.' Hij glimlachte. 'Nu niet meer.'

Ze wilde hem vragen wat er gebeurd was, waarom hij de hele week was weggebleven en nu gekomen was met zijn besluit. Maar nu hij zijn vingers om de hare gesloten had, viel haar ineens iets op.

Hij had zijn trouwring niet om.

'Cody.' Ze streek met haar duim over de gladde inkeping, de plek waar de ring een week geleden nog had gezeten. Ze keek naar zijn vinger en toen weer naar hem. 'Waarom?'

'Ik wilde lege handen.' Er was een spoor van verdriet in zijn ogen, maar op een afstand.

Ze kon zich indenken hoe moeilijk het moest zijn geweest om deze stap te zetten, om zijn trouwring weg te leggen. Hoe blij en gelukkig ze zich ook voelde, hoe haar hoofd ook tolde van ongeloof om wat er gebeurde, ze kon het niet toelaten tenzij hij volkomen zeker was. Ze nam zijn gezicht in haar handen en keek hem diep in de ogen, tot in zijn hart. 'Weet je het zeker?'

'Ja.' Zijn antwoord liet geen ruimte voor twijfel en zijn ogen zeiden dat hij haar weer wilde kussen. Maar hij bood weerstand; zij beiden. Dit was niet het juiste moment en de juiste plaats, en ze wilden de toekomst niet overhaasten. Er waren redenen in overvloed om rustig de tijd te nemen.

Hij grinnikte en zijn ogen straalden. 'Ik zat te denken dat Carl Joseph en Daisy elkaar al een hele tijd niet buiten de klas hebben gezien.'

'Een week.' Ze had zin om hardop te schreeuwen. Zo blij was ze.

'Precies, een hele week.' Hij schudde zijn hoofd om duidelijk te maken dat een week veel te lang was. 'Dus wat zou je ervan zeggen als we vanavond eens met z'n viertjes pizza gingen eten?'

Elle hield haar hoofd schuin. Ze voelde hoe haar ogen straalden als sterren. 'Dat zou fantastisch zijn.'

Ze streek met haar vingertoppen zachtjes over de lege plek waar zijn trouwring had gezeten. 'Waardoor heb je het gedaan, Cody?'

'Ik heb jouw advies opgevolgd.' De lach stierf weg uit zijn stem, maar er klonk geen verdriet in.

'Welk advies?'

'Ik heb een levensvaardigheid gebruikt.' Hij meende het, al was de stemming tussen hen luchtig.

'Werkelijk?' Ze kon nu al zien waar dit heen ging, hoe het zich in de weken en maanden die voor hen lagen zou ontwikkelen. God gaf haar in al Zijn goedheid een nieuw begin, het begin waarvoor haar moeder en haar zusje en ook zijzelf gebeden hadden. De toekomst was ineens gekleurd met de roze en blauwe strepen van een stralende zonsopgang en Elle kon haar dank wel uitschreeuwen naar de hemel omdat ze nauwelijks kon wachten.

Ze wilde weten wat hij bedoelde, en ze ving zijn blik weer toen ze terugliepen naar het klaslokaal. Ze deed haar best om zich te concentreren, maar het bleef haar duizelen. 'Welke levensvaardigheid?'

'Bidden.' Hij glimlachte en zijn lach maakte duidelijk wat er leefde in zijn hart. 'De belangrijkste.'

hoofdstuk zesentwintig

Zes maanden later

Mary Gunner stond bij de deur van haar huis en wuifde gedag. Cody en Carl Joseph gingen op weg om Daisy te helpen met haar verhuizing naar haar nieuwe appartement, het appartement dat ze deelde met Tammy, een andere leerling van het Centrum voor Zelfstandig Wonen.

Vorige week had Daisy haar einddoel bereikt en Mary en Mike hadden feestgevierd met Daisy en Elles moeder en alle leerlingen en hun families. Ze had nu een baan, kaartjes aannemen in een bioscoop anderhalve kilometer van haar appartement.

'Maar twee haltes met de bus,' mocht Daisy graag zeggen.

Mary had er dubbele gevoelens over. Aangespoord door Daisy's inspanningen om zelfstandig te worden, boekte Carl Joseph grote vorderingen in de richting van zijn einddoel. Zijn nieuwe medicijn werkte, maar hij had nog steeds ongeveer om de andere week vreselijke toevallen. Mary zuchtte diep. Over vier dagen had Carl Joseph een sollicitatiegesprek bij de dierenvoerwinkel: vloeren schoonmaken en planken bevoorraden. Elle had gezegd dat ze er tamelijk zeker van was dat Carl Joseph de baan zou krijgen. De bedrijfsleider begreep dat hij mogelijk een toeval zou krijgen en dat schrikte hem niet af.

Mary keek toe hoe Cody de oprit af reed en links afsloeg naar de stad. De twee broers waren hechter dan ooit. Mary glimlachte en voelde hoe elk spoor van verdriet uit haar wegtrok. Inderdaad, Carl Joseph zou binnenkort het huis uit gaan.

Cody en Elle hadden een groepstehuis gevonden in hetzelfde complex waar Daisy en Tammy woonden. En dat was goed voor haar zoon. Dat had ze geloofd toen ze hem bij het centrum inschreef, en dat geloofde ze nu. Al werd het haar soms benauwd om het hart.

Lang nadat Cody's pick-up uit het zicht verdwenen was, bleef Mary staan peinzen over alles wat er was gebeurd. Elle had gezegd dat Carl Joseph over zes tot negen maanden zijn intrek kon nemen in het groepstehuis. Hij had ook al een kamergenoot in de wacht staan: Gus. Zo konden ze tegelijk bezoek krijgen van de coördinator voor zelfstandig wonen, een sociaal werker die eens per week kwam kijken of ze hun gewone gangetje gingen en aan hun medicijnen dachten.

Ze glimlachte. Hoe Carl Joseph ook verbijsterend gegroeid en veranderd was, de grootste verandering had haar oudste zoon doorgemaakt.

Cody was verliefd. Compleet en over zijn oren, zoals Mary nooit meer had gedacht dat hem zou overkomen. Cody en Elle waren onafscheidelijk, en ze had al geluiden opgevangen over een trouwerij in de nabije toekomst. Over ruim een maand, in het weekend van Presidentsdag, zouden die twee met Daisy en Carl Joseph een bijzonder uitstapje gaan maken. Iets waarvoor Carl Joseph letterlijk de dagen aftelde.

Mary leunde met haar hoofd tegen de deurpost. Een mensenleven geleden, voordat Mike en zij getrouwd waren, had haar moeder iets gezegd wat haar altijd bijgebleven was. Ze had gezegd: 'Een moeder weet dat ze het goed gedaan heeft als ze een leeg nest heeft en een vol hart.'

In gedachten zag ze voor zich hoe Cody en Elle, opgaand in hun eigen wereld, Daisy hielpen verhuizen naar haar appartement terwijl Carl Joseph ratelde over zijn einddoel. Er waren de afgelopen tien jaar ogenblikken geweest dat ze zich afvroeg of ze als moeder niet compleet mislukt was. Toen Cody alleen zijn boosheid had en niet met haar wilde praten, en toen het tot haar doordrong dat ze Carl Joseph bijna had veroordeeld tot een leven van televisie kijken op zijn plekje op de bank in de woonkamer.

Maar nu het lege nest vlak voor de deur stond, was haar hart zo vol dat het kon barsten. Mary kon alleen maar hopen dat haar moeder gelijk had gehad.

Dat ze met hulp van God misschien toch nog iets goeds had gedaan.

De grote dag brak aan onder dikke, donkere wolken.

Tegen de tijd dat ze bij het vliegveld waren, regende het stevig en achterin had Daisy haar hoofd op Carl Josephs schouder gelegd. 'Ik haat de regen.'

'Niet haten, Daisy.' Carl Joseph praatte de laatste tijd wat zachter. 'Want het is niet aardig om te haten.'

'Oké, ik word bang in de regen.' Zelden sprak ze Carl Joseph tegen, zelden probeerde ze haar gelijk te halen zoals ze verder bij iedereen deed. Cody had het gemerkt en hij moest erom lachen.

Zoals Cody en Elle elke dag verliefder op elkaar werden, zo ging het met Carl Joseph en Daisy ook. Natuurlijk, hun vriendschap was gecompliceerder, maar niet onmogelijk.

En Cody had besloten dat als zijn broer op een dag zou willen trouwen, als hij gezond genoeg was om het aan te kunnen, dan zou Cody alles doen om hem te helpen. Op die manier zou de les die Ali hem geleerd had doorleven in Carl Joseph.

Cody pakte Elles hand. 'Hoe laat gaat de vlucht?'

'We hebben anderhalf uur.' Haar gezicht verlichtte de ochtend, ondanks de regen. 'Ik popel!'

'Jij?' Hij lachte en dempte zijn stem. 'Vanmorgen verscheen

Carl Joseph aan de ontbijttafel gewikkeld in zijn Mickey Mouse sprei. Hij wilde hem vandaag omhouden, zodat iedereen kon zien waar hij heen ging.'

Elle glimlachte. 'Elle heeft zes kleurplaten voor Minnie ingepakt. Drie voor elke dag dat we er zijn. Dus ik denk dat we zo'n beetje quitte staan.'

Cody hield zijn ogen op de weg gericht. De reis naar Disneyland was Elles idee, maar hij was er van begin af aan voorstander van geweest. Ze hadden het met opzet pas een week geleden aan Carl Joseph en Daisy verteld. Anders was Daisy er misschien zo in opgegaan dat ze niet geslaagd was voor haar einddoel.

Hij vond een parkeervak. 'Ik weet wel dat ik dit voor geen goud zou willen missen.'

'Weet ik.' Elle glimlachte. 'Mijn moeder zei dat ik goed moet onthouden hoe ze op alles reageren.'

Hij keek om naar zijn broer, die nog bezig was Daisy te troosten. 'Nou, kom op. Disneyland wacht!'

Op het vliegveld vonden ze een rustig hoekje waar ze konden wachten. Zodra ze zaten, snakte Carl Joseph naar adem en hij wees naar het plafond. 'Dansmuziek!' Hij pakte Cody's hand. 'Kom, broer. We kunnen dansen.'

'Nee, hoor.' Cody schudde zijn hoofd. Hij voelde Elle naast zich lachen. 'Nu niet.'

'Nee, ik moet mijn voeten sparen voor Disneyland,' fluisterde ze zachtjes tegen hem.

'Dank je.' Hij gaf haar hand een kneepje. 'Ik zei toch dat we les moesten nemen. Echte lessen.'

Een eindje verderop pakte Carl Joseph niet uit het veld geslagen de hand van Daisy.

Ze stond op en boog sierlijk. Toen begonnen ze te dansen op de muziek van Denver International, en in de drukte merkten maar een paar mensen het op. Maar die liepen glimlachend door bij de aanblik van het bijzondere paar.

Elle had Daisy technieken geleerd om met haar angst om te gaan als de regen haar zo bang maakte dat ze zich niet kon verroeren. En ze was vooruitgegaan. Het regende buiten, maar Daisy had de moed gevonden om met Carl Joseph te dansen in plaats van zich angstig in zijn armen te verschuilen. Wat Elle ook deed, het werkte.

'Hoe heb je het met de kamers geregeld?' Elle liet haar vingers tussen de zijne glijden.

Haar nabijheid benam hem nog steeds de adem. Hij hield van alles aan haar, zoals hij nooit had gekund als Ali er niet was geweest. Hij kuste haar voorhoofd. 'Daisy en jij aan de overkant van de gang tegenover Carl Joseph en mij.'

'Perfect.' Ze wilde zich net in haar stoel nestelen toen er werd aangekondigd dat ze aan boord moesten gaan.

Cody wenkte Carl Joseph en Daisy om in de rij te gaan staan en ineens, alsof ze er net pas weer aan dacht, klampte Daisy zich aan Carl Joseph vast en begon te jammeren.

Meteen sloeg Carl Joseph zijn arm om haar heen en gaf klopjes op haar haar. 'Het is goed, Daisy. Want je zult niet smelten.'

Het was dezelfde geruststelling die hij haar altijd gaf en het werkte. Ze liepen langs de poort, door de slurf het vliegtuig in. Het was voor Carl Joseph en Daisy de eerste keer dat ze vlogen, dus Cody en Elle hadden plaatsen aan het gangpad voor hen geboekt. In elk geval totdat ze zich in de lucht op hun gemak voelden. Dan konden ze ruilen zodat Carl Joseph en Daisy bij het raam konden zitten.

Maar toen ze door het vliegtuig naar achteren liepen en hun plaats vonden, wilde Daisy Carl Josephs arm niet loslaten. Om geen scène te maken ging Cody naast Elle zitten, zodat Daisy naast Carl Joseph kon zitten.

'Het is goed, Daisy. Het is goed.' Carl Joseph klopte op de

arm van zijn vriendin. 'Je smelt niet van de regen.'

Carl Joseph troostte haar tijdens de veiligheidsinstructies en het opstijgen. Maar toen gebeurde er iets bijna magisch. Toen het vliegtuig door de lucht scheerde, brak het door de wolkenlaag en ze zagen een helderblauwe lucht.

Daisy ging rechtop zitten en keek uit het raam. 'CJ, kijk!'

Cody boog naar voren zodat hij hen kon verstaan. Elle deed hetzelfde.

Carl Joseph klapte in zijn handen, niet hard en storend zoals vroeger, maar gedempt en met verwondering. Hij knikte snel en hard. 'Zie je nou, Daisy? Dat zei ik toch. Achter de wolken… schijnt de zon.'

Haar angst was meteen weg en ze staarde naar de lucht, klaarblijkelijk verbijsterd door deze nieuwe openbaring. Carl Joseph keek verbaasd mee, alsof hij amper kon geloven dat de woorden die hij had gebruikt om Daisy te troosten absoluut juist waren geweest.

Elle keek langs Cody heen naar hun broer en zus. 'Het syndroom van Down is eigenlijk niets meer dan een laagje bewolking. Wolken die de heldere zonneschijn bedekken.'

Cody boog naar haar toe en kuste haar, zoals hij verlangd had sinds ze die ochtend in zijn pick-up waren gestapt. Teder, en met alle liefde die hij voor haar had in zijn hart. Nog steeds hielden ze hun kussen verborgen voor Carl Joseph en Daisy. Het was niet nodig om hen in de war te maken, of op het idee te brengen dat ook zij moesten kussen. Nog niet, in elk geval.

'Welterusten.' Elle deed haar ogen dicht. 'Tot straks in Los Angeles.'

Cody legde zijn hoofd tegen de hoofdsteun.

Hij wilde de rest van zijn leven doorbrengen met Elle Dalton. Hij was al naar ringen aan het kijken. Hij staarde uit het raampje naar het uitgestrekte, eindeloze blauw. Hij had het nooit zo gezien, maar Elle had gelijk. Of je nu in een regenbui zat, of leefde met het syndroom van Down, of probeerde een verlies te overleven dat zo groot was dat het je dood kon worden, er kwam altijd weer zonneschijn. En dat zou altijd zo blijven.

Na de regen.

Van de auteur

Fijn dat u met me meegereisd bent door de bladzijden van *Na de regen*. Ik had al een tijdje zin om terug te gaan naar Cody Gunner, om hem terug te vinden op die plek waar ik hem een paar jaar geleden heb achtergelaten: in zijn verdriet om het verlies van zijn vrouw Ali. Maar wie van u *Elke nieuwe morgen* heeft gelezen weet dat Cody niet alleen kapot was van verdriet om haar. Door haar te leren kennen was hij ook voor altijd veranderd. Om die reden was ik ervan overtuigd dat het verhaal niet uit was.

Ali had Cody per slot van rekening één ding laten beloven: dat hij weer liefde zou vinden.

En daarom is dit net als *Elke nieuwe morgen* een liefdesverhaal dat ik met een glimlach heb geschreven. Als zo veel van mijn boeken speelde het in mijn hoofd en hart als een film, en ik had het simpele en uitgesproken genoegen het verhaal voor u vast te leggen op de bladzijden van dit boek.

Ik vond het erg leuk om meer te schrijven over Carl Joseph, Cody's broer. En ik heb ervan genoten om te spitten in de wereld van het syndroom van Down, waarin wetenschappers nog steeds zo veel leren over wat er mogelijk is voor deze bijzondere mensen, en hoe hoog de lat voor hen kan worden gelegd.

Een van de thema's die op enkele verschillende lagen als een rode draad door het boek lopen, is het thema waarvoor de titel staat: *Na de regen*. Er overkomt ons veel narigheid in het leven. Die onverwachte diagnose, die stapel rekeningen die maar niet weggaat, die lege brievenbus, gespannen relaties...

Maar de waarheid is steeds wat Carl Joseph Daisy probeerde te vertellen: na regen komt zonneschijn.

De Schrift leert ons dat God goede plannen voor ons heeft. Maar soms is het een kwestie van vasthouden aan die waarheid als de wolken komen, als de lucht zo donker is dat het moeilijk te geloven valt dat er echt zonneschijn is aan de andere kant. Maar die is er wel, zeker voor hen die geloven.

Carl Joseph heeft een eenvoudig geloof en misschien kunnen we daar allemaal veel van leren. Hij verwerkt de dingen anders dan de meeste volwassenen. Hij denkt eenvoudig, als een kind. Hij houdt van God en daarom geeft hij God het beste van zichzelf op alle gebied. Zo'n beetje zoals kinderen doen. Als u tijdens het lezen van dit boek voor het eerst hoop in Jezus Christus hebt gevonden, weet dan dat ik voor u bid. De volgende stap die u moet zetten is een Bijbelgetrouwe kerk in uw omgeving zoeken en u daarbij aansluiten. Ga naar een zondagse dienst, doe mee aan een Bijbelstudie.

Ik bid dat u gezond mag blijven en in Zijn licht en waarheid mag wandelen. En vooral bid ik dat u met mij mee zoekt naar de wonderen om ons heen en dat u het leven viert! Denk erom, soms komen Zijn geweldigste boodschappen tot ons terwijl we wachten tot de wolken optrekken.

Als u mijn website een tijdje niet hebt bezocht, kom dan even langs! Ik hoor nog steeds graag van u. Uw gebed en uw brieven blijven een enorme bemoediging voor me terwijl ik verhalen schrijf die God kan gebruiken om uw en mijn leven te veranderen.

Tot de volgende keer... blijf op zoek naar de zonneschijn!

In Zijn licht,

Karen Kingsbury
www.karenkingsbury.com

Woord van dank

Dit boek had niet tot stand kunnen komen zonder de hulp van veel mensen. Ten eerste dank aan mijn vrienden bij Hachette Book Group USA, die blijven geloven in mijn boeken. Dank jullie wel!

Ook dank aan mijn geweldige agent Rich Christian, directeur van Alive Communications. Ik ben met de dag meer onder de indruk van je oprechte integriteit, je geniale talent en je toewijding aan God en het verspreiden van mijn boeken aan lezers over de hele wereld. Je bent een sterke man van God, Rick. Je bekommert je om mijn carrière alsof je persoonlijk verantwoordelijk was voor de zielen die God via deze boeken raakt. Dank je voor je zorg voor mijn vrije tijd, vooral de uren die ik met mijn man en kinderen doorbreng. Zonder jou zou ik dit niet kunnen doen.

Zoals altijd was dit boek niet mogelijk geweest zonder de hulp van mijn man en kinderen, die zo ongeveer alles eten als ik in tijdnood zit, en die begrip voor me hebben en niettemin van me houden. Ik dank God dat ik nog steeds meer tijd met jullie kan doorbrengen dan met mijn verzonnen mensen. Fijn dat jullie begrip hebben voor het soms verdwaasde leven dat ik leid en dat jullie altijd mijn grootste steun zijn.

Dank aan mijn moeder en assistente Anne Kingsbury, voor haar grote gevoeligheid en liefde voor mijn lezers. Je bent een weerspiegeling van mijn eigen hart, mam, of misschien ik van het jouwe. Hoe dan ook, we vormen een prachtig team en ik heb meer waardering voor je dan je denkt. Ik ben ook dankbaar voor mijn vader Ted Kingsbury, die me altijd het hardst bemoedigd heeft van iedereen. Ik weet nog toen ik een klein meisje was, pap, en jij altijd zei: 'Eens, lieverd, zal iedereen jouw boeken lezen en je werk kennen.' Bedankt voor je geloof in mij, lang voordat iemand anders in me geloofde. Ook dank aan mijn zussen, die me helpen als de werkdruk te hoog wordt om alles bij te houden. Daar ben ik blij mee!

Vooral dank aan Tricia Kingsbury, mijn zus die een groot deel van mijn zakelijke leven leidt. Je bent mijn zus, mijn vriendin, en nu mijn assistente. Beter kan niet. Laat me nooit in de steek, hoor! En aan Olga Kalachik, die me met hard werken ter voorbereiding op evenementen toestaat een aanmerkelijk deel van mijn zaken vanuit huis te regelen. De persoonlijke stijl die jullie beiden aan mijn bediening geven is me dierbaar, onbetaalbaar... Bedankt uit de grond van mijn hart.

En dank aan mijn vrienden en familie, vooral mijn zus Sue, die een nieuwe aanwinst is in mijn staf, en aan Shannon Kane en Melissa Kane, mijn nichten, die me dit afgelopen jaar geholpen hebben met grote projecten. Dank aan Ann en Sylvia, en aan iedereen die bidt voor mij en mijn gezin. Zonder jullie zouden we het niet kunnen doen. Dank aan iedereen die me blijft omringen met liefde en gebed en steun. Ik zou jullie bij name kunnen noemen, maar jullie weten wie jullie zijn. Dank voor jullie geloof in mij en dat jullie me lieten zien hoe ik echt ben. Een echte vriend staat naast je in de veranderende seizoenen van het leven en moedigt je niet alleen aan bij succes, maar bij het trouw blijven aan wat het belangrijkste is. Jullie zijn degenen die mij op die manier kennen, en ik ben dankbaar voor elk van jullie.

De grootste dank gaat natuurlijk uit naar de almachtige God, de meest fantastische auteur van alle: de Auteur van het leven. Het geschenk komt van U. Ik bid dat ik de ongelooflijke kans en verantwoordelijkheid mag krijgen om het alle dagen van mijn leven te gebruiken voor U.